VIDA Y AVENTURAS

del más célebre bandido sonorense

JOAQUIN MURRIETA

Sus grandes proezas en California

Ireneo Paz

Introducción por Luis Leal

Recuperación de la Herencia Literaria Hispana en los EEUU

Recovering the U.S. Hispanic Literary Heritage

Arte Público Press
Houston, Texas
1999

This volume is made possible through grants from the Rockefeller Foundation.

Recovering the past, creating the future

Arte Público Press
University of Houston
Houston, Texas 77204-2174

Cover design by / Diseño de la cubierta por Sandra M. Villagomez

Paz, Ireneo, 1839-1924.
    Vida y aventuras del más célebre bandido sonorense Joaquín Murrieta / by Ireneo Paz.
        p.   cm. — (Recovering the U. S. Hispanic Literary Heritage series).
        ISBN 1-55885-276-X (trade pbk. : alk. paper)
        1. Murrieta, Joaquín, d. 1853. 2. Revolutionaries — California — Biography. 3. Mexicans — California — Biography. 4. Outlaws — California — Biography. 5. Frontier and pioneer life — California. 6. California — History — 1850-1950. 7. California — History — 1846-1850. I. Title. II. Series: Recovering the U. S. Hispanic Literary Heritage Project publication.
F865.M96P39   1999
979.4'04'092—dc21   98-49997
                                                                          CIP

♾ The paper used in this publication meets the requirements of the American National Standard for Information Sciences—Permanence of Paper for Printed Library Materials, ANSI Z39.48-1984.

9 0 1 2 3 4 5 6 7 8   10 9 8 7 6 5 4 3 2 1

ÍNDICE

Introduccíon por Luis Leal

Colocación de las láminas

A la memoria de los gambusinos
mexicanos de la Alta California
—L. L.

INTRODUCCIÓN

I
JOAQUÍN EN LA HISTORIA

Antecedentes

Si es difícil separar los elementos míticos de los históricos generalmente contenidos en todo relato escrito u oral, cuando se trata de la vida de un personaje como Joaquín Murrieta la tarea es casi imposible. En su caso, el mito y la leyenda han alimentado a la historia mucho más que la historia al mito. En las páginas que siguen trataremos de deslindar, hasta donde sea posible, las relaciones entre el mito y la historia en el enmarañado caso de Joaquín Murrieta, joven minero desconocido antes de 1853 que, en unos cuantos años después de su supuesta muerte el 24 de julio de 1853, se convirtió en el héroe popular californiano más destacado. Iniciaremos el deslinde con la hipótesis que propone la existencia de Joaquín Murrieta como personaje histórico que nació en Sonora y vivió en California. De ahí pasaremos a examinar el proceso por medio del cual se creó un mito en torno al personaje histórico, tanto en la imaginación popular como en la literatura, el teatro, el folclore y el cine.

El nombre Joaquín tiene una larga tradición en la historia de California. Ya desde el siglo dieciocho, cuando se inician las exploraciones a la Alta California por tierra, aparece en varias regiones. Con la expedición de Juan Bautista De Anza venía la familia de José Joaquín Moraga, entre quienes se encontraba su hijo Gabriel. Fue éste quien dio el nombre San Joaquín a uno de los ríos del Estado. También existe el Condado de San Joaquín, el pueblo San Joaquín y por supuesto el Valle de San Joaquín, donde se desarrolla la historia del héroe. Entre los californios era muy común el nombre Joaquín. En nuestros días el nombre y la historia de Murrieta han tenido un renacimiento entre los chicanos con la

1

Introducción

publicación (en 1967) del poema épico *Yo soy Joaquín* de Rodolfo "Corky" Gonzales.

El nombre "Joaquín", sinónimo de "bandolero"

La primera vez que el nombre "Joaquín" aparece en los periódios para referirse a los bandoleros mexicanos, pero sin identificar a ninguno de ellos con un apellido, es entre 1850 y 1851. Cuando en 1852 los periódicos comenzaron a publicar quejas sobre los llamados "Mexican bandits", no tenían ninguna información concreta acerca de quiénes fueran esos "bandidos", aunque se rumoraba que uno de ellos se llamaba Joaquín. Todavía el 29 de enero de 1853 se publica una de esas alarmantes noticias en Stockton en un periódico irónicamente llamado *San Joaquín Republican*:

> FROM CALAVERAS
> [*Per* Brown's Express]
>
> It is well known that during the winter months a band of Mexican mauraders have infested Calaveras county, and weekly we receive the details of dreadful murders and outrages committed in the lonely gulches and solitary outposts of that region. The farmers lost their cattle and horses, the trader's tent was pillaged, and the life of every traveler was insecure. [...]
> The band is led by a robber, named Joaquín, a very desperate man, who was concerned in the murder of four Americans, some time ago, at Turnerville (citado por Latta 1980: 37).

Como resultado de esa cómoda simplificación, todos los atropellos, asaltos, robos y muertes se los atribuían a Joaquín, quien pronto se convirtió en personaje mítico, apareciendo en distintos lugares al mismo tiempo. Para explicar el insólito caso de multilocalización, los periodistas descubrieron que se trataba de más de un Joaquín, a quienes pronto la imaginación popular los identificó con el nombre de uno de ellos, Joaquín Murrieta, aunque muy poco o casi nada se sabía de su vida privada antes de que se le identificara con la cabeza expuesta primero en Stockton, California, el 12 de agosto de 1853, y que John Rollin Ridge publicara su biografía.

2

Introducción

Principales fuentes para el estudio de Murrieta

En uno de los primeros estudios sobre la realidad histórica de Murrieta, el de la investigadora May S. Corcoran (*Robber Joaquín* 1921), se ha llegado al extremo de querer eliminar toda información excepto la que se encuentra en los estatutos oficiales del gobierno de California expedidos en 1853 —el año que, supuestamente, Joaquín fue asesinado— y el testimonio oral de un contemporáneo de Murrieta, el capitán William J. Howard, asistente de Harry Love, el jefe de la partida de rurales *(rangers)* que asaltaron y mataron a quien dijeron ser Joaquín Murrieta y su compañero "Three-Fingered Jack".

Corcoran inicia su corto artículo diciendo que las noticias sobre Murrieta incluidas en las historias de California no son dignas de fe. Menciona a dos famosos historiadores del siglo pasado, Hubert Howe Bancroft y Theodore H. Hittell, a quienes rechaza porque dicen muy poco o porque lo que dicen puede ser refutado a la luz de los documentos oficiales o los testigos oculares. Las obras de otros escritores, no mencionados, nos dice, son tan extravagantes, que no se pueden creer. Lo mismo se podría decir, por supuesto, de las mismas fuentes utilizadas por Corcoran, esto es, los estatutos oficiales y lo recordado por Howard treinta años después del acontecimiento. Es notable que Corcoran no mencione la principal fuente de noticias acerca de Joaquín Murrieta, esto es, la biografía del periodista John Rollin Ridge, *The Life and Adventures of Joaquín Murieta*, publicada en 1854, a raíz de la muerte de Joaquín el año anterior. Pero lo contradictorio en su estudio es que lo termina con una leyenda más, como veremos más adelante.

Son numerosos los investigadores, además de Corcoran, que han tratado de resolver el problema de la vida de Murrieta. Entre ellos se encuentra Remi Nadeau, autor de un artículo publicado en 1963 ("Joaquín—Hero, Villain or Myth?") y de un libro *The Real Joaquín Murieta, California Gold Rush Bandit: Truth v. Myth* (1974), en los cuáles reconstruye las aventuras —mejor dicho, la serie de crímenes— de Joaquín (no necesariamente Murrieta) según las noticias que aparecieron en los periódicos de San Francisco, Sacramento y otras ciudades durante 1852 y 1853. Hoy, esas crónicas, más que valiosas para reconstruir la historia, nos parecen ser el origen del mito de Joaquín Murrieta. "De esas fuentes —dice Nadeau— surge un Joaquín que sembró el terror en los condados de Amador, Calaveras y tal vez Mariposa por sólo dos meses,

Introducción

entre enero y los primeros días de marzo de 1853" (1963: 19). De acuerdo con las noticias históricas recogidas por Corcoran, Nadeau, Frank Latta, Manuel Rojas y otros investigadores, las actividades de Joaquín se reducen a lo siguiente, que, como ya hemos observado, no siempre son fidedignas.

El investigador que más se ha interesado en reconstruir la vida de Murrieta ha sido Frank F. Latta, cuyo libro *Joaquín Murrieta and His Horse Gangs* (1980) es una exhaustiva recopilación de informes, fotografías, datos, documentos, etc. en torno a Murrieta, su familia, sus amigos y compañeros, sus aventuras y su muerte. Latta se pasó una vida recogiendo datos, entrevistando a los supuestos descendientes, parientes y conocidos, tanto en California como en el norte de Sonora, en el lugar, según el autor, donde nació Murrieta. Es Latta también el único investigador que incluye una versión sobre la muerte de Murrieta, no en manos de Love y sus *rangers*, sino poco después y bajo circunstancias muy distintas. Y también es Latta quien explica por qué no se supo más de Murrieta después de su supuesta muerte por los *rangers*. Desafortunadamente, Latta no dio a la amplia información recogida una estructura bien organizada.

En México el principal investigador de la vida de Murrieta es Manuel Rojas, cuyo libro, *Joaquín Murrieta, "El Patrio", El "Far West" del México Cercenado* ya lleva tres ediciones, siendo la última la de 1992. La información que ofrece Rojas, y las numerosas ilustraciones, reflejan una extensa labor en la región de Sonora donde nació Murrieta, lo mismo que un conocimiento directo de las principales fuentes de información. Que a Murrieta se le considera como personaje histórico lo podemos ver en los artículos incluidos en varios diccionarios, entre ellos el *Diccionario Porrúa de historia, biografía y geografía de México* (1964) y la *Columbia Encyclopedia* (5a. ed., 1993).

Primera identificación concreta

En el anuncio de la exhibición de la cabeza "del conocido ladrón Joaquín Murietta"[1] en Stockton, California, el 12 de agosto de 1853, es donde por primera vez se le identifica como el dirigente de los bandoleros acusados de robos y crímenes. Pero es Ridge el primero en reconstruir —inventar dicen algunos críticos— la vida y aventuras del más conocido héroe popular californiano y chicano.

El nombre completo, "Joaquín Murrieta", había aparecido primero en

WILL BE EXHIBITED

FOR ONE DAY ONLY!

AT THE STOCKTON HOUSE!

THIS DAY, AUG. 12, FROM 9 A. M., UNTIL 6, P. M.

THE HEAD

Of the renowned Bandit!

JOAQUIN!

AND THE

HAND OF THREE FINGERED JACK!

THE NOTORIOUS ROBBER AND MURDERER.

"JOAQUIN" and "THREE-FINGERED JACK" were captured by the *State Rangers*, under the command of Capt. Harry Love, at the Arroya Cantina, July 24th. No reasonable doubt can be entertained in regard to the identification of the head now on exhibition, as being that of the notorious robber, *Joaquin Muriatta*, as it has been recognised by hundreds of persons who have formerly seen him.

5

Introducción

el periódico *Alta California* de San Francisco el 15 de diciembre de 1852.[2] De aquí en adelante las noticias en los periódicos acerca de las actividades de Joaquín son frecuentes. El primer crimen del cual se acusa a Joaquín (conocido en Los Angeles, California, como ladrón de caballos y no asesino) es el del general Joshua H. Bean (hermano de Roy Bean, juez de infeliz memoria en los anales del Wild West) cometido en San Gabriel (cerca de Los Angeles) el 7 de noviembre de 1852. ¿Es el autor de ese crimen el mismo Joaquín que al mismo tiempo merodeaba muy al norte en los condados del valle de San Joaquín? Según Nadeau, "no hay manera segura de conectar a Joaquín Murieta, el ladrón de caballos de Los Angeles, con Joaquín, el terror de los lavaderos de oro" (1974: 32). En enero de 1853 un bandido llamado Joaquín apareció cerca de San Andreas. "Los periódicos —dice Remi Nadeau— no daban el apellido. Pero, así como Joaquín Murieta, era joven y le gustaba coleccionar caballos ajenos, robar a su antojo a los mineros chinos y matarlos indistintamente" (1963: 19). El 21 de ese mes el periódico *San Joaquín Republican* de Stockton le atribuía a Joaquín varias muertes; el 23, en el rancho Bay State cerca de San Andreas, un mexicano que había sido detenido por robar caballos fue rescatado por tres jinetes mexicanos; después de derrotar a sus perseguidores llegaron a Yackee Camp, disparando a todo americano que encontraban; el 27 se habla de la presencia de Joaquín en las minas de oro; la noticia, según el San Joaquín Republican, fue recogida por dos personas, Mr. Stevens y un francés-canadiense de nombre desconocido. Parece que se trata de simples rumores. Para la primera semana de febrero la región estaba en llamas; un miembro de la pandilla, que se decía era el hermano de Joaquín, fue capturado y colgado en Angel's Camp el día 7. Joaquín, con su gente, se dirige al norte y, de acuerdo con la crónica periodística, cabalgó por las calles de San Andreas y "a galope tendido, mató a tres americanos" (Nadeau 1963: 19). El 8 de febrero atacan un campamento chino cerca de Big Bar a la vera del río Cosumnes, asesinando a seis personas y llevándose 6.000 dólares. El 12 del mismo mes, cerca de Fiddletown, tres miembros de la pandilla fueron sorprendidos y obligados a huir en un solo caballo, dos de ellos montados y el otro a pie prendido de la cola. Cuando la banda de Joaquín roba a un viajero alemán al norte de Jackson, una partida de doce hombres montados salió a perseguirlos y encontró a cuatro —entre ellos el mismo Joaquín— cerca de un cerro cubierto de chaparros. Uno de los cuatro cayó muerto y Joaquín fue herido en la mejilla, "lo que podría dar cuenta de las posteriores descripciones

Introducción

de Joaquín con una cicatriz en la mejilla derecha" (Nadeau 1963: 20). En la propuesta del diputado Philemon T. Herbert se habla de un "ladrón Joaquín", pero sin referirse a determinada persona. En el documento gubernamental del 17 de mayo de 1853 ya aparece el nombre de Joaquín "Murietta" encabezando la lista de los cinco Joaquines acusados de bandolerismo. El hecho de que se escriba mal el apellido indica el poco conocimiento que existía en cuanto a la vida de Murrieta.

En 1980 Frank F. Latta, en las páginas 36-75 de la obra citada, reprodujo copias fotostáticas de los principales periódicos de la época en los cuáles se habla de Joaquín; da también una lista (gang roster) de 62 personas asociadas a Murrieta.

II

BIOGRAFÍA ARMADA

De Sonora a California

Reconstruimos la vida de Joaquín tomando la información de diversas fuentes, como son las noticias periodísticas de la época, el libro de Ridge y sus imitadores y traductores, lo mismo que los principales estudios sobre Murrieta: Jackson, Latta, Nadeau, Rojas, etc.

Ridge es quien primero arma su biografía. Nos dice que Joaquín nació en Sonora. No es hasta que C[arlos] M[orla] publica la traducción al español en 1867 de la traducción al francés por Robert Hyenne, tomada de la versión publicada por el *Police Gazette* en 1859, cuando por primera vez se dice que Joaquín nació en Chile. Todos los críticos norteamericanos y mexicanos afirman que nació en Sonora, mas no todos mencionan el lugar de su nacimiento. Ni en la traducción publicada por don Ireneo Paz en la ciudad de México en 1904 se menciona el pueblo. No es hasta recientemente cuando los biógrafos dan el nombre de un pueblo. Manuel Rojas, en su libro, *Joaquín Murrieta, el Patrio; El "Far West" del México cercenado* (3ª ed., 1992), después de mencionar los lugares sugeridos por varios críticos, nos dice: "Joaquín Murrieta nació en la Villa de San Rafael 'El Alamito', Distrito de Altar, Sonora, México, en una fecha pendiente de precisar documentalmente pero comprendida entre 1824-1830" (1992: 36). Frank Latta, en su libro *Joaquín Murrieta and His Horse Gangs* (1980), nos dice lo siguiente: "El Famoso was born on El Camino Real [...] in a stone house near the left bank of Arroyo de los Alamos in Pueblo Murrieta located about 50 miles south of the picturesque old Colonial mining town of Real de los Alamos" (1980: 127). Como ya hemos dicho, en el *Diccionario Porrúa* se dice que Joaquín nació "en el Rancho del Salado cerca de Álamos, Sonora" (1964: 991). Es de interés señalar que en Chile perdura la idea de que Joaquín nació en el pueblo de Quillota, veinte millas al sur de Valparaíso.[1]

Los biógrafos de Murrieta tampoco están de acuerdo en cuanto al año de nacimiento de Joaquín, si bien todos, con la excepción del *Diccionario Porrúa* la fijan entre 1824 y 1832. John Rollin Ridge es el primero en

Introducción

mencionar la edad de Joaquín. Nos dice que en 1850, cuando trabajaba en las minas de Stanislaus, tenía 18 años (1955: 8), lo que indica que nació en 1832. Sin embargo, también dice que cuando murió, en julio de 1853, tenía 22 años, lo cual quiere decir que nació en 1831. En la edición del *Police Gazette* (1859), y lo mismo en la que Ireneo Paz publicó en 1904, se dice que "En 1845 Joaquín abandonó su pueblo en Sonora para ir a buscar fortuna en la Capital. Tenía entonces dieciséis años" (1953: 5); de ello deducimos que nació en 1829. Ya vimos que los autores de *The Columbia Encyclopedia* no están seguros del año, si bien dan 1829, pero con una interrogante:

> Murrieta or Murieta, Joaquín (1829?-1853). California bandit, b. Mexico. From 1849 to 1851 he mined in the California gold fields. After he and members of his family had been mistreated by American miners and driven from their claim, he became the leader of a band of desperadoes. For two years his robberies and murders terrorized California, until the legislature authorized Capt. Harry Love, deputy sheriff of Los Angeles Co., to organize a company of mounted rangers to exterminate Murrieta's band. Surprised at his camp near Tulare Lake, Murieta was shot, and most of his followers were killed or captured. Romanticization of his career began with the publication (1854) of John R. Ridge's *The Life and Adventures of Joaquín Murieta.*

El *Diccionario Porrúa*, sin duda por error, menciona el año 1809:

> Murrieta, Joaquín (1809-?). Rebelde y bandolero. N. en el Rancho del Salado, cerca de Álamos, Sonora. Marchó a California durante la bonanza del Oro. En 1849 comenzó a ser víctima de las autoridades norteamericanas, que en fecha reciente habían arrebatado ese territorio a México, como reacción ante los atropellos, deseó tomar venganza y se lanzó en rebeldía, acabando en bandolero. Figura muy popular en Sonora (1964: 991).

Todos los otros biógrafos, sin embargo, están de acuerdo en que Murrieta nació entre 1824 y 1832.

Poco se dice de los años juveniles de Joaquín en su pueblo natal. Según Ridge, el joven Joaquín poseía un carácter apacible. Quienes lo conocieron cuando era estudiante hablaban favorablemente de su generosidad y su noble carácter. Según el mismo biógrafo, cuando todavía era un

Introducción

muchacho le entró el deseo de correr aventuras, y a los dieciocho años se trasladó a las minas de oro de California en busca de mejor fortuna. Era, dice Ridge, de mediana estatura, delgado pero de cuerpo bien formado, "y tan activo como los cachorros de un tigre" (1955: 8). El color de su piel no era ni muy oscuro ni muy claro, pero limpio y brillante, y su apariencia sumamente guapa y atractiva. Sus grandes ojos negros, enardecidos con el entusiasmo de su fervorosa naturaleza, su firme y bien formada boca, su bien proporcionada cabeza, su largo y brillante pelo negro, su argentina voz cuajada de generosas expresiones, y el franco y cordial porte que le distinguía, le captaban la simpatía de todos aquellos con quien se comunicaba, y gozaba del respeto y la confianza de la comunidad entera dentro de la cual se encontraba (Ridge 1955: 8-9). Esa caracterización que Ridge hizo de Murrieta apuntando sus rasgos físicos y morales es la que reaparece en las versiones del *Police Gazette* de San Francisco y las traducciones al francés y al español.

Ridge, primer biógrafo de Murrieta, no menciona el viaje de Joaquín a la capital en 1845, aventura añadida por el autor anónimo de la edición de 1859 y repetida en todas las traducciones al español. Según nos dicen, Joaquín fue a la ciudad de México en busca de mejor fortuna, para lo cual llevaba una carta para el señor Estudillo, amigo de su padre. Éste le colocó en los establos del Presidente Santa Anna como caballerango, donde no permaneció debido a que se enemistó con otro caballerango, un joven llamado Cumplido. El conflicto se resolvió con un encuentro en el que los jóvenes demostrarían su habilidad ecuestre brincando una barda de 5 pies. El caballo de Joaquín tocó la barda porque un amigo de Cumplido ondeó un pañuelo al preciso momento que el jinete volaba la barda. Joaquín, disgustado, se vuelve a Sonora.

Otra aventura que no se encuentra en Ridge es el viaje de Joaquín a San Francisco en 1848 en busca de su hermano Carlos, que había residido en California por varios años. Como no lo encuentra, vuelve a Sonora, "en donde no tardó en casarse con una hermosísima joven llamada Carmen Félix" (Paz 1953: 7). Un año más tarde, recibe carta de su hermano Carlos, pidiéndole que vaya a la Misión de San José, pues se ha descubierto oro. Como su padre se encuentra enfermo, Joaquín tiene que posponer su viaje for diez meses. Por fin logra hacer el viaje a California acompañado de Carmen. Dos días después de haber llegado a San Francisco encuentra a su hermano.

En Ridge no es Carmen quien acompaña a Joaquín, sino Rosita Félix.

Introducción

En el libro *California Pastoral* del historiador Herbert How Bancroft encontramos el siguiente estereotipado y romántico relato:

> Joaquín, when in his seventeenth year, became enamoured of the beautiful dark-eyed Rosita Félix, who was of Castilian descent, and sweet sixteen; she returned his passion with all the ardor of her nature. Her hard-grained old father on discovering this amour flew into a rage, and would have vented it upon the boy had he not taken flight. Rosita followed her lover to the northern wilderness, assisted him in his efforts at honest living, attended him through all the perils of his unlawful achievements, and finally, when death so early severed them, returned to the land of her childhood, and under the roof of his parents mourned her well-beloved through long dreary years (1888: 646).

En la versión del *Police Gazette* y sus traducciones, Carmela (o Carmen en las traducciones al español), es violada y asesinada por un grupo de mineros anglos, acto que cambia el carácter de Joaquín, quien jura vengarse de los asesinos. El resto de su corta vida lo pasa buscándolos para vengarse, lo que logra hacer con éxito. Pero esas acciones lo convierten en criminal temido y perseguido, lo cual en poco tiempo paga con su vida. En Ridge, sin embargo, Rosita no muere. Después de la muerte de Joaquín vuelve a Sonora, donde vive largos años con su familia. La novela termina con este párrafo:

> Of Rosita, the beautiful and well-beloved of Joaquín, nothing further is known than that she remains in the Province of Sonora, silently and sadly working out the slow task of a life forever blighted to her, under the roof of her aged parents. Alas, how happy might she not have been, had man never learned to wrong his fellow-man! (1955: 159).

La metamorfosis

El carácter pacífico y bondadoso de Joaquín del que habla Ridge cambia totalmente como resultado del ultraje sufrido a manos de los mineros anglos. Dice Ridge, y lo repiten sus imitadores, que quienes le conocieron antes del incidente dudaban que fuera la misma persona. Ese otro aspecto de su carácter, esto es, el del bandido sanguinario, es el que se encuentra en casi todas las novelas escritas por escritores anglos, lo mismo que por los investigadores que de su vida se han ocupado. Hasta un crítico como el Dr. Raymund Wood acepta la idea de la ferocidad de Joaquín. Nos dice que

Introducción

de acuerdo con la "leyenda", Murrieta sólo deseaba matar a la docena de mineros que habían violado y asesinado a su mujer. Por lo demás, se le tenía por bondadoso, generoso y caballeroso. Pero añade lo siguiente, como si fuera un hecho verificado:

> The plain fact of the matter is that he was the leader of a gang of cutthroats, who committed untold murders and robberies in the Mother Lode, and were responsible for innumerable thefts of horses and cattle in the plains (Mariana 1970: 10).

Primera hazaña

Horace Bell, en su libro *Reminiscenses of a Ranger* (1881) relata el siguiente episodio, considerado como el primero conocido del cual se acusa a Murrieta. Durante el otoño de 1851, Joaquín y su gente, según Bell, se robaron 29 caballos en el este de Los Angeles y los arrearon hacia el norte. Perseguidos por los dueños, que eran mexicanos, llegaron a Tejón Pass, donde los detuvieron los indios tejones y les quitaron algunos de los caballos, los demás habiendo sido recuperados por sus dueños. Según Bell, entre el cacique y otros de los indios desnudaron a Joaquín y su gente, los vapulearon y por fin los dejaron ir. Walter Noble Burns, en su novela *The Robin Hood of El Dorado: The Saga of Joaquín Murrieta, Famous Outlaw of California's Age of Gold* (1932), obra considerada por algunos críticos, como veremos, como una biografía novelada, repite este incidente, pero lo relata añadiendo motivos retóricos para hacer resaltar lo humorístico.

El acoso

En 1853 tal era el desconocimiento de Joaquín que algunos ciudadanos propusieron al gobierno estatal que se ofreciera una recompensa de cinco mil dólares por cualquier persona llamada Joaquín que fuera detenida, viva o muerta. Como el nombre "Joaquín" era muy común entre los mexicanos residentes en la Alta California, la idea era totalmente absurda. Sin embargo, la Legislatura tomó en serio la propuesta y el diputado de origen texano, Philemon T. Herbert, de Mariposa County, presentó una iniciativa el 28 de marzo de 1853 según la cual se ofrecerían cinco mil dólares por la captura o muerte del ladrón Joaquín.[2]

Aunque el Comité encargado de los asuntos militares aprobó la moción, la Asamblea, como resultado de las razones en su contra expues-

Introducción

tas por el diputado José M. Covarrubias, le dio carpetazo. Las razones de Covarrubias, miembro de la minoría, eran de peso e hizo ver a los miembros de la Asamblea lo injusto de la iniciativa. Según Covarrubias, se ofrecía un precio por la cabeza de una persona que se presumía ser culpable, sin haberse presentado el caso ante un jurado; que los rumores y las noticias periodísticas no eran suficiente evidencia de su culpabilidad, a no ser que Joaquín fuera poseedor de características sobrenaturales, sin las cuáles no hubiera sido posible verlo al mismo tiempo en distintos lugares separados entre sí por largas distancias. También, que era posible que varias personas se parecieran a Joaquín; que en el estado de California vivían varios honorables individuos descendientes de antiguas familias que llevaban el nombre Joaquín, como por ejemplo el juez Joaquín Carrillo de Sonoma, y otros no menos respetables. A pesar de las razones expuestas por Covarrubias, menos de dos meses más tarde, esto es, el 4 de mayo de 1853, el diputado Wade se presentó ante el Senado de California pidiendo de parte de los ciudadanos del condado de Mariposa que se autorizara a alguna persona responsable para que organizara una partida de veinte o veinticinco hombres bien armados y equipados con el propósito de que detuvieran a Joaquín y sus ladrones. Después de innumerables debates en la Asamblea y el Senado, por fin se cumplió con los deseos de los "honrados" ciudadanos de Mariposa County y se aprobó el siguiente antihistórico estatuto, expedido el 17 de mayo de 1853:

> Harry S. Love is hereby authorized and empowered to raise a Company of Mounted Rangers not to exceed twenty men, and muster them into the service of the State for the period of three months, unless sooner disbanded by order of the Governor, for the purpose of capturing the party or gang of robbers commanded by the five Joaquins, whose names are Joaquín Murietta, Ocomorenia, Valenzuela, Botellier and Carillo, and their band of associates.[3]

La muerte de Joaquín

Love y sus secuaces andaban en busca de Joaquín, a quien se venían atribuyendo asaltos y crímenes desde 1852. Los periódicos habían exaltado al pueblo contra los "bandidos mexicanos", guiados, decían, por Joaquín. En un editorial publicado por el periódico *Alta California* de San Francisco se observaba que "Cada asesinato o robo en el país se le atribuye a Joaquín. Algunas veces es Joaquín Carrillo el que ha cometido todos

Introducción

estos crímenes; luego es Joaquín esto o Joaquín aquello, pero siempre Joaquín" (citado por J. H. Jackson, 1955: xxvi). Para calmar los ánimos se expidió el decreto arriba citado, que fue firmado por el Gobernador John Bigler el 17 de mayo de 1853, autorizando al capitán Harry Love, "a law-abiding desperado", lo llama el historiador Hubert Howe Bancroft (1888: 649) para que con sus *rangers* capturaran a los cinco Joaquines. El Gobernador personalmente había ofrecido una recompensa de mil dólares.

El 24 de julio de 1853 el capitán Love, al frente de sus *rangers*, se encontró con un grupo de mexicanos en Arroyo Cantúa, cerca de Tulare Lake. La persona que capitaneaba a los mexicanos se negó a contestar ciertas preguntas de Love, por parecerle que eran injuriosas. Inesperadamente, las pistolas y los rifles relucieron y se entabló una lucha a muerte. Dos de los mexicanos cayeron muertos, y dos fueron detenidos; el resto logró escapar; uno de los detenidos murió ahogado durante la caminata hacia la cárcel en Mariposa; el otro fue entregado al sheriff, pero una horda enfurecida lo ahorcó. A uno de los muertos en Arroyo Cantúa se le atribuyó el nombre de Joaquín Murieta—su nombre encabezaba la order de aprehensión—y a otro el de "Three-Fingered Jack", apodo bajo el cual era conocido Manuel García por faltarle dos dedos de una mano. Al supuesto Joaquín le cortaron la cabeza y, para conservarla y presentarla como prueba de que lo habían matado, la llevaron a la comunidad más cercana, Rootville (hoy Millerton), sobre el río San Joaquín, donde la pusieron en un frasco con whisky, y más tarde en alcohol. Lo mismo hicieron con la mano de García, cuya cara había quedado destrozada. Algunos dudaban que la cabeza fuera la de Joaquín, y otros aseguraban que era la de Joaquín, pero no Murrieta, sino Valenzuela; y todavía otros que la vieron en el frasco afirmaban que tenía las facciones de un indígena.

No se sabe cuál de los *rangers* mató a Joaquín. Se cree que fue William W. Byrnes, quien decía que conocía a Joaquín y por lo tanto fue él quien lo identificó al verlo sentado junto a la hoguera antes de que tratara de escaparse en su caballo. Otros escritores le atribuyen la muerte de Joaquín a William T. Henderson, y otros a John A. White. Latta ofrece el siguiente comentario:

> According to Henderson's statement in the *Fresno Expositor* [Nov. 12, 1879], he was the man who killed the man the Rangers represented as Joaquín Murrieta. Henderson also stated that John A. White [...] also shot Murrieta once. This account the author [Latta] has found to be accepted by pioneers who had talked with many of the Rangers over a

period of 50 years. William Howard stated the [*sic*] "Joaquín" was killed by White, leaving Henderson entirely out of the picture. Howard claimed to have been present when the killing took place and should have known the facts. The opinion of this author [Latta] is that Howard ignored the part played by Henderson (1980: 348).

De John Rollin Ridge ("Yellow Bird"),
Life and Adventures of Joaquín Murieta (1854)

III

PLAGIO Y TRADUCCIONES
DE LA OBRA DE RIDGE

John Rollin Ridge y su obra

Existe poca información acerca de la vida de John Rollin Ridge (1827-1867); las primeras noticias que de él se conocen son las que se encuentran en el breve prefacio del editor de la primera edición. Ridge era un periodista y poeta de ascendencia cheroquí nacido en el Estado de Georgia; su abuelo, el Comandante Ridge, había enviado a su hijo John Ridge a la Nueva Inglaterra para que continuara sus estudios. Fue en Connecticut donde se casó con una muchacha anglo, a quien llevó a vivir con sus familiares en Georgia. Allí nació, en 1827, el futuro biógrafo de Joaquín Murrieta.

Unos años después la tribu cheroquí fue obligada por el gobierno a salir del Estado de Georgia (se había descubierto oro en sus propiedades), y a establecerse al oeste del río Mississippi, según la política del entonces presidente Andrew Jackson. Durante la peregrinación al "territorio indio" el padre y el abuelo de Ridge fueron asesinados por partidarios del grupo que se oponían a abandonar sus terrenos en Georgia. El joven John Rollin Ridge fue enviado por su madre a la Nueva Inglaterra para que allá se educara. Pronto, sin embargo, volvió para permanecer al lado de ella en Fayetteville, Arkansas, donde había establecido su residencia después de los disturbios entre los dos grupos tribales.

Durante su juventud, Ridge dio muerte a un hombre que, según parece, había sido enviado por los enemigos de su padre para provocarlo. Como consecuencia tuvo que refugiarse en Springfield, Missouri, de donde, en 1850, pasó a California. La vida en San Francisco y otros pueblos circunvecinos no le fue muy favorable. Tuvo que trabajar como minero, comerciante, empleado en el Condado de Yuba y, por fin, como periodista. Fue colaborador del magazine *The Pioneer* de San Francisco, en el cual se encuentran sus prosas y poemas.

Como periodista y poeta, Ridge no había tenido gran éxito; seguía

Introducción

siendo uno de tantos colaboradores de la prensa de San Francisco. Aun después de haber publicado la biografía novelada de Murrieta en 1854, *The Life and Adventures of Joaquín Murieta, The Celebrated California Bandit* que fue reseñada en uno o dos periódicos solamente, su nombre no figuraba entre los más conocidos escritores de la época,[1] y seguía quejándose de sus circunstancias económicas. El 9 de octubre de 1854 le escribe a su primo Stand Watie, de Oklahoma, preguntándole si lo podría ayudar para establecerse como periodista y, al mismo tiempo, diciéndole que no se había enriquecido con su libro sobre Murrieta, pues el editor, W. B. Cooke, después de vender siete mil ejemplares, se había escapado con el dinero, dejándolo a él y a otros "to whistle for our money" (Lee and Little, 82), es decir, chiflando en la loma. Su mala suerte no terminó allí. En 1859 un autor anónimo le plagió el libro y lo publicó en el *Police Gazette* de San Francisco en diez números, y luego en forma de libro. Esa versión fue al mismo tiempo plagiada en España, Francia y Chile. Aunque hay mucho de Ridge en esas ediciones plagiadas, el lector no sabe que lo que está leyendo salió de la pluma de "Yellow Bird", nombre tribal de Ridge bajo el cual se publicó su libro, que hasta hoy no ha sido traducido *directamente* al español, si bien sus palabras se encuentran en las traducciones y ediciones plagiadas.

En 1871, esto es, diecisiete años después de que apareciera la obra, el editor Frederick MacCrellish publicó una "tercera" (verdaderamente "segunda") edición bajo el título *The History of Joaquín Murieta, the King of California Outlaws, Whose Band Ravaged the State in the Early Fifties,* revisada con pequeños cambios hechos por Ridge.[2] Su mala suerte, sin embargo, no le permitió verla, pues había muerto el 5 de octubre de 1867 (Nadeau 1974: 121). Pero en el Prólogo que escribió alude a una edición pirata de su libro, sin mencionar la publicación del *Police Gazette,* pero que sin duda se refiere a ella. Dice:

> Una edición clandestina [de mi libro] con la cual se ha engañado a editores confiados ha sido puesta en circulación, violando los derechos del autor y dañando su crédito literario. La bastarda obra, con sus crudas interpolaciones, añadiduras ficticias y distorciones mal diseñadas de la fraseología del autor ha confundido a muchas personas, haciéndolas creer que se trata de la obra original (Cita tomada de Walker, 1939: 257).

Esta tercera edición (1871) de la obra de Ridge, como la primera de 1854, es también rarísima. Afortunadamente, fue reimpresa en 1927, en

Introducción

Hollister, California, por los editores del periódico *Evening Free Press,* aumentada con la historia de otro famoso héroe chicano de California, Tiburcio Vázquez. El título de esta reimpresión ya no se refiere a la vida o historia de Murrieta, sino a una época del llamado terror en California: *California's Age of Terror: Murieta and Vázquez.* La parte dedicada al segundo lleva el título: "Crimes and Career of Tiburcio Vásquez".

Como a innumerables escritores, la fama a Ridge no le llegó hasta muchos años después de su muerte, con numerosas novelas imitando la suya, varios dramas, cuentos y poemas y hasta películas inspiradas en su obra. En 1955, para celebrar el centenario de la primera edición, las prensas de la Universidad de Oklahoma lanzaron una bien editada edición basada en la primera, con una erudita Introducción por el historiador Joseph Henry Jackson, estudio que puso en manos de los investigadores extensa información sobre las obras en torno a Murrieta.

La pregunta que a veces se hacen los críticos es: ¿Por qué escogió Ridge la vida de un bandolero mexicano hasta entonces tan poco conocido para escribir su libro? Su interés en los mexicanos de California tal vez fue el resultado de haber simpatizado con ellos por encontrar en su historia semejanzas con la de su propio grupo en Georgia. Ambos habían sido despojados de sus tierras. Ridge, como ellos, sin duda había sufrido el desprecio racial con que se trataba a los mexicanos y a los indios. En Murrieta, puede ser que Ridge haya visto al héroe que no había surgido entre su gente para defenderlos. El editor de la primera edición, en el Prefacio, nos dice que

> Sus propias experiencias lo capacitaban muy bien para pintar con vívidos colores las terribles escenas que se describen en el libro, habiendo presenciado, entre los diecisiete y los veintitrés años, los trágicos acontecimientos que con tanta frecuencia ocurrían en su nación, las rivalidades, las borrascosas controversias con los blancos [...] y las terribles consecuencias que fueron el resultado del desplazamiento de la nación cheroquí (ed.1955: 2).

Las diferencias entre la primera y la segunda edición del libro de Ridge, según el erudito estudio de Franklin Walker (1939), se encuentran principalmente en el deseo de documentar los hechos narrados, en la elaboración de algunas aventuras, y en el mayor número de detalles que se ofrecen.

Introducción

El plagio de la obra de Ridge

No existe problema alguno en cuanto a las dos ediciones de la obra de Ridge. En 1859, sin embargo, aparece la edición pirata de su obra en la revista *California Police Gazette* de San Francisco, de autor anónimo. Para probar que la obra es un plagio basta con comparar uno o dos párrafos:

Ridge: Joaquín: Murieta was a Mexican, born in the province of Sonora of respectable parents and educated in the schools of México (1955: 8).

Police Gazette: Joaquín was born of respectable parents in Sonora, where he received a good education (ed. fac.1969: 1).

Ridge: It became generally known in 1851 that an organized banditti was ranging the country; but it was not yet ascertained who was the leader (1955: 14).

Police Gazette: It became generally known, in 1851, that organized banditti were ranging the country, and that Joaquín was the leader (ed. fac. 1969: 7).

Cuando se publicó la versión *Police Gazette*, Ridge hizo declaraciones a la prensa de Grass Valley que la edición era pirata (Walker 1937: 257). Sin embargo, fue esta versión, y no la de Ridge, la que extendió la fama de Murrieta al mundo entero, pero sobre todo a Europa e Hispanoamérica. En esta edición pirata anónima se introducen algunas variantes que nos ayudan a trazar el origen de ediciones posteriores. Uno de esos cambios es el del nombre de la amiga de Joaquín, que en la obra de Ridge se llama Rosita, y en la edición pirata "Carmela", aunque aquí aparece como esposa y no amiga; además, cuando ésta muere la reemplaza un nuevo personaje, "Clarina", que no aparece en la obra original de Ridge. Esta edición pirata, llamada "Carmela-Clarina," es la que fue traducida, primero al francés y después al castellano, y la que dio a conocer a Murrieta en Europa y el mundo hispano. Algunos críticos combinan las dos versiones, la de 1854 y la de 1859; por ejemplo, el Dr. Raymund F. Wood, en su folleto *Mariana la Loca* (1970), dice: "One such young man from Sonora was a certain Joaquín Murrieta, who came to California with his young wife Rosita (or Carmela, if we follow the later, 1859, version of Ridge's original story)" (1970: 4). En primer lugar, Rosita no era la esposa de Joaquín, sino su amiga; Carmela sí lo es en la versión de 1859, en la cual Rosita no aparece. En cambio, cuando trata de fijar la fecha que Joaquín llegó a California, Wood se guía por la versión de 1859, según la cual fue en 1849 o a principios de 1850 (1970: 4). Ridge no menciona el año de la llegada de Joaquín a California. Solamente dice que para la primavera de 1850 ya se encontraba en los lavaderos de oro de Stanislaus. En la versión de 1859, y sus traducciones, Joaquín viene a San Francisco a principios de 1848 en busca de su hermano Carlos, a quien no encuentra y se vuelve a Sonora, donde se casa con Carmela (o Carmen). Un año más tarde recibe una carta de Carlos diciéndole que se reuna con él cuanto antes en la Misión de San José, pues se han descubierto grandes cantidades de oro en las montañas. Debido a la enfermedad de su padre, Joaquín no puede reunirse con su hermano hasta diez meses después.

También confunde el Dr. Wood la muerte de Rosita con la de Carmela. Según Ridge, Rosita no murió; después de la muerte de Joaquín se vuelve a Sonora. Su novela termina con este párrafo ya citado, en el cual el autor imagina a Rosita en Sonora, lamenta su desgracia y se vale de ella para introducir una final moralización, típica de la narrativa de la época, quejándose de la maldad humana. Carmela, en cambio, sí muere, después de haber sido violada, mientras Joaquín permanece inconsciente a causa de un golpe que le han dado los mineros anglos. Cuando vuelve en sí, a la vista del cadáver de su esposa, jura vengarse. El Dr. Wood convierte esta escena en una verdadera tragedia semejante a la de Píramo y Tisbe:

> When it was over Rosita recovered her senses, realized what had happened, saw that her husband was, she believed, lying dead in a pool of his own blood, and, unwilling to live any longer, reached across the floor for the dagger that she had worn in her dress and plunged it into her heart. The men, somewhat sobered by this suicide, were about to leave the cabin when Joaquín, who was not dead, began to stir (*Mariana* 1970: 8).

Las traducciones

En París, en 1862, Lécriban et Toubon, Libraires, Rue du Pont-Lodi, 5, publicaron *Un bandit californien (Joaquín Murieta)*, del escritor Robert Hyenne, autor de varios libros, entre ellos *La Pérouse, Aventures et naufrages* (1859) y *William Palmer, empoisonneur et faussaire*; suivie de: *Une affaire d'or, épisode de la vie Californienne* (1860). El libro sobre

V. Acha - Córcega 238 - Barcelona - editor

Introducción

Murrieta fue publicado sin indicar que es una traducción, y advirtiendo que "Toute reproduction, méme partieite, est interdite". Sin embargo, no hay duda de que es una traducción del texto de la revista *Police Gazette*, así como ésta es un plagio de la de Ridge. He aquí los tres primeros párrafos:

> Ridge: Joaquín Murieta was a Mexican, born in the province of Sonora of respectable parents and educated in the schools of Mexico (1955: 8).
>
> *Police Gazette:* Joaquín was born of respectable parents in Sonora, Mexico, where he received a good education (1969: 2).
>
> Hyenne: Joaquín reçut le jour au Mexique. Sa famille, originaire de la Sonora, et fort honorable sus toutes les rapports, le fit élever dans su ville natale, oú reçut un excellente éducation (1862: 2).

En 1867 el periodista y traductor chileno Carlos Morla Vicuña (1846-1901) publicó en español una traducción de Hyenne, que resultó ser muy popular, ya que existen numerosas reediciones, algunas con pequeñas variantes. Sabemos que Morla fue traductor de varias obras. Sin mencionar el *Murrieta* de Hyenne, Raúl Silva Castro nos dice que Morla fue "periodista en la juventud, optó muy joven por la versión de obras ajenas, desde la traducción de *Evangelina* de Longfellow" (1961).[3]

El crítico Ricardo Donoso, en el Prólogo a la traducción de C. M. publicada en el Suplemento de *Excélsior,*[4] bajo el título "Vida y aventuras de Joaquín Murrieta", sin mencionar la primera edición de la traducción de C.M., nos dice que "la segunda edición de esta versión es de 1874, la tercera de 1879, y otras hasta completar el número de catorce" (32). Esta tercera edición se menciona en el *Anuario de la prensa chilena, 1877-1885*, de la Biblioteca Nacional de Santiago:

> *El bandido chileno Joaquín Murieta en California*, por Roberto Hyenne. Traducido del francés por C. M. Tercera edición. Santiago de Chile: Imprenta de la República de Jacinto Núñez. Junio de 1879, 270 pp. La primera edición fue impresa en 1867 y en 1874 la segunda. Las iniciales del traductor corresponden a Carlos Morla Vicuña."[5]

El primero en copiar la traducción de Morla fue Carlos Nombela y Tabares (1836-1919), quien la incluyó casi en su totalidad en su novela en dos volúmenes (1127 páginas) titulada *La fiebre de riquezas; siete años en*

Introducción

California. En 1970 el profesor Luis Monguió publicó un estudio sobre la novela de Nombela en el cual cita dos trozos para probar que lo referente a Murrieta procede de la edición en inglés del *Police Gazette,* sin duda sin conocer la versión española de Morla. He aquí un ejemplo tomado de la novela de Nombela que es casi idéntico a la traducción de Hyenne al español:

> Hyenne: —¡Hé aquí, dijo él [Murrieta], como mi tarea de matar ha comenzado! [...]
> Hé aquí, continuó, uno de mis ofensores tendido a mis pies. Ahora que les he enseñado a mi corazón y a mi mano lo que ha de hacer, no tendré, lo juro, ni reposo ni paz mientras no haya exterminado hasta el último de estos bandidos (ed. Acha/Maucci, p. 15).
> Nombela: —¡Hé aquí comenzada mi venganza! . . . ¡Hé aquí uno de mis opresores . . . de mis verdugos, sin aliento a mis pies! . . . ¡Ahora que saben ya mi corazón y mi mano lo que tienen que hacer, es preciso no darles paz; ¡no concederles un instante de reposo hasta que haya exterminado al último de tan inicuos tiranos! (I, 443-44; citado por Monguió, p. 246)

Creemos, aunque no tenemos información concreta, que la edición publicada sin fecha en Barcelona en la Biblioteca Hércules por un tal "Profesor Acigar", con el título *El caballero chileno bandido de California. Única y verdadera historia de Joaquín Murieta* es la misma publicada por Morla, que es la única en la cual Murrieta es chileno. En Barcelona también, el editor V. Acha publicó *El bandido chileno Joaquín Murieta en California,* bajo el nombre de Hyenne, pero omitiendo el nombre del traductor al español y el año de publicación; suponemos que se trata de la misma traducción de C. M.

La traducción al español ya era conocida en California en 1881, año que apareció otra versión en *La Gaceta* de Santa Bárbara, versión incompleta, pues ese semanario dejó de publicarse el 20 de julio de ese año con el número 106, en cuya primera página encontramos la siguiente noticia: "Con motivo de la suspensión de *La Gaceta* nos vemos obligados a saltear desde el capítulo IX hasta el XXIV de *La vida y aventuras de Joaquín Murrieta* escenas de despojo y sangre por los bandidos, y actos de valor y astucia por su jefe."[6]

Según Charles W. Clough, en sus notas a la reimpresión de la edición

Introducción

que Francis P. Farquhar hizo del Murrieta del *Police Gazette*, la traducción de Hyenne al español en la cual ya Murrieta es chileno fue hecha en 1870, pero parece ser un error, pues no conocemos edición de ese año.[7] Es opinión de Jackson que estas ediciones piratas en español fueron copiadas de una revista chilena y que por lo tanto Murrieta se convierte en chileno; parece que Jackson no conocía a fondo la historia de las ediciones españolas, aunque en su libro *Bad Company* reproduce la cubierta ilustrada de una de ellas, atribuida a R. Hyenne. Esa edición ilustrada fue reimpresa en la ciudad de México por V. Acha y Hermanos Maucci, mencionando como autor a Roberto Hyenne, pero con diferente ilustración en la cubierta y, como todas estas ediciones, sin año de publicación. Tampoco menciona Jackson la edición chilena de 1906, publicada por el Centro Editorial de *La Prensa* de Santiago y en la cual se da el nombre del traductor, C. M., siglas del dramaturgo chileno Carlos Morla.

Ireneo Paz

En 1904 Ireneo Paz publicó, en su tipografía en México, la *Vida y aventuras del más célebre bandido sonorense Joaquín Murrieta: sus grandes proezas en California*[8], versión que se le ha atribuido, ya que el libro no lleva nombre de autor. En 1925 la señora Frances P. Belle publicó una traducción al inglés como si el libro fuera de Ireneo Paz, y desde entonces se le ha atribuido, ya que el título, *Life and Adventures of the Celebrated Bandit Joaquín Murrieta. His Exploits in the State of California,* va seguido de la frase, "Translated from the Spanish of Ireneo Paz by Frances P. Belle."[9] Lo que hizo Paz fue solamente retocar el texto con el objeto de recobrar la nacionalidad mexicana de Murrieta, para lo cual le agregó al título la palabra "sonorense," que no aparece en ninguna de las otras ediciones españolas traducidas del francés, o directamente del inglés. Comparando los textos de Paz, Hyenne, el de la *Gaceta* de Santa Bárbara de 1881 y los originales en inglés, es fácil verificar que el texto de Ireneo Paz es una refundición. La obra se inicia dando información acerca del lugar de nacimiento de Joaquín:

> Ridge: Joaquín Murieta was a Mexican, born in the province of Sonora of respectable parents and educated in the schools of Mexico (1955: 8).
> *Police Gazette:* Joaquín was born of respectable parents in Sonora,

Introducción

Mexico, where he received a good education (1969: 2).

Hyenne: Joaquín vio la luz en Santiago. Su familia originaria de la
  misma ciudad y muy respetable bajo todos sus aspectos, le hizo
  educar convenientemente y tuvo excelente maestros (p. 5).

Gaceta de Santa Barbara: Joaquín nació en México: su familia, originaria de Sonora, y respetable bajo todos los conceptos, le hizo
  criar en su pueblo natal, donde recibió una buena educación (2.98
  [1881]: 1).

Paz: Joaquín Murrieta nació en la República de los Estados Unidos
  Mexicanos. Su familia, originaria de Sonora, y respetable bajo
  todos conceptos, le hizo criar en su pueblo natal, en donde recibió
  una buena y esmerada educación (1953: 5).

La cita, y las ediciones enteras, tienen, como hemos dicho, una fuente común, la edición en inglés de la revista *Police Gazette,* por medio de la
cual descubrimos que la versión publicada por don Ireneo Paz es casi idéntica a la de la *Gaceta* de 1881. Ireneo Paz editó la vida de Joaquín en 1904
sin duda movido por el deseo de reintegrarlo a México. A pesar de su
esfuerzo, la creencia de que Murrieta fue chileno ha persistido, como
podemos ver en la obra de Neruda.

En el estudio "Literatura hispana de y en los Estados Unidos" nos dice
Octavio Paz que "El ciclo de Joaquín Murrieta comienza un año después
de su muerte con una biografía novelada: *Life and Adventures of Joaquín
Murieta, the Celebrated California Bandit* (San Francisco, 1854). El autor,
aventurero y periodista, se llamaba Pájaro Amarillo, por otro nombre John
Rollin Ridge. Era hijo de un cacique cheroquí y de una blanca. Al libro de
Ridge siguieron otros. Al principio, Joaquín fue un mexicano de Sonora y
como tal figura en el primer relato en español de sus aventuras: *Vida y
muerte del más célebre bandido sonorense, Joaquín Murrieta* (México,
1908). El autor fue mi abuelo, Ireneo Paz. Al pasar del inglés al español,
Joaquín ganó una *ere* en su apellido: Murrieta. El personaje estaba destinado a tener, como tantos héroes, un origen incierto" (1987: 55).

IV

JOAQUÍN EN EL MITO

Preliminares

¿A qué causas podríamos atribuir la repentina transformación de Joaquín en personaje mítico? Sin duda a la dramática exhibición de su cabeza, a raíz de su muerte, en Stockton, San Francisco y otra ciudades de California, y a la biografía que John Rollin Ridge publicó un año después del acontecimiento. Pero también al ejemplo de los héroes románticos europeos, a los cuáles los escritores lo compararon. Entre los títulos de obras que se le han dedicado encontramos, entre otros, los siguientes: *The Fra Diavolo of El Dorado*; *The Robin Hood of El Dorado*, y *Joaquín, the Claude Duval of California*, novela esta última en la cual se menciona a otros bandidos románticos famosos, entre ellos a Jonathan Wild, Rinaldo Rinaldi, Cartouche y Schneitzer. En la introducción a su versión de la vida de Murrieta, Hyenne no solamente lo compara con los principales personajes europeos que hemos mencionado, sino que nos dice que los supera: "Malgré le renom que possède in Italie Fra Diavolo, malgré la réputation bien établie des Cartouche et des Mandrin de notre pays, il nous faut pourtant avoner que Joaquín Murieta, le bandit Californiene, les a tout surpassés" (2).

El historiador norteamericano Hubert Howe Bancroft lo comparó nada menos que a Napoleón. En su libro, *California Pastoral* dice: "The terms *brave, daring, able,* faintly express his qualities. In the cañons of California he was what Napoleon was in the cities of Europe" (1888: 645). Además, California no contaba con un héroe popular como David Crockett , quien había "ofrendado" su vida en El Álamo por la libertad de Texas.[1]

¿A que se debe —nos preguntamos— que haya sido Murrieta y no uno de los otros cuatro Joaquínes (Carrillo, Ocomorenia, Botellier, Valenzuela) quien se convirtió en el más famoso héroe popular en la historia de California? Uno de sus historiadores, Jackson, lo explica así:

Introducción

California hubiera creado un héroe popular más temprano si la vida de los gambusinos en las minas de oro fuera más romántica. [...] Un héroe con el agua a la cintura apenas llega a ser un héroe friolento [...] Si se iba a crear un héroe popular californiano tenía que ser distinto de la ampliación simbólica del pasiente, desaliado, andrajoso, *homesick* (nostálgico) calenturiento minero honesto. [...]

Grabado en la memoria popular existía otro tipo de héroe [...] aquél que le quitaba al rico para darle al pobre [...]. En California, en los 50, tal héroe no existía, pero eso no importaba. Ridge bondadosamente inventó uno a imagen de los que a la gente les gusta tener: la del bandido romántico, a quien le dio un nombre, enjundia y fama eterna en la escritura (1955: xx).

Otras circunstancias, además de la novela de Ridge, por supuesto, ayudaron a crear la leyenda de Joaquín Murrieta, como veremos más adelante. Una de ellas es el hecho de que su nombre es el primero que aparece en el edicto de aprehensión.

No cabe duda, sin embargo, que la exhibición de la cabeza, lo mismo que la novela (o biografía) de Ridge publicada un año después de la muerte del héroe popular, dieron a conocer el nombre de Joaquín Murrieta en los Estados Unidos y se convirtió en el símbolo de la resistencia del pueblo mexicano de California, ya que no se le consideraba como bandido, sino como el defensor de una cultura que estaba a punto de perderse.[2] El pueblo sabía que la existencia de Joaquín Murrieta era una realidad. Mas, debido al gran número de ficciones en torno a su vida y aventuras, esa realidad histórica ha sido cuestionada, atribuyendo la existencia de Murrieta a la obra de Ridge, a quien algunos consideran el creador de Joaquín Murrieta como héroe legendario.

En el primer capítulo de su novela, Ridge menciona los nombres de los cinco personajes llamados Joaquín, habiéndolos tomado, nos suponemos, del *Estatuto* del 17 de mayo de 1853. Dice Ridge:

Sólo había dos Joaquines, pero usaban cinco apellidos: Murieta, O'Comorenia [*sic*], Valenzuela, Botellier y Carillo [*sic*], por lo cual se suponía que existían nada menos que cinco sanguinarios diablos que recorrían la región al mismo tiempo. Mas hoy sabemos con seguridad que sólo existían dos, cuyos nombres eran Joaquín Murieta y Joaquín Valenzuela, siendo éste nada más que un distinguido subordinado del primero, el Rinaldo Rinaldini de California (1955: 7).

Introducción

La creación del mito de Joaquín Murrieta la inicia el pueblo mexicano de California. El Dr. Raymund Wood, en su libro *Mariana la Loca* (1970) observa que

> [A]mong these descendents of the old Spanish families he was something of a hero, and was admired for his bravery in revenging himself on his Yankee oppressors. These Californios might not, in theory, approve of his cattle thefts, and still less did they approve of the murders that he and his gang committed, but they were generally willing to provide a fresh mount for any Mexican who seemed to be in a hurry to avoid his *gringo* pursuers, without asking too many questions (1970: 15).

Después de la muerte de Joaquín tanto Ridge como sus imitadores recogen información sobre el héroe de boca del pueblo y de los periódicos. El 18 de abril de 1853 el *Daily Herald* de San Francisco publicó una crónica de su corresponsal en Monterrey, California, en la cual informaba que Joaquín visitó a un ranchero, en el Valle de Salinas, a quien contó sus desgracias, diciéndole que había sido robado, que había perdido más de 40.000 dólares y que había sido perseguido y azotado en las minas. En mayo de 1854 se publicó un relato sobre Joaquín (hoy perdido) en el único numero de la revista *Pacific Police Gazette;* el 9 de julio del mismo año la revista *California Police Gazette* inició la publicación (de la cual sólo aparecieron cuatro capítulos) del relato "Joaquín, the Mountain Robber! Or the Guerrilla of California".[3] En ninguno de estos primeros relatos se da el nombre completo del personaje. Al mismo tiempo, se inventan discursos, conversaciones y arengas puestas en boca de Joaquín. He aquí un ejemplo tomado del libro de Ridge, propio de una novela y no una biografía. Joaquín le dice a Joe Lake, su antiguo conocido:

> "Joe," said he, as he brushed a tear from his eyes, "I am not the man that I was; I am a deep-dyed scoundrel, but so help me God! I was driven to it by oppression and wrong. I hate my enemies, who are almost all of the Americans, but I love *you* for the sake of old times. I don't ask you, Jose, to love or respect me, for an honest man like you cannot, but I do ask you not to betray me. I am unknown in this vicinity, and no one will suspect my presence, if you do not tell that you have seen me. My former good friend, I would rather do anything in the world than kill you, but if you betray me, I will certainly do it" (1955: 50).[4]

El mito toma fuerza inmediatamente después de la muerte del supues-

Introducción

to Joaquín Murrieta. Los primeros brotes los encontramos en este hecho: nadie estaba seguro de que la persona a quien Love y su gente dio muerte en Arroyo Cantúa fuera Joaquín Murrieta. La única prueba que Love tenía era una cabeza en aguardiente. Para poder cobrar la recompensa ofrecida por el gobierno tuvo que recoger testimonios de gente que decía que conocía a Joaquín y que la cabeza en poder de Love era la del bandido.

Lo referido a la investigadora Corcoran por el asistente de Love, el capitán William J. Howard, nos parece sospechoso, a pesar de que él mismo aseguraba que muchos de los fabulosos cuentos que se relataban acerca de Murrieta no tenían valor alguno. Si bien no se sabía nada en cuanto a la familia de Murrieta,[5] Howard relató que tuvo la oportunidad de conocer a su esposa, por haber vivido por largo tiempo cerca de ella cuando él se encontraba acampado en Hornitos. Era, dice, una mujer muy hermosa y se le conocía con el nombre de "Reina" por su belleza y sus regias maneras (Corcoran, 1921: 4, 3a. col.). Adelante veremos por qué lo dicho por Howard acerca de la esposa de Murrieta no tiene fundamento alguno.

Tres elementos importantes en la creación del mito son la increíble habilidad de Joaquín para escaparse de toda redada; su presencia simultánea en lugares separados por grandes distancias, y su muerte, la cual la imaginación popular, la verdadera creadora del mito, la niega. Joaquín no murió, se fue a Sonora. En 1856 el periódico *Sentinel* de Santa Cruz publicó un reportaje en el cual se dice que Joaquín Murrieta se había vuelto a México, donde lo vio una persona que le había conocido en California. En 1879 el periódico *Alta California* repitió la misma noticia, añadiendo que Joaquín hablaba de la muerte de Murrieta para que lo dejaran en paz. En 1932 Walter Noble Burns, autor de la novela *The Robin Hood of El Dorado,* puso la siguiente leyenda a la reproducción del anuncio de la exhibición de la cabeza de Joaquín en San Francisco:

> Evidence of the terror that the celebrated bandit, Joaquín Murrieta, created in California in 1850-1853. Thousands flocked to see the head of this desperado, who is known to have murdered more than 300 men, who plundered American miners on a state-wide scale, whose band pillaged ranches and settlements with a terrible suddenness. Long after he was killed by Harry Love's Rangers, many Californians believed that he had escaped and would return to harrass the state. After 80 years, Murrieta's notoriety still lives in the West (1932: contraportada).

Introducción

En 1939 Wade Wilson dijo que cuando era director de la Cámara de Comercio de Sonoma, lo había visitado un mexicano que investigaba la vida de Murrieta, quien le dijo que el muerto no había sido Joaquín sino un primo de él, que el verdadero Murrieta había muerto en México. Todavía en 1970 el Dr. Raymund F. Wood, en su libro *Mariana la Loca* nos dice que "recientemente se han acumulado más testimonios que parece que apoyan la opinión según la cual Murrieta no fue asesinado en el Valle de San Joaquín, que en verdad se encontraba entonces en otra parte del estado; que más trade, muy quieto, se fue a Sonora, su estado natal; que allí vivió por muchos años, rodeado de riquezas y esplendor; que allá lo reconoció cuando menos un californiano, Ramón Solórzano; que tal vez visitó California de incógnito, ya que fue reconocido por Pierre Reynaud de Placerville en los 1870; y que, en fin, murió en Sonora de avanzada edad" (14). Estas y otras leyendas que se han formado en torno a Joaquín Murrieta son indicativas de la presencia de Joaquín Murrieta en la imaginación popular.

En la Introducción a la edición del libro de Ridge publicada en 1955, el historiador Jackson asevera lo siguiente, opinión que, dado el prestigio del autor, ha tenido mucha influencia sobre los escritores que posteriormente se han ocupado de Murrieta:

> No sería disparatado decir que con este pequeño libro Ridge realmente creó el más perdurable mito californiano. Es verdad que durante los años del auge del oro existía un Murieta. Pero fue la *Vida* que Ridge escribió sobre ese Forajido —ficción tan inverosímil como cualquiera de las inventadas por las *Dime Libraries*— la que ayudó a inscribir el nombre de este oscuro bandido en las historias de California, a que revistas y libros en varias lenguas publicaran sensacionales relatos sobre sus hazañas, y que más tarde diera materia para una "biografía" que fue llevada a la pantalla. (1955: xi-xii).

No es la anterior la primera referencia de Jackson a la naturaleza ficticia del libro de Ridge. Ya en 1939, cuando publicó el primero de sus varios estudios sobre Murrieta, incluido en su libro *Bad Company*, la obra de Ridge ha sido considerada más bien como novela que como biografía, ya que es, dice Jackson, "nine-tenths pure invention". No obstante, Jackson alaba a Ridge por haber creado tanto al personaje histórico como al mítico. Dice Jackson: "It is not too much to say that Ridge, in his preposterous little book, actually created both the man, Murieta, and the

Murieta legend as these stand today" (1977: 15). Esa creación "literaria" fue aceptada como verdadera, según el mismo Jackson, cuando los dos famosos historiadores, Bancroft y Hittell, incluyeron en sus obras las hazañas de Murrieta. Otros investigadores no aceptan la extrema posición de Jackson. Remi Nadeau, por ejemplo, dice: "It has been claimed by literary scholars that Ridge created Joaquín 'practically out of whole cloth' [frase de Jackson]. This is not really the case. It is clear that he used some, though probably not many, of the Joaquín reports in contemporary newspapers" (1974: 118). Otros, como Frank F. Latta, van aún más allá y estudian a Murrieta como ente totalmente histórico, con antepasados y descendientes que todavía viven en el Estado de Sonora. Y en la edición de don Ireneo Paz , *Vida y aventuras del más célebre bandido sonorense Joaquín Murrieta, sus grandes proezas en California,* publicada en Los Angeles en 1919 encontramos esta frase final: "Como dato curioso agregamos que en la actualidad viven en la ciudad de Los Angeles, Cal., Rosa, Herminia y Anita Murrieta, hijos [*sic*] de Antonio, hermano de Joaquín Murrieta" (128).

La cabeza de Joaquín y la mano de Jack

Para probar que la cabeza que Bill Byrnes —uno de los rangers más sanguinarios que acompañaban a Love— había cercenado del cuerpo de uno de los cuatro muertos era la de Joaquín Murrieta, y que la mano que el mismo Byrnes había cortado del cuerpo de otro de los muertos (cuya cara había quedado despedazada por las balas) era la de Jack Tres Dedos, el capitan Love, como ya dijimos, tuvo que conseguir testimonios de personas que decían que lo habían conocido. Según lo que dijeron tres sobrevivientes de la matanza, el muerto a quien habían cortado la cabeza no era Joaquín Murrieta sino Joaquín Valenzuela. Según el periódico *Alta California,* la cabeza no era la de Joaquín, el "errante, temerario, sanguinario, ubicuo, franco tirador y mal afamado Joaquín, de cuyas hazañas hemos oído tanto" (citado por Nadeau,1974: 98). Sin embargo, Love obligó a dos prisioneros hechos durante la escaramuza a que, bajo pena de muerte, confesaran que la cabeza era la de Joaquín Murrieta. Así lo hicieron, mas ni eso los salvó de la muerte a manos de los *rangers*. El periódico *Alta California* no vaciló en decir que la cabeza sería la de "algún hombre que tuvo la mala suerte de haber nacido mexicano" (Nadeau, 1974: 99).

Como era necesario defenderse de la acusación de plagio, Love comenzó a recoger testimonios en el pueblo Quantzburg, donde expuso la cabeza del supuesto Joaquín. Todos los que firmaron testimonios, sin embargo, se referían a un tal Joaquín que habían conocido o de quien habían tenido noticias, o les habían contado hazañas. Otros decían que lo habían conocido en lugares que, según los datos históricos, Joaquín nunca había visitado. Tres testigos firmaron con una cruz, sin haber leído el contenido del testimonio. En Stockton, cuando Love expuso la cabeza, el sacerdote Dominic Blaine dijo que lo había conocido en el Hotel de Minas de esa ciudad. Nadie, sin embargo, juraba haber visto a Joaquín cometer un crimen.

Para confirmar el aspecto mítico que tan pronto se había formado de Joaquín, baste con mencionar que el mismo Joaquín Murrieta escribió una carta al periódico *Herald* de San Francisco, en la cual decía: "Todavía conservo la cabeza, aunque la prensa diga que hace poco fui capturado" (Nadeau 1974: 103). Tambien se decía que el mismo Murrieta había visitado la exposición de su cabeza. ¿Qué impresión recibiría al verla en un frasco? ¿Y qué pensaría al tener que pagar un dólar por verla? Aquí el mito pasa al terreno del cuento fantástico, o del humor negro.

El mito de la cabeza de Murrieta no terminó en 1853. Al contrario, con los años ha tomado fuerza. En 1879 el periódico *Transcript* de Nevada City publicó una noticia de la supuesta hermana de Joaquín, quien dijo que la cabeza que había ido a ver no era la de su hermano. Según una nota titulada "Joaquín Murieta Lore," que apareció en el *Oakland Tribune* el 20 de febrero de 1949 y que fue reproducida en la revista *Western Folklore,* Wade Wilson dice que en 1905 había visto la supuesta cabeza de Joaquín Murieta en el Jordan Museum de San Francisco, y recuerda que las facciones eran más parecidas a las de un indio que a las de un *castilian.* Agrega que en 1932 había hablado con George Barron, director del De Young Museum en Golden Gate Park, San Francisco, quien le dijo que él había investigado el problema de Murrieta y que tres personas responsables, de tres diferentes regiones del sur de California, le habían dicho que conocieron a Murrieta, que le habían visto después de su supuesta muerte. También el director Barron aseguró a Wade que la cabeza que había estado en el Jordan Museum era la de un indio, que no se parecía en nada a la del verdadero Murrieta. Barron también creía que cuando Murrieta cumplió su misión en California y se fue a México, otra persona había tomado su lugar y continuado sus proezas.

JOAQUIN'S HEAD!!

IS TO BE SEEN

AT KING'S,

CORNER OF HALLECK AND SANSOME STS.,

OPPOSITE THE AMERICAN THEATRE.

ADMISSION $1. **au18 tf**

The following is one of the many affidavits, certificates, INC., proving the identity of the Head:

STATE OF CALIFORNIA—COUNTY OF SAN FRANCISCO, *ss*: Ignacio Lisarraga, of Sonora, being duly sworn, says:– That he has seen the alleged head of Joaquin, now in the possession of Messrs. Nuttal and Black, two of Captain Love's Rangers, on exhibition at the Saloon of John King, Sansome street. That deponent was well acquainted with Joaquin Murrieta, and that the head exhibited as above is and was the veritable head of Joaquin Murrieta, the celebrated Bandit. And further says not.

IGNACIO LISARRAGA.

Sworn to before me, this 17th day of August, A. D., 1853.

CHAS. D. CARTER, Notary Public.

From *The San Francisco Herald,* Aug. 20, 1853

Introducción

Murrieta, ¿mexicano o chileno?

A través de los años ha existido una controversia en torno al lugar de origen de Joaquín Murrieta, insistiendo algunos que era de Sonora, México, mientras que otros (entre ellos Pablo Neruda) aseguran que era chileno. Según su primer biógrafo, John Ridge, Murrieta era mexicano, habiendo nacido en la provincia [*sic*] de Sonora, hijo de padres acomodados y educado en las escuelas secundarias de México (1955: 8). Murrieta aparece como chileno *solamente* en la traducción de Morla y sus reimpresiones. En 1904 Ireneo Paz retocó ese texto con el objeto de recobrar la nacionalidad mexicana de Murrieta, para lo cual le agregó al título la palabra "sonorense," que no aparece en ninguna de las otras ediciones españolas o chilenas traducidas del francés. Comparando los textos de Paz, Hyenne, el de la *Gaceta* de Santa Bárbara de 1881 y los originales en inglés, es fácil verificar el lugar de nacimiento de Joaquín. Veamos estas citas:

> Ridge (1854): Joaquín Murieta was a Mexican, born in the province of Sonora of respectable parents and educated in the schools of Mexico (1955: 8).

> *Police Gazette* (1859): Joaquín was born of respectable parents in Sonora, Mexico, where he received a good education (1969: 2).

> Hyenne (1862): Joaquín reçut le jour au Mexique. Su famille, originaire de la Sonora, et fort honorablesous tous les rapports, le fit élever dans sa ville natale, oú il reçut une excellente éducation (1862: 2).

> Morla (1867): Joaquín vio la luz en Santiago. Su familia originaria de la misma ciudad y muy respetable bajo todos sus aspectos, le hizo educar convenientemente y tuvo excelentes maestros (Acha, p. 5).

> *Gaceta de Santa Barbara* (1881): Joaquín nació en México: su familia, originaria de Sonora, y respetable bajo todos los conceptos, le hizo criar en su pueblo natal, donde recibió una buena educación (2.98, 1881, 1).

> Paz (1904): Joaquín Murrieta nació en la República de los Estados Unidos Mexicanos. Su familia, originaria de Sonora, y respetable bajo todos conceptos, le hizo criar en su pueblo natal, en donde recibió una buena y esmerada educación (1953, 5).

Introducción

El siguiente ejemplo es importante porque confirma que Murrieta era mexicano y no chileno. Ridge no menciona esta aventura, que aparece primero en el texto del *Police Gazette,* lo que indica que los traductores al español usaron esa edición.

Police Gazette: Shortly after his arrival at the City of Mexico, he called upon one of his father's old friends, *Señor* Estudillo, and presented a letter of recommendation. *El Señor* received him warmly and soon obtained for him a situation as groom in the magnificent stables of President Lopez de Santa Anna (1969: 2).

Hyenne: A peine arrivé à Mexico, il se rendit chez un vieil ami de son pére, le senor Estudillo, et lui remit un lettre d'introduction, qui lui valut, de la part du bonhomme, un excellent accueil.

    Bientòt son protecteur obtint pour lui une place d'écuyer dans la riche haras du president Lopez de Santa-Anna (1862: 2).

Morla: Habiendo muerto su padre en esta fecha [1845], [Joaquín] se trasladó a casa de un antiguo amigo de su familia, el señor Estudillo, y este buen hombre le hizo objeto de una acogida excelente. Muy pronto su protector obtuvo para él una plaza de oficial en una de las compañías del regimiento que servía de escolta al Presidente Bulnes (Acha, p. 5).

Gaceta de Santa Barbara: En 1845 Joaquín abandonó su país natal y fue a buscar fortuna a la capital [...] Llegado a México, se dirigió a la casa de un antiguo amigo de su padre, el Sr. Estudillo; entrególe la carta de introducción, mediante la cual fue muy bien acogido por ese señor.

    Muy pronto su protector obtuvo para él un destino en las caballerizas del presidente López de Santa Anna (1881: 1).

Paz: En 1845 Joaquín abandonó su pueblo en Sonora para ir a buscar fortuna en la Capital. [...] Llegado a México, se dirigió a la casa de un antiguo amigo de su padre, el Sr. Estudillo, entrególe una carta de introduccción, mediante la cual fue muy bien acogido por ese señor. Muy pronto su protector obtuvo para él un destino como palafrenero en las caballerizas del Presidente López de Santa Anna (1953, 5).

Es obvio que Joaquín Murrieta no pudo ser chileno y mexicano al mismo tiempo, ya que es imposible que el señor Estudillo haya podido

Introducción

colocar a Joaquín al servicio de Bulnes y Santa Anna al mismo tiempo, si bien ambos presidentes se encontraban en el poder en 1845. La cita, y las ediciones enteras, tienen, como hemos dicho, una fuente común, la edición en inglés de la revista *Police Gazette*, por medio de la cual descubrimos que la versión publicada por don Ireneo Paz es casi idéntica a la de la *Gaceta* de 1881.

Ireneo Paz editó la vida de Joaquín en 1904 sin duda movido por el deseo de reintegrarlo a México. A pesar de su esfuerzo, la creencia de que Murrieta fue chileno ha persistido, como podemos ver en la obra de Neruda, en la cual dice:

El fantasma de Joaquín Murieta recorre aún las Californias. [...] Cuando salió de Valparaíso a conquistar el oro y a buscar la muerte, no sabía que su nacionalidad sería repartida y su personalidad desmenuzada. No sabía que su recuerdo sería decapitado como él mismo lo fuera por aquellos que lo injusticiaron. Pero Joaquín Murieta fue chileno. Yo conozco las pruebas. Pero estas páginas no tienen por objeto probar hechos ni sombras (1966: 10).

Sin duda alguna, Joaquín Murrieta fue mexicano y no chileno. Carlos Morla Vicuña, de una plumada, fue quien creó el mito de la nacionalidad chilena de Joaquín Murrieta.

V

JOAQUÍN EN LA NARRATIVA

A pesar de su corta vida y su corta actuación como vengador de los agravios sufridos por los californios, Joaquín Murrieta dio materia a historiadores, novelistas, dramaturgos y poetas para un buen número de composiciones. Numerosos son los historiadores de California que lo mencionan, lo mismo que los poetas que lo cantan y los novelistas que lo han convertido en un héroe mítico Si bien la información histórica sobre Murrieta es escasa, las novelas en las cuáles aparece como protagonista son numerosas; y lo mismo puede decirse de otras formas artísticas como el drama y la poesía.

En la narrativa Joaquín aparece primero en el relato, "Joaquín the Mountain Robber, or the Bandits of the Sierra Nevada", que el *Pacific Police Gazette* publicó en mayo de 1854. En julio del mismo año el *California Police Gazette*, en sus dos primeros números, incluyó las primeras cuatro partes de la historia Joaquín, the Mountain Robber! Or, the Guerilla of California.[1] Este título sugiere que es la misma del *Pacific Police Gazette,* punto que no podrá ser esclarecido hasta que no se encuentren ejemplares de estas gacetas. Lo que sí sabemos es que en estas tempranas historias sobre Joaquín todavía no se identifica al héroe con el apellido Murrieta. Pero ya aquí aparece el tema de la venganza, como ya vimos en el capítulo IV. Pero si el nombre completo de Joaquín no se encuentra en esos relatos, ya lo hallamos un mes más tarde en la obra de Ridge, si bien deletreado con una ere.

Muy discutido ha sido el problema de la veracidad histórica del libro de este autor. Para algunos es una simple novela, una ficción inventada por Ridge. J. H. Jackson, por ejemplo, acepta la idea de que Murrieta, como hombre de carne y hueso, existió pero que la biografía de Ridge es pura ficción:

> It is true that in the early years of the gold rush there was a Murieta. But it was Ridge's *Life* of that outlaw, as preposterous a fiction as any the Dime Libraries ever invented, that sent this vague bandit on his way

Introducción

to be written into the California histories (1955: x—xii).

Y un poco más adelante:

> His narrative [Ridge's], masquerading as fact, was an obvious fiction, abounding in "conversations" between Murieta and his men in secret caves and the like; it was built frankly to the traditional Robin Hood blueprint. (xxvii)

Lo mismo opina Kent L. Steckmesser en su estudio sobre Murrieta y otro famoso héroe popular, Billy the Kid. Para crear su obra, dice, Ridge se vale de una estratagema muy común, el pretender que se escribe una historia verdadera, cuando lo que hace es usar elementos folclóricos e imitar los episodios melodramáticos de las novelas baratas ["dime novel variety"], lo mismo que el uso de elegantes discursos en boca del héroe y la presencia de actos y provocaciones vívidamente imaginados (1962: 77–78).

Estos y otros historiadores consideran a Ridge como el creador de la leyenda de Murrieta, no como su biógrafo. Se citan posibles fuentes ficticias, como las cartas de Dame Shirley (pseudónimo de Louise Amelia Knapp Smith Clappe), en una de las cuáles se describe la flagelación de un "Spanish" y su juramento de vengarse. Ese anónimo español (¿mexicano?), nos dicen, se convierte en Joaquín Murrieta. Esta posible influencia fue primero observada por Franklin Walker (*Frontier* 1939) y más tarde comentada por Jackson (1977: 333), quien sospecha que Ridge, al mismo tiempo que escribía su novela, leyó las cartas de Clappe en la redacción del periódico *Pioneer*, donde primero aparecieron y del cual Ridge era colaborador.

Otra de las influencias en la obra de Ridge, agregan, fue la leyenda de Robin Hood. Y según Carlos Cortés, "[d]e todos los bandoleros chicanos [Murrieta] es el que más se parece a Robin Hood, porque, como éste, es protagonista de una leyenda mucho más conocida que su verdadera historia" (115). Y la novela más popular acerca de Joaquín publicada en el siglo veinte, esto es, la de Burns, lleva precisamente el título *The Robin Hood of El Dorado*. Jackson, como ya vimos en el párrafo arriba citado, creía que la obra de Ridge, "was built frankly to the traditional Robin Hood blueprint, [...] to capture an audience that loves a shocker" (1955: xxvii).

En cambio, ya el editor de la primera edición, en su corto Prefacio, había dicho que "Yellow Bird" (nombre bajo el cual Ridge publicó la obra)

Introducción

"no ha lanzado su libro al mundo descuidadamente, sin autoridad para sus asertos. En general, se verá que [lo que dice] es estrictamente verdadero" (1955: 4). Pero tal vez fue criticado por haber dicho lo anterior, ya que en la edición de 1871 se hace referencia de cuando en cuando a fuentes de información que no aparecen en la primera edición, sin duda para contestar a los que dudaban de la veracidad de los hechos narrados. Menciona en la página 12, por ejemplo, el periódico *Marysville Herald* del 13 de noviembre de 1851 para indicar que de allí tomó la noticia del asesinato de siete hombres; en la página 21 añade que la circunstancia narrada se la contó "un hombre llamado Brown, amigo cercano de Joaquín, con quien el bandido hablaba con toda franqueza". También reproduce, al fin de la obra, varios de los testimonios que acompañaban la exhibición de la cabeza, en los cuáles se asegura que es auténtica. A pesar de ese intento de documentar algunos hechos, la edición de 1871 se acerca más a la ficción que la de 1854.

Esta segunda edición fue la fuente de información que el renombrado historiador Herbert Howe Bancroft utilizó para pergeñar, en su obra *California Pastoral,* el capítulo sobre los bandidos californios, en el cual leemos: "Permítanme que les presente algunos de los más famosos caballeros del camino [salteadores], quienes tienen, sin duda alguna, tanto derecho de figurar en las páginas de la historia como los que se hacen famosos robando sin salirse de las reglas aceptadas por la sociedad" (1888: 644-45). Bancroft presenta a Murrieta como persona histórica, sin cuestionar su existencia. Para caracterizarlo utiliza la obra de Ridge, aunque sin mencionarla.

Pronto la vida de Murrieta pasa de la historia a la literatura, ya sea en novelas, dramas, o poesías. Es de interés notar que en varias novelas y en el drama de Howe, el conflicto no es entre Murrieta y sus hombres y los angloamericanos, sino entre Joaquín y pérfidos intrigantes mexicanos o californios.

Tras los varios plagios y las traducciones de la obra de Ridge por Hyenne, Nombela, Acigar, Morla, Paz, Bell, etc., vienen las novelas ficticias basadas, la mayoría, en la edición de 1859 publicada por el *California Police Gazette,* añadiendo aquí y allá algunos episodios inventados o tomados de otras novelas de héroes populares, según el concepto del estereotipo tradicional. Entre las más importantes se encuentran las de Henry Llewellyn Williams (1865), Joseph E. Badger (1881), Charles Caldwell Park (1912), Ernest Klette (1928), Walter Noble Burns (1932), Dane

Introducción

Coolidge (1939) y Samuel Anthony Peeples (1949).

La primera, *Joaquín, the Claude Duval of California, or the Marauder of the Mines (1865)* fue publicada sin nombre de autor, pero se le ha atribuido a Henry Llewellyn Williams. El desenlace de esta novela —calificada por Jackson como "a fearfully bad novel" (1955: xl)— no lo forma la muerte de Murrieta a manos del capitán Love, sino ahogado en un lago cuando el barco en que se encuentra se hunde. Que la novela es otro de los muchos plagios lo confirma la siguiente cita, sobre el nacimiento y educación de Joaquín, a la cual se le añade un gratuito comentario sobre el estado de la educación en el México de la época:

> He was born in Sonora's capital, in Mexico, of a family respectable enough, and sufficiently well off to give him a good education, as education went in that priest-ridden country (citado por Jackson 1977: 332).

La obra es de interés, sin embargo, porque en ella se compara a Joaquín con Claude Duval, el famoso bandolero inglés del siglo XVIII. Kent L. Steckmesser, quien ha comparado las leyendas de Murrieta y Billy the Kid, el famoso bandolero nuevomexicano, observa que "English Restoration highwayman Claude Duval is the favorite" (77, n.3).

Las dos novelas de Joseph E. Badger fueron las más leídas, ya que formaban parte de la serie *Beadle's New York Dime Library*. En la primera, *Joaquín, the Saddle King* (1881), Murrieta es un joven español rubio que apoyó a los revolucionarios texanos y después peleó al lado de los norteamericanos en la guerra del 47. Alguien le pregunta por qué adora a los americanos y Joaquín dice: "¡Ah! porque son muy hombres; he vivido con ellos, he comido, peleado y cabalgado con ellos. Estoy orgulloso de que sean mis amigos. Cómo deseo que fueran mis compatriotas" (citado por Paredes 1973: 182). Así, al rechazar su cultura, Murrieta se convierte también, en la novela de Badger, en un héroe de todos los norteamericanos. Lo que estos novelistas de obras populares hacen es elaborar episodios narrados ya por Ridge, ya en la edición del *California Police Gazette*. Badger, por ejemplo, en su segunda novela *Joaquín, the Terrible*[2] narra el encuentro de Joaquín con su hermano Carlos, personaje que no aparece en Ridge pero sí en la versión del *California Police Gazette* y sus traducciones. Pero allí sólo se dice que "[d]os días después de su llegada [a San Francisco], paseándose en uno de esos ricos salones destinados al juego que había en la plaza pública, encontró a su hermano" (Morla, ed. Acha: 9; Paz 1953: 8). A ese encuentro, narrado en menos de tres líneas, Badger le dedica los

Introducción

tres primeros capítulos de su novela, en los cuáles Carlos gana una enorme cantidad de oro en el salón "Wheel of Fortune" de John Vanderslice. Elabora la escena dándole nombres a varios personajes secundarios, como al gurrupié, que se llama Diego Cagatinta; a la mujer de Carlos, Nicholasa, a un mexicano al servicio de Vanderslice a quien le dicen Pepe the Creeper, hombre repulsivo caracterizado con aspectos de rata que es contratado por Vanderslice para matar a Carlos y quitarle el oro que ha ganado, si bien creen que Carlos es Joaquín, pues se parecen mucho. Al salir Carlos de la casa de juego intentan matarlo, pero por indicación de Nicholasa, quien, celosa, anda vigilando a Carlos, Joaquín mata a Pepe y le salva la vida a Carlos, sin saber que es su hermano. Así es como se encuentran.

En verdad, muy poco es lo que los primeros narradores nos dicen de Carlos. Se concretan a informarnos que después de encontrarse con su hermano Joaquín, a quien le dice que lo han despojado de sus terrenos, Joaquín deja a su esposa Carmen en la Misión de Dolores bajo el cuidado de un viejo amigo de su hermano, el señor Manuel Sepúlveda, y se va con su hermano a Sacramento, donde compran caballos para ir a Hangtown (Placerville). Carlos se encuentra a Flores, con quien sale a pasear de noche. Son detenidos y ahorcados, acusándolos de haberse robado los caballos que habían comprado. Joaquín, horrorizado, vuelve a Sacramento, con deseos de vengarse. Eso es todo. En cambio, en Badger la mayor parte de la novela va dedicada a Carlos. En verdad, toda ella está plagada de escenas truculentas, como aquellas en las cuáles se hace creer al lector que Carlos es Joaquín y que Pepe ha muerto. Se desarrollan también argumentos secundarios, como los conflictos amorosos entre Joaquín y Vanderslide, que resulta ser un mexicano llamado don Manuel Cumplido, rival de Joaquín en México por el amor de Carmela; y aquél entre Carlos y Raymond Salcedo, californio, por el amor de Nicholasa. Los enemigos de Joaquín no son los anglos, sino Salcedo, quien persigue a Carlos hasta que logra eliminarlo, y Cumplido, quien logra vengarse de Joaquín incitando a los mineros en su contra. La novela termina cuando Joaquín descubre los cuerpos colgados de Carlos y Flores (Florez) y horrorizado vuelve al campo minero, donde lo acusan de haberse robado la yegua que cabalga y es azotado. En el último capítulo Carmela es ultrajada por los mineros anglos, entre quienes se encuentra el mexicano Vanderslice. Antes de marcharse prenden fuego a la cabaña de Joaquín.

Otra popular novela en la cual se expresa mayor simpatía por Joaquín

Introducción

es la de "Carl Gray" (pseudónimo de Charles Park) titulada *A Plaything of the Gods* (1912). En su libro, *The Popular American Novel, 1865-1920* (1980), el crítico Herbert F. Smith dice que Park trata de justificar la conducta de Joaquín y de demostrar lo justo de sus acciones al imponer su propia justicia. También observa que aunque la novela sigue el modelo de Robin Hood, más se acerca a aquél en el cual se rinde culto al antihéroe, técnica bien ilustrada en la película *Bonnie and Clyde* (1980: 95).[3]

En general, estas primeras novelas (llamadas "dime novels" porque se vendían por diez centavos aunque el precio subió a 15 y después a 25 centavos), como observa Nadeau, "had nothing to do with the real Joaquín and were simply capitalizing on the fame achieved for him by the earliest tales" (1974: 125). No ocurre lo mismo con la obra de Walter Noble Burns, en la cual introduce nuevos datos sobre Murrieta recogidos de los periódicos de la época. Sin embargo, estas novelas baratas (en precio y calidad) prepararon el terreno para la recepción de Murrieta por el público lector del siglo veinte, cuyo interés en el héroe del "Gold Rush" sufre un renacimiento que se inicia en el otoño de 1919 con la historia de Joaquín publicada por Frederick R. Bechdolt en la popular revista *Saturday Evening Post.* "The Bechdolt story in that widely read medium was enough to start a whole new cycle of Murieta writing" (Jackson 1955: xli).

Pero fue verdaderamente la novela de Walter Noble Burns, y la película en ella basada, las dos producciones que renovaron el interés en Joaquín. Según Jackson, después de la obra de Ridge, la de Burns es la que más ha contribuido a fijar la imagen de Joaquín en la imaginación del norteamericano. Mucho del éxito de la novela se debe al título y a la película que se rodó en 1939. Jackson, obsesionado con la idea de que Murrieta era el producto del mito creado por Ridge, dice:

> Murieta was no Robin Hood [...] but Ridge had made him one, and most of the writers since had fallen in with the natural pattern. [...] And it was the obvious thing for the public at large, which obstinately wanted a hero, however imaginary, to accept this estimate. To combine the idea of a Robin Hood with the ever-magical words "El Dorado" was an admirable stroke of promotional genius (1977: 37).

Las anteriores palabras fueron publicadas en 1939, en el primer estudio que Jackson le dedicó a Murrieta; en 1955 atribuye la semejanza de Joaquín a Robin Hood, como ya vimos, a la imitación de las narrativas dedicadas al bandolero inglés.

Introducción

Burns inicia su obra hablando de las variantes del apellido de Joaquín, para terminar diciendo que acepta la forma "Murrieta" por ser la que usan Ireneo Paz y la traductora Bell. Además, agrega, "this spelling was pronunced correct by don Antonio Coronel, once mayor of Los Angeles, who knew the family, and it is the spelling that was used by Rosa, Herminia and Anita Murrieta, who formerly lived in Los Angeles and were the daughters of Joaquín's brother Antonio" (3). Tras esa aclaración, Burns hace una elogiosa caracterización de Joaquín. Entre otras cosas nos habla de su cara, "of ivory pallor such as you might have expected if his hair had been golden and his eyes blue" (5), lo cual contradice lo que más tarde diría Latta, esto es, que Joaquín tenía ojos azules. Continúa diciendo Burns que Joaquín se distinguía por su dignidad de hidalgo:

> An *hidalgo* touch in his grave dignity, his punctilious politeness and his air of proud reserve. A calm thoughtful countenance that indicated a cooly poised character. Quiet, frank, unpretentious. Honest. Known as a square gambler and a square man. Not averse to a glass of wine. Considered a good dancer. A lively, agreeable companion. Some humor and laughter in him. Even tempered. [...] (5)

Según Burns, Joaquín y Rosita Carmel Féliz nacieron en el Real de Bayareca, entre Arizpe y Hermosillo. Joaquín se fuga con su novia Rosita para evitar que su padre, Ramón Féliz, la case con el hacendado don José González. Sin embargo —contra lo que dice Ridge— al día siguiente se casan en Arizpe y se vienen a Los Angeles, donde Joaquín trabaja como amansador de caballos en una maroma (circo). Después de varios empleos en varias partes de California, se establecen en Saw Mill Flat, a donde llegaron durante la primavera de 1850. Según el "Corrido de Joaquín Murrieta" (ver VIII), Joaquín había aprendido el inglés con su hermano Carlos; según Burns, cuando salió de Sonora no hablaba nada de inglés,[4] pero cuando llegó a las minas de oro ya lo hablaba como un nativo, sin ningún acento (9). Es en Saw Mill Flat donde cinco mineros anglos atacan a Rosita, quien muere. Joaquín jura vengarse y mata a los cinco.

Siguiendo los pasos de Ridge, Burns no presenta su obra como novela, sino como biografía; sin embargo, va más allá de Ridge al poner notas al pie de página para documentar lo dicho. Cuando relata el caso del ultraje de Rosita, nos dice que la información se deriva de lo dicho por el minero Frank Wilson, vecino y amigo de Joaquín y Rosita, a quienes ayudaba: "My account of this affair is based on a story supposed to have been told originally by Frank Wilson. It was corroborated with some difference in detail by Lewis Page, a resident of Saw Mill Flat at the time, who told it to his daughter, Miss Marian Page, still living a half mile from the scene of the occurence" (11).

Información de tercera mano que, por lo demás, no convence al lector avisado. En el extremo opuesto, encontramos parlamentos y confesiones puestos en la boca de Joaquín, quien nos relata su propia vida. Ejemplo:

> I located first near Stockton, but I was constantly annoyed and insulted by my neighbors and was not permitted to live in peace. I went to the placers and was driven from my claims. I went into business and was hated by everyone in whom I trusted. [...]
> I then said to myself, "I will revenge my wrongs and take the law into my own hands [...] (161).

Pero es la vida de Robin Hood la que da forma a la novela de Burns, como vemos en este pasage, a través de la voz del narrador omnisciente, que nos ayuda a comprender no solamente la novela de Burns, sino también otras en torno a Joaquín Murrieta y otros héroes populares:

> Myth and fable have enveloped him [Murrieta] with the rose and purple of a mountain seen from afar off. The murderous robber has become a picturesque figure of fantasy, high souled, as chivalrous as he is brave riding forth merrily with a plume in his hat and a roguish sparkle in his eye to a thousand madcap adventures. He makes love with the gallantry of a cavalier. He flings away his gold at the gambling table with princely abandon. He is a protector of women. He robs the rich and gives to the poor [...] He is the Robin Hood of El Dorado. The live oaks, digger pines and manzanita thickets of the Sierra foothills are his Sherwood Forest; and Three Fingered Jack, Claudio, González, Valenzuela, —as atrocious knaves as ever cut a throat—lack only jerkins of Lincoln's green, long bows and cloth-yard arrows to be the Little John, Allan-a-Dale, Will Scarlet and Friar Tuck of his roystering crew (40).

Fue la novela de Burns, y la película sobre ella, la que dio a conocer a Murrieta a las nuevas generaciones, ya al tanto del mito de Robin Hood. Hasta el presente, ningún novelista posterior ha superado a Burns en la recreación de la vida de Joaquín.

Antes de que apareciera la novela de Burns, sin embargo, ya el jalisciense Adolfo R. Carrillo (1865-1926) había publicado un cuento titulado

Introducción

"Joaquín Murrieta", recogido en su colección *Cuentos californianos*, obra publicada en Los Angeles hacia 1922. Carrillo, periodista expatriado del porfiriato, vivió en San Francisco durante los primeros años del siglo, y más tarde ocupó un puesto en el consulado mexicano en Los Angeles.

En su cuento sobre Murrieta, dividido en cuatro partes, Carrillo presenta algunos datos biográficos sobre Joaquín que no aparecen en ninguna otra parte, por lo cual sospechamos que tuvo conocimiento de algunos documentos hoy desconocidos. Por ejemplo, nos dice que su casa se encontraba en los montículos de Oleta, condado de Amador, a cinco leguas del río Sacramento; que con él vivían su madre Juanita y su hermana Dorotea, "de quince abriles"; que Joaquín tenía veintidós años, y que en Sonora había sido vaquero, "y por eso como jinete no había quien le igualara" (89).[5] Además, no es su amiga o esposa , sino su hermana Dorotea, quien es violada por los mineros anglos, capitaneados por un ex presidiario llamado Pat King, "escapado de los calabozos de Australia" (90). Dorotea muere y Joaquín jura vengarla.

En la segunda parte, que es muy breve, Carrillo relata que Joaquín, cuyo "nombre se evoca hoy mismo con estremecimiento de pavura" (91), ejecuta su primer acto de venganza, dando muerte a Pat King y los mineros que lo acompañaban. A Joaquín se le ha unido "Jaime Rivera, cuatrero y abigeo, conocido con el apodo *Three Fingers* [sic] *Jack,* su lugarteniente" (91). Según los informantes de Latta, existió un tal José Rivera, a quien se identifica como el cocinero del grupo de Joaquín, y de quien se dice que fue "an honest, hardworking man" (1980: 130). Por lo tanto, no puede ser el mismo que aparece en el cuento de Carrillo. A Three Fingered Jack se le ha identificado como Manuel Duarte, nunca como Jaime Rivera.

En la tercera parte del cuento nos habla Carrillo de la organización de la cuadrilla de Joaquín, entre quienes se encuentran tres personajes no mencionados por Latta: Mateo Riestra, "alias *el Tecolote,* quien jamás dormía"; Pedro Morales, *el Chato*, "de ferocidad tigresca y puntería mortífera", y Pablo Escontría, *el madrugador*, quien "mataba con su cuchillo de monte sin bajarse del caballo" (92). Se exagera el valor del premio ofrecido por el gobernador por la cabeza de Joaquín, que sube a cincuenta mil dólares, y se describe el encuentro de Murrieta y sus cuarenta hombres con la acordada del sheriff Medon "que al frente de doscientos jinetes quiso envolver a Joaquín en su guarida de Fresno" (93). Medon, personaje desconocido de los biógrafos de Murrieta, es derrotado, y Tres Dedos lo mata y le corta la cabeza.

Introducción

En la cuarta y última parte del relato se narra el encuentro de Joaquín con Lina Solano, su primer amor, cuyo beso sella su sentencia de muerte. Introduce aquí Carrillo personajes históricos, miembros de la famosa familia Vallejo. Joaquín asiste a un baile para celebrar el matrimonio de María Vallejo, sobrina del general don Guadalupe Vallejo. Allí baila con Lina, enamorándose de ella al instante. A Jack no le cae bien Lina, pues pertenece, dice, a una familia de renegados, ya que su tío "fue uno de los que entregaron California a los gringos" (96). Las sospechas de Tres Dedos se cumplen. Lina traiciona a Joaquín, quien es sorprendido en los llanos de La Mora, en la barranca del Sapo, por una columna de 300 hombres de caballería. El *sheriff*, que aquí se llama Lewis Hamlin, ordena a Joaquín y Tres Dedos que se rindan, mas éste le dice:

> "¡Los mexicanos no se rinden! ¡Mueren! Y para que no cayera vivo en manos de sus enemigos, le disparó [a Joaquín] un tiro en la frente, dándose él mismo un pistoletazo" (97). Los cadáveres son llevados a Colosa, donde a Murrieta le cortan la cabeza, "que después fue exhibida en uno de los museos de San Francisco. (Todavía se encuentra allí, en urna de dorado vidrio, la inanimada reliquia de época tormentosa y siniestra, símbolo mudo de una rebeldía sanguinariamente sublime!" (97). Sin duda Carrillo, cuando vivió en San Francisco, visitó el museo donde se encontraba la cabeza de Joaquín, que tal vez le inspiró el cuento.

VI

JOAQUÍN EN LA POESÍA

El primer poeta que dio expresión en verso a la vida y aventuras de Murrieta fue Joaquín Miller (1837-1913), nombre bajo el cual se conoce a Cincinnatus Hines (o Heine) Miller, autor del "long and very bad poem", dice Jackson (1955: xxxvi), titulado "Joaquín Murietta" y recogido en 1869 en la colección *Joaquín et al,* publicada en Oregón, y en 1872 en *Songs of the Sierras*, libro que apareció en Londres en 1871. Cuando se publicó el poema los amigos le comenzaron a llamar "Joaquín" y Miller aceptó el nombre, bajo el cual se le conoce.

Si bien Miller había nacido en una granja cerca de Liberty, Indiana, a los quince años pasó con su familia a vivir a Oregón y, con deseos de correr aventuras, la abandonó y se fue a California en busca de oro el año preciso que Murrieta era asesinado. Allí fue donde publicó una carta en defensa de los derechos de los mexicanos, por quienes siempre demostró simpatía, expresada en 1869 en el poema que le dedicó a Murrieta, y en la novela *The One Fair Woman* que publicó en Londres en 1876, en la cual el personaje observador se llama Murietta.[1] En el largo poema de Miller (30 páginas), Murrieta corre y corre en su caballo, hasta que cae fatalmente herido, para ir a morir a una iglesia, donde un padre lo atiende.

> Death has been in at the low church door,
> For his foot-prints lie on the stony floor. (Frost 57)

Más que un personaje, el Joaquín de Miller parece ser una sombra. Como dice Frost, "The actual Joaquín Murietta is scarcely in the poem, even in the slightest detail" (58). Y tiene razón. Una de las pocas referencias directas a Joaquín es la siguiente, expresada en un contexto en el cual se utiliza el motivo romántico de las ruinas:

> Some joints of thin and chalk-like bone,
> A tall black chimney, all alone
> That leans as if upon a crutch,

48

Introducción

Alone are left to mark or tell,
Instead of cross or cryptic stone,
Where Joaquín stood and brave men fell. (*Poems* II, 128)

Una de las pocas características físicas que menciona el poeta es una cicatriz en la cara, "A brow-cut deep as with a knife", característica a la cual autores posteriores se han referido, pero que no se encuentra en Ridge.

Algunos escritores han criticado a Miller por glorificar a Murrieta. Según Nadeau, "Miller went even further than the others in purifying Joaquín as a kind of Galahad. As Joaquín breathes his last, Miller writes: 'Here lies a youth whose fair face is / Still holy from a mother's kiss'" (1974: 126). Si bien el poema, como hemos dicho, fue criticado por largo y mal urdido, no hay duda que ha tenido influencia sobre otros escritores. Lo más importante en el caso de Miller, sin embargo, no ha sido tanto la influencia del poema, sino el hecho de haber adoptado el nombre Joaquín bajo el cual publicó sus obras.

Marcus A. Stewart publicó en 1882 un largo poema narrativo titulado *Rosita: A Californian Tale*, en el cual el personaje creado por Ridge como la amiga de Joaquín es aquí la mujer de Ramón, uno de tantos subordinados de Murrieta. Se sugiere que Murrieta no murió, que volvió a Sonora, donde vivió largos y felices años; no se precisa el lugar a donde se marcha con su amiga Marie, ya que sólo se dice que se fue a vivir "in a land / Far south of California's strand". Lo anterior a pesar de que el poeta menciona que la cabeza de Joaquín se exhibía en el Jordan's Museum en San Francisco. La idea de que Joaquín no murió a manos de los *rangers* de Love era común en California. Todavía en 1980 Latta escribió: "Capitán Love held in his hands the head of a *blacked-eyed, shock-black haired California Indian* named Chappo, that later was to be identified as the head of Joaquín, el Famoso" (11). Y según el mismo autor, Joaquín tenía ojos azules: "He was decidedly blond, blue-eyed" (11). Como sabemos, la idea de que Joaquín no murió es común en la tradición oral.

En la literatura chicana la presencia de Joaquín Murrieta alcanza su más alta expresión en el poema épico *I Am Joaquín / Yo soy Joaquín* (1967) de Rodolfo "Corky" Gonzales. La voz poética, el "yo" del título, se identifica con un mítico Joaquín. Yo soy Joaquín, afirma con voz estentórea Luis Valdez en la versión cinematográfica del poema. Mas, nos preguntamos, en este poema, ¿quién es Joaquín? La respuesta obvia consiste en decir que se refiere a Joaquín Murrieta, el único héroe chicano a

Introducción

la altura del arte. Joaquín, como personaje histórico/mítico se transforma, en el poema, en el símbolo del chicano. Joaquín es una síntesis de varios héroes y antihéroes populares que encontramos en las culturas del mexicano y del chicano. La voz poética, sin embargo, se personifica en la figura de Joaquín Murrieta:

> Cabalgué por las montañas de San Joaquín.
> Del este al norte
> hasta las montañas Rocallosas,
> Y
> los hombres temían las pistolas
> de Joaquín Murieta.
> Ajusticié a quienes osaron robar
> lo mío
> a los canallas que violaron
> y asesinaron
> a mi esposa
> Mi amor. (5)[2]

Joaquín, como símbolo del chicano, por primera vez en la literatura de su pueblo se identifica con el hombre y la cultura de México y los realza exaltando su mérito y sus valores. Directamente se identifica con seis héroes populares mexicanos; desde el punto de vista de la historia, tres de los seis son indígenas de la época anterior a la conquista; otro, Juan Diego, también indígena, pertenece a la época colonial. Dos, en fin, son revolucionarios de nuestro siglo:

> Yo soy Cuauhtémoc,
> majestuoso y noble
> conductor de hombres.
> Yo soy Príncipe Maya.
> Soy Netzahualcoyotl,
> gran líder de los chichimecas.
> Soy el fiel, humilde Juan Diego.
> ¡Yo soy Emiliano Zapata!
> Yo soy . . . el apóstol de la democracia
> Francisco I. Madero.

Otro tipo de identifación, en un segundo nivel, es aquella que se hace indirectamente. Cuando Joaquín dice, "Yo soy Cuauhtémoc", el héroe del

Introducción

poema se encarna en el héroe azteca, en el presente. No ocurre lo mismo con Hidalgo, en donde la dualidad no desaparece. En este caso la voz poética se traslada a un pasado mítico y se identifica con el clero y el gobierno español y los militares que combatían a Hidalgo. La que oímos es la voz de un español, de un realista y no la de un partidario de la independencia. Pero también es la de Hidalgo, y de ahí la dualidad. Hidalgo, como criollo que era, llevaba sangre española:

> Yo lo sentencié, a él,
> que era yo.
> Lo excomulgué, a él, mi sangre.
> Lo saqué del púlpito para encabezar
> una revolución sangrienta
> para él, para mí...
> Yo lo maté.

La cabeza de Hidalgo, en un tiempo mítico, espera viva que ocurra el acontecimiento histórico que los insurgentes no lograron en el campo de batalla. Y Joaquín y todos los revolucionarios esperan con ella:

> Su cabeza, que es la mía
> y la de todos áquellos
> que siguieron este camino,
> la colgué en el paredón del fuerte
> para esperar por la Independencia.

Lo mismo ocurre con los otros héroes compañeros de Hidalgo que luchaban for crear una patria—Morelos, Matamoros, Guerrero—con quienes Joaquín también vivió y murió como compañero, no encarnándolos. Y lo mismo hizo con los Niños Héroes, a cuyo lado encontró la muerte despeñado en Chapultepec, donde la bandera mexicana, símbolo supremo de identidad mexicana, le sirvió de sudario. En el caso de Juárez, la identificación es a veces directa, a veces indirecta, predominando la segunda. Y Joaquín no es Juárez, aunque sí participó en sus heroicas campañas:

> Luché y morí
> por don Benito Juárez
> guardián de la Constitución.

Joaquín admira a Juárez por no haber cedido ni una pulgada de territorio

Introducción

mexicano, como lo había hecho Santa Anna, con quien Joaquín no se identifica

> Y este gigante
> pequeño zapoteca
> no cedió
> ni un palmo de terreno
> de su patria a
> reyes, monarcas o presidentes
> de poderes extranjeros.

En una ocasión, sin embargo, Joaquín es Juárez. Pero aquí el uso del imperfecto y no el presente, como en el caso de Cuauhtémoc y Zapata, crea una distancia temporal:

> Yo era él
> por caminos empolvados
> por tierras áridas
> cuando protegió sus archivos
> como Moisés sus sacramentos.

La identificación con Villa es siempre indirecta. No hay duda de que Joaquín no es Villa, ya que se cita como acompañante del caudillo, con quien guarda cierta distancia:

> Yo soy Joaquín.
> Cabalgué con Pancho Villa,
> frío y afectuoso.

En cambio la identificación con Zapata, quien reclama su tierra, es total. Joaquín, después de identificarse, cede su voz al héroe del Sur:

> ¡Yo soy Emiliano Zapata!
> "Este suelo es nuestro
> esta tierra es NUESTRA".

La identificación con los héroes populares mexicanos, directa o indirecta, representa solamente una de las dos caras de Joaquín; a la otra le dan configuración los antihéroes, los déspotas Hernán Cortés, Porfirio Díaz y Victoriano Huerta. La identificación con Hernán Cortés no es con el

Introducción

Conquistador mismo, sino con su espada, símbolo de la destrucción de las culturas indígenas:

> Soy la espada y el rayo
> de Cortés el déspota

Para contrarrestar el choque de la identificación con el Conquistador, se menciona inmediatamente después el símbolo que une al azteca conquistado por Cortés con el mexicano del presente:

> Y
> Soy el Aguila y la Serpiente
> de la Civilización Azteca.

La identificación de Joaquín con los héroes, antihéroes y símbolos mexicanos, si bien en primer plano, no es la única. También se identifica, como es natural, con los héroes populares chicanos Elfego Baca y los Hermanos Espinoza del Valle de San Luis, a quienes, en estructura paralela, asocia a los héroes mexicanos. Y la identificación central, que estructura todo el poema, es, por supuesto, con Joaquín Murrieta:

> ¡Hidalgo! ¡Zapata!
> ¡Murieta! ¡Espinozas!

Las imágenes culturales sincréticas dan forma a otro tipo de identidad, aquella que involucra a los dioses, el pueblo, los símbolos nacionales y la naturaleza. Las imágenes y los conceptos antitéticos se multiplican. Joaquín es príncipe maya, pero también Cristo; es pagano, pero también cristiano; es la espada de Cortés, pero también el águila y la serpiente aztecas; fue tirano, pero también esclavo; es la Virgen de Guadalupe, pero también Tonantzin; es policía rural, pero también revolucionario; es indio, pero también español; es mestizo, pero también criollo; es soldado, pero también soldadera; es campesino, pero también patrón. Pero es, ante todo, el pueblo chicano, resultado de esa síntesis racial, social y cultural. El chicano es el descendiente de la mezcla racial, es el representante de la verdadera raza cósmica de la que nos habla Vasconcelos. También es el heredero de la rica cultura mexicana, que el chicano ha sabido mantener a pesar de su precaria situación económica:

Introducción

Mis padres
perdieron la batalla económica
y ganaron
la lucha de la supervivencia cultural.

Sin embargo, es evidente que Joaquín encuentra su identidad, más que nada, en el indígena, el campesino y el pobre:

Soy el indio de las montañas
superior a todos.

Aquí estoy
pobre en dinero
arrogante con orgullo.
~~~~
El barro llenó de costras
mis rodillas,
el azadón de callos mis manos.

Después del vistazo histórico retrospectivo, la voz poética vuelve al presente, para reafirmar su identidad chicana, o mejor dicho, su identidad con el sufrido pueblo chicano, ya sea en las cárceles o los campos de batalla en Francia, Corea o Vietnam; pero aunque pobre, con orgullo, valor y fe en el futuro:

Las desigualdades son grandes
pero mi espíritu es fuerte
y mi fe inquebrantable.

La identificación de Joaquín no llega, por supuesto, al angloamericano y su tecnología, que le ha negado su historia, su arte, su música, que le ha esterilizado el alma a cambio de un mendrugo de pan. Joaquín, en fin, recoge todos los aspectos del hombre y la cultura indohispana para terminar identificándose con la raza, el mexicano, el español, el latino, el hispano y el chicano, pues todos son uno, de eclécticas facciones y de idéntica cultura. Joaquín es yaqui, tarahumara, chamula, zapoteca, mestizo, español, mexicano, latino, hispano, chicano.

# Introducción

O como me llame.
Parezco lo mismo
Siento lo mismo
Grito y canto lo mismo.

Con este poema, Gonzales logró lo que los ensayistas no habían podido hacer, esto es, definir el chicanismo y ofrecer un programa. Define la cultura chicana como una viva continuación de la cultura mexicana, y al chicano como su descendiente racial. Con este poema, Gonzales transformó la ideología del méxicoamericano y lo convirtió en chicano, dándole una nueva visión de su posición social y filosófica, proponiéndole una nueva filosofía , instándole a que se quitara la máscara y revelara su verdadera naturaleza, para así poder vivir su auténtica vida:

Yo soy las masas de mi pueblo
y me niego a ser absorbido.
Yo soy Joaquín.

Otro poeta chicano que se ha ocupado de Murrieta es Sergio Elizondo. En su poema, *Perros y antiperros*; *una épica chicana* (1972), le dedica dos poemas, "Murrieta en la loma" y "Murrieta, dos". En el primero, después de una breve introducción en la cual la voz del poeta identifica a un arriero ataviado con riata, sombrero y huaraches que viene solo por la loma, el héroe mismo toma la palabra y nos relata que va a Santa Bárbara, a donde lleva carga. Él mismo se caracteriza y nos dice:

Soy callado, hombre de paz
pero en la cintura me fajo
un cuchillo cebollero; (1972: 62)

Pronto, sin embargo, se transforma en persona mítica:

Hace cien años que vivo
Califas es mi casa
y en México está mi Tata. (1972: 62)

Como buen católico, es protegido por el Santo Niño

## Introducción

En mi católica fe
vivo yo y mi amor;
el Santo Niño me guacha
día y noche
por el camino real (1972: 62)

En "Murrieta, dos" la voz de Murrieta continúa caracterizándose, pero ahora como huérfano, "hijo de la Malinche", que no viene de México, donde, nos había dicho, había dejado a su Tata, ni va a Santa Bárbara; es un personaje perdido en el tiempo y en el espacio:

No vengo de ninguna parte,
a ninguna parte voy.

sin personalidad, solitario; no es nadie, no está con nadie; sólo la naturaleza lo acompaña; es, además, inmaterial. En cambio, nos dice que:

De nada estoy hecho, por eso soy (1972: 64).

Al fin del poema, sin embargo, se identifica con Joaquín; o mejor dicho, la gente lo identifica con Joaquín:

¿Qué soy?
Dicen que soy Joaquín—
Murrieta me llaman (1972: 64).

Así, Joaquín se convierte en polvo, sombra, en nada.

# VII

# JOAQUÍN EN EL TEATRO
# Y EN EL CINE

## En el teatro

En 1858, un año antes de que aparezca en el *California Police Gazette* la versión pirata de la obra de Ridge, Charles E.B. Howe publica en San Francisco la obra dramática en cinco actos, *Joaquín Murieta de Castillo, the Celebrated California Bandit*[1]. En esta primera dramatización de la vida de Joaquín se introducen pequeños cambios. Por ejemplo, Rosita, la amante de Joaquín, se llama Belloro, nombre formado por la combinación de dos palabras, una inglesa, *bell* (campana) y la otra española, oro, creando así una imagen bilingüe, esto es, "campana de oro". También añade algunos personajes, entre ellos Ignacious, que aparece brevemente en el primer acto,[2] y Juan Gonzalles, hermano de Belloro. Según Jackson, este drama de Howe hizo popular la anécdota en la cual Joaquín, al leer una proclama en la que se anuncia que el gobierno pagará cinco mil dólares a quien lo entregue, vivo o muerto, escribe al pie del texto: "Yo pago diez mil. Joaquín". Si bien es cierto que Howe fue quien le dio publicidad, la anécdota ya se encuentra en Ridge (1955: 68). Prominente en el drama es la presencia de García (Tres Dedos), en este caso enemigo de Joaquín y enamorado de Belloro. Como ocurre en Badger, aquí los enemigos de Joaquín no son anglos sino mexicanos.

En el artículo "New Light on Joaquín Murrieta" (1970), el Dr. Raymund F. Wood nos dice que el profesor Ray P. Reynolds se encontró el manuscrito inédito del diario *A Reconnissance from Guaymas, Sonora, via Bapispe to Franklin, Texas,* escrito en 1872 por Albert Kimsey Owen, el fundador de la Colonia Topolobampo en el norte de Sinaloa. Owen cuenta que el 3 de noviembre de 1872 fue representado en Hermosillo, Sonora, el "melodrama" *Joaquín Murrieta* del actor Don Gabutti.[3] Owen da una detallada descripción de la obra, la cual transcribe el Dr. Wood. Es opinión de Owen que Murrieta era del distrito de Hermosillo y que dos de

## Introducción

sus hermanos todavía vivían en Buenavista en 1872, a la orilla del Río Yaqui. Según Owen, en su tragedia Gabutti presenta a Joaquín como "a hero of the first water". Al fin del drama, dice, el único ser vivo es el apuntador. Aquí añade una interesante nota en torno a la recepción de la tragedia por el auditorio. Dice Owen: "It meets the applause of the Mexicans and it is said to excite them to such a frenzy that the Americans and even other foreigns are afraid of venturing in the building, and for days after the performance *gringos* are likely to be insulted on the streets of Hermosillo" (Wood, "New Light" 58-59). No existe información acerca de las fuentes utilizadas por Gabutti para escribir sobre las hazañas de Murrieta. Wood conjetura que Gabutti conocía el drama de Howe, lo cual es imposible probar. Tampoco existen datos biográficos sobre Gabutti. Desafortunadamente, no se ha conservado una copia del drama.

El interés del dramaturgo chileno Antonio Acevedo Hernández, autor de *Joaquín Murrieta. Drama en seis actos*, obra publicada en Santiago en 1936 por la revista *Excélsior*, sin duda es el resultado de la popularidad de la traducción de la novela de Ridge por Carlos Morla. Acevedo Hernández (1886-1962) perteneció al grupo de dramaturgos que renovaron el teatro chileno. Escribió obras sombrías, como *Caín* (1927); otras, de ambiente rural, son pesimistas (*Árbol viejo*, 1930), como también lo son las de los barrios bajos de la ciudad (*Almas perdidas,* 1917). Escribió también una novela, *Pedro Urdemalas* (1947).

En el drama de Acevedo Hernández, Murrieta es, por supuesto, chileno. Fue inspirado, sin duda, por la traducción de Morla. En la Introducción anónima, titulada "Joaquín Murieta, el buscador de oro y de justicia", se observa que la figura de Murrieta ha vuelto a ser actual, lo cual se atribuye a la película que apareció precisamente el mismo año que se presentó el drama de Acevedo Hernández. "El cinematógrafo —dice el prologuista anónimo— al proyectar en la pantalla la figura del famoso salteador de California, le ha devuelto sus prestigios" (1936: 1). Insiste, por supuesto, en el origen chileno de Joaquín: "Murieta, chileno audaz, indoblegable, se trasladó a México, por lo que muchos lo toman por azteca" (1936: 1). La única novedad en este corto Prólogo es la noticia acerca de Hyenne, de quien se dice que fue ciudadano norteamericano. De interés también es la cita que se hace del poeta peruano José Santos Chocano, quien calificó a Pancho Villa de "bandolero divino", epíteto que aplica a Murrieta. Según el drama de Acevedo, Murrieta es "una especie de bandolero anti-imperialista comparable a Pancho Villa y a todos los que enarbolaron sus rifles para defender la codicia del norte" (2).

## Introducción

El drama, en seis actos, sigue muy de cerca las acciones de Joaquín según la traducción de Morla. Sin embargo, introduce algunos personajes nuevos, como el norteamericano Fred, quien critica a los chilenos, quienes, dice, "todos son bandidos [...] Levantiscos y tahures" (1936: 5). En cambio, Joaquín defiende a Chile, "país de hombres libres" (5). También se introducen variantes en la biografía de Joaquín, quien, después de ser azotado por los mineros anglos, dice: "Ese día me azotaron a mí también, a mí, que en mi patria había sido oficial del ejército, de un ejército que nunca ha sido vencido [...]" (1936: 6). Este insulto le hace odiar a los anglos, de quienes dice: "Los he visto y he aprendido a despreciarlos con toda el alma, a odiarlos con todas mis fuerzas. Ustedes nos tratan como a esclavos, y nosotros debemos defendernos" (1936: 6).

En el quinto acto se introduce un personaje nuevo, Mariquita, chilena agresiva, y Joaquín aparece vestido de guaso chileno. Tres dedos es también chileno, y sabe cantar, como vemos en esta cuarteta:

Mi pueblo es el más valiente.
Chile es la tierra más bella
y una esplendorosa estrella
fulgura sobre su frente (1936: 19).

Una nota exótica la encontramos en la presencia de un personaje italiano, don Antonio, quien dice: "Soy bandido. Lo fui al lado de Carlotti en los Abruzzos". Y también: "Yo, señores, he sido siempre un brigantti, un buen brigantti, compañero de Carlotti, admirador de Luis Candelas, de los Niños de Écija y de Joaquín" (1936: 20, 21).

El último acto se desarrolla en la frontera México/Estados Unidos, donde muere Joaquín, y no en Arroyo Cantova, según la historia. Love aparece con un personaje, Tomás Gatica, que conoce a Joaquín, y lo traiciona. La gente de Love mata a Joaquín y a Tres dedos. El drama termina con estas palabras: "¡No era un bandido, era un hombre superior!" Uno de los propósitos de Acevedo Hernández es recordar a los pueblos hispanoamericanos la idea de Bolívar, esto es, que se deben unir para defender sus derechos. Dice Joaquín, que no es aquí un bandolero, sino un gran parlamentario:

Esto es lo que tiene que hacer la América Española
si no quiere perder: *unirse, ir hacia Bolívar, formar
una sola y gran potencia que contrarreste la acción
de todos los dominadores irrazonados* (1936: 23).

# Introducción

Es sin duda Pablo Neruda el más importante escritor que haya dedicado una obra literaria a Joaquín Murrieta. En Santiago de Chile, en la Editorial Zig Zag, publicó Neruda en 1966 la cantata en verso *Fulgor y muerte de Joaquín Murieta*. La obra fue presentada por el Instituto del Teatro de la Universidad de Chile el 14 de octubre del año siguiente en el Teatro Antonio Varas de Santiago, bajo la dirección de Pedro Orthous y con música de Sergio Ortega. Existen dos textos de la cantata, el de Zig Zag y el del libreto, publicado por la Editorial Losada en el tomo II de las *Obras completas de Pablo Neruda* (1968). Según información proporcionada por Manuel Rojas, la obra de Neruda fue presentada en la ciudad de México en diciembre de 1976: "La U.C.C.T. (Unión de Críticos y Comentariastas de Teatro de la Ciudad de México), otorgó por unanimidad el Premio a la 'Mejor Obra de Teatro de Búsqueda', a 'Fulgor y muerte de Joaquín Murieta' de Pablo Neruda, dirigida por Merino Lanzilotti" (1992: 78).

En la Antecedencia nos dice Neruda que Joaquín fue chileno, que él tiene las pruebas, pero que su objetivo no es probar la nacionalidad del héroe, sino mantener vivo su nombre, porque "quieren borrarlo del mapa" (1966: 11). Rechaza la teoría de los "siete" Joaquines, que considera como "una manera más de disolver al rebelde" (1966: 11). El estudio de ese rebelde le hizo participar de su existencia, y por eso da un "testimonio del fulgor de esa vida y de la existencia de esa muerte" (1966: 11).

En el Prefacio explica Neruda que su obra es "trágica, pero [que] también, en parte, está escrita en broma. Quiere ser un melodrama, una ópera y una pantomima" (1966: 15). Continúa con unas breves instrucciones al Director, en las que se sugiere, entre otras cosas, que, "si es posible, acompañarse por un agregado cinematográfico" (1966: 15). De gran interés, en la edición de 1966, son las ilustraciones de la época del "gold rush" y de las portadas de varios libros dedicados a Murrieta.

La acción de la cantata se desarrolla en seis cuadros. En el primero se dramatiza la salida de Murrieta de Quillota al puerto de Valparaíso, donde ya lo espera Tres Dedos. Es el año 1850. Los dos futuros bandidos, acompañados del empleado aduanero Reyes y Teresa, emprenden el viaje hacia California. Según las instrucciones al Director, en el segundo cuadro "Un buque velero debe aparecer constantemente [...] durante el viaje del bergantín" (1966: 15). Durante la travesía, "Joaquín, domador de caballos, tomó por esposa a Teresa, mujer campesina" (1973: 36). El tercer cuadro se desarrolla ya en San Francisco, en la taberna "El Fandango", donde se

## Introducción

inicia el enfrentamiento entre mineros chilenos, mexicanos, peruanos y argentinos, y los *rangers*. Cuando le preguntan a un mexicano: "¿Y cómo les va a los de México?", el minero anónimo contesta: "Apenas ganamos para una enchilada" (1973: 62). Todos piden chicha, pero un *ranger* les dice: "You are now in California. Here is no chicha. In California you must have whisky" (1973: 64).[4] El humor, a costa de los chilenos, aflora cuando piden whisky con *water-closet*. Inmediatamente después se introduce la primera nota trágica, la muerte de veinte mineros, diecisiete chilenos y tres mexicanos. Cuando un chileno pregunta, "¿Y por qué los mataron?", los mexicanos que los acompañan les dicen, "¡Es porque no somos güeros, mano!" (1973: 70). La segunda nota trágica es la muerte de Teresa (cuadro cuarto) en el lavadero de oro, pre-anunciada por la voz del poeta:

Salió de la sombra Joaquín Murieta sin ver que una rosa de sangre tenía en un seno su amada y yacía en la tierra extranjera su amor destrozado.

Pero al tropezar en su cuerpo tembló aquel soldado y besando su cuerpo caído, cerrando los ojos de aquella que fue su rosal y su estrella, juró estremecido matar y morir persiguiendo al injusto, protegiendo al caído (1973: 110, 112).

La venganza del general Murrieta —como lo llama el indio Rosendo Juárez[5]— se dramatiza en el siguiente cuadro, titulado "El fulgor de Joaquín". Este Cuadro Quinto abre con una *Canción masculina*, canción semejante al "Corrido de Joaquín Murrieta" (ver cap. VIII).

Con el poncho embravecido
y el corazón destrozado,
galopa nuestro bandido
matando gringos malvados (1973: 120).

El coro femenino canta un Lamento por la muerte de Joaquín, del cual entresacamos estos versos:

Con una rosa en la mano
ha muerto Joaquín Murieta
~~~~
para que no resucite,
le cortaron la cabeza
al muerto, en el cementerio (1973: 156).

Introducción

La cabeza, según la cantata de Neruda, fue exhibida en una jaula y no en un frasco en alcohol. El barraquero, a gritos, anuncia la exhibición usando un discurso bilingüe parecido al que hoy usan los poetas chicanos:

Entrad here a my barraca
for only twenty centavos.
Here is Joaquín Murieta,
aquí está el tigro encerrado. (1973: 158)

El pueblo le rinde homenaje y se propone robar "la cabeza del capitán [...] y aunque murió sin confesión, a enterrarlo en su religión" (1973: 166). La cabeza de Joaquín habla en el cementerio, y entre otras cosas dice:

¿Pero cómo sabrán los venideros,
entre la niebla, la verdad desnuda?
De aquí a cien años, pido, compañeros,
que cante para mí Pablo Neruda (1973: 172).

La cantata termina con la voz del poeta, que dice:

"Alabado sea, que sea alabado tu nombre, Murieta"

Esta obra de Neruda le ha dado al héroe californiano prestigio más allá de las fronteras americanas. Su influencia la encontramos en la obra *Estrella y muerte de Joaquín Murieta,* libreto de Pável Grushkó para la ópera-rock de Alexie Ribnikov, de la cual se publicó una selección en la revista *Plural*, precedida de una entrevista de Carlos Espinosa Domínguez a Pável Grushkó titulada "De la crónica de bandidos al tema revolucionario actual".[6]

No son los chilenos Acevedo Hernández y Pablo Neruda los únicos dramaturgos que han llevado la figura de Joaquín Murrieta a las tablas, si bien son los de mayor prestigio. Existen otras obras teatrales sobre el héroe californiano, algunas de ellas difícil de acceso. Mencionaremos las de Brígido Caro, titulada *Joaquín Murrieta,* presentada en Los Angeles, California, durante la década de los treinta.[7] En 1989 la Universidad Autónoma de Ciudad Juárez publicó en los *Cuadernos Universitarios* la pieza *Joaquín Murrieta, obra de teatro*, cuyo autor es Oscar Monroy Rivera. En años más recientes, Manuel Rojas, estudioso de Murrieta, presentó una obra teatral en Ciudad Juárez sobre la vida de *El Patrio*.

Introducción

En el cine

La primera película sobre Murrieta es la que apareció en 1936, *The Robin Hood of El Dorado*, basada en la novela de 1932 de Walter Noble Burns que lleva el mismo título. Fue dirigida por William Wellman y el papel de Murrieta lo desempeña el entonces famoso actor Warner Baxter; otros actores son Ann Loring, Margo, Bruce Cabot y J. Carrol Naish. Fue esta película la que ayudó a fijar la figura mítica de Murrieta no sólo en la mente del pueblo norteamericano, sino también del mexicano. Hasta intelectuales como José Vasconcelos la comentan.

Como ejemplo de cómo la historia y la ficción se han entremezclado en el caso de Murrieta mencionaremos la *Breve historia de México* de Vasconcelos, en la cual el autor contribuye a propagar la versión norteamericana del mito, ya que no toma la información de las historias, ni siquiera de la primera novela, *The Life and Adventures of Joaquín Murieta*, de John Rollin Ridge ("Yellow Bird") —fuente de toda información acerca del héroe— sino de una película. Vasconcelos acepta sin poner en tela de juicio la versión peliculera de la vida de Murrieta y describe sus aventuras paso a paso, si bien intercalando comentarios acerca de la política mexicana. Dice, por ejemplo, "Pero aun con [la presencia de Murrieta] los bandidos andan sin programa. Parecen cabecillas mexicanos que gritan las frases de tal o cual plan, pero no entienden lo que dicen ni tienen capacidad para llevarlo adelante, si el azar les depara el triunfo" (1944: 396).

Aunque Vasconcelos dice que la película es "una ficción extraordinariamente significativa", añade casi en seguida que Murrieta es un "personaje histórico más o menos modificado en la versión de la película, pero eminentemente representativo" (1944: 385). A continuación describe las principales escenas de la película:

> A Murrieta le roban la tierra, le violan a la mujer recién casada. Un amigo *yanquee* generoso se ofrece a patrocinar sus reclamaciones.[...] Poco después, Murrieta es azotado por un grupo de linchadores. Un bandido lo recoge y, por fin, lo hace jefe del pequeño grupo que aterroriza la comarca.
> Una noche, Murrieta asalta y comienza a robar, ya no a los norteamericanos, sino al grupo de hacendados mexicanos que celebraba una junta para ver el modo de defender sus tierras de los negociantes *yanquees* que las usurpan (1944: 385-86).

Introducción

Otras películas norteamericanas sobre la vida o aventuras de Joaquín son aquellas protagonizadas por Valentín de Vargas (*Firebrand*, 1962) y Jeffrey Hunter —de ojos azules, como los de Joaquín, según Latta— titulada simplemente *Murieta* (1965). Esta película en Inglaterra, donde el nombre Murieta no es conocido, fue presentada bajo el título *Vendetta*. En 1971 fue el mexicano Ricardo Montalbán quien desempeñó el papel de Joaquín en la película para la TV titulada *The Desperate Mission*. Según nos informa el profesor David Maciel, en México también existen tres o cuatro películas sobre la vida de Joaquín. Y se seguirán produciendo, dado el gran interés en el héroe californio.

VIII

EL CORRIDO DE JOAQUÍN MURRIETA

Como héroe popular máximo del chicano en el estado de California, la presencia de Joaquín Murrieta no podía faltar en el corrido.[1] Dada la fama de que siempre ha gozado, nos extraña, sin embargo, la escasez de versiones del *Corrido de Joaquín Murrieta*, y también que no exista un estudio sobre este corrido, como ocurre en el caso de Gregorio Cortez, héroe popular texano inmortalizado por don Américo Paredes en su conocido libro. Tal vez esto se deba a que los críticos no consideran el dedicado a Murrieta como *verdadero* corrido. Ya en 1957 el Profesor Merle E. Simmons, en su libro sobre el corrido mexicano hace una pausa para hacer esta observación acerca de los fragmentos que Vicente S. Acosta había recogido en Arizona en 1947 y 1948: "Mention should also be made of two fragments of a *Corrido de Joaquín Murrietta [sic]* (Acosta 46), which deal with an outlaw who terrorized the gold-rush settlements of California during the 1850s. Though one of the fragments is twenty-six lines long, it is written on a single note of boastfulness expressed by Murrietta in the first person. Hence, though it is an interesting composition and important as a link in the history of the *corrido*, it does not show the close relationship with the modern *corrido* which we detect in *Leandro Rivera*" (1969: 487-88).[2]

En su libro, *Mexican Ballads, Chicano Poems*, José Limón nos dice que las versiones incompletas de la "canción" de Joaquín Murrieta tienen un origen desconocido y que no son verdaderos corridos (1992: 117). Las únicas versiones (simples fragmentos) que menciona son las que fueron recogidas por Acosta, de las cuáles nos dice Limón: "Murrieta's exploits in defense of his right and honor passed into legendry and balladry. We have only incomplete versions of the latter, and they are technically not true ballads but rather descriptive songs such as this one" (1992: 117). Aquí incluye su propia traducción del segundo fragmento (1948), y continúa diciendo: "The origins of this song are unknown"; y en la nota dos de este sexto capítulo agrega: "Acosta collected this corrido-like song in southern Arizona in May 1948, but he provides no information concerning

Introducción

the song's origins or likely compositional history" (1992: 199).

Las versiones citadas por Limón, que se encuentran en la Tesis de Maestría de Acosta, son dos cortos fragmentos del *Corrido de Joaquín Murrieta,* grabado en Los Angeles durante el invierno de 1934 por los Hermanos Sánchez y Linares, y recogido por Chris Strachwitz en la colección *Texas-Mexican Border Music,* Vols. 2 & 3, *Corridos,* Parts 1 & 2 (1974), con texto, comentarios, notas y traducción al inglés por Philip Sonnichsen *et al.* Esta versión, la más completa que conocemos, consta de 72 versos divididos en 12 sextillas.

Corrido de Joaquín Murieta

1

Yo no soy americano
pero comprendo el inglés.
Yo lo aprendí con mi hermano
al derecho y al revés.
A cualquier americano
lo hago temblar a mis pies.

2

Cuando apenas era un niño
huérfano a mí me jefaron.
Nadie me hizo ni un cariño,
a mi hermano lo mataron.
Y a mi esposa Carmelita,
cobardes la asesinaron.

3

Yo me vine de Hermosillo
en busca de oro y riqueza.
Al indio pobre y sencillo
lo defendí con fiereza.
Y a buen precio los sherifes
pagaban por mi cabeza.

Introducción

4

A los ricos avarientos,
yo les quité su dinero.
Con los humildes y pobres
yo me quité mi sombrero.
Ay, que leyes tan injustas
fue llamarme bandolero.

5

A Murrieta no le gusta
lo que hace no es desmentir.
Vengo a vengar a mi esposa,
y lo vuelvo a repetir.
Carmelita tan hermosa,
cómo la hicieron sufrir.

6

Por cantinas me metí,
castigando americanos.
"Tú serás el capitán
que mataste a mi hermano.
Lo agarraste indefenso,
orgulloso americano.?

7

Mi carrera comenzó
por una escena terrible.
Cuando llegué a setecientos
ya mi nombre era temible.
Cuando llegué a mil doscientos
ya mi nombre era terrible.

8

Yo soy aquel que domina
hasta leones africanos.
Por eso salgo al camino
a matar americanos.
Ya no es otro mi destino
¡pon cuidado, parroquianos!

Introducción

9

Las pistolas y las dagas
son jugetes para mí.
Balazos y puñaladas,
carcajadas para mí.
Ahora con medias cortadas
ya se asustan por aquí.

10

No soy chileno ni extraño
en este suelo que piso.
De México es California,
porque Dios así lo quiso.
Y en mi sarape cosida
traigo mi fe de bautismo.

11

Qué bonito es California
con sus calles alineadas,
donde paseaba Murrieta
con su tropa bien formada,
con su pistola repleta,
y su montura plateada.

12

Me he paseado en California
por el año del cincuenta,
con mi montura plateada,
y mi pistola repleta.
Yo soy ese mexicano
de nombre Joaquín Murrieta (1974).

La primera de las dos versiones que cita Acosta, que sólo tiene dos sextillas, no lleva (en la Tesis) el título *Corrido de Joaquín Murieta*, o *Canción de Joaquín Murrieta,* sino *Versos de Joaquín Murrieta.* Fueron recogidos en Sásabe, Arizona, donde los recitó Isabel Urías en mayo de 1947. A la segunda versión, un poco más completa (26 versos) sí le da Acosta el título *corrido* y no "versos": "*Corrido de Joaquín Murrieta.* Recited, sung and recorded by Lalo Guerrero, Tucson, Arizona, May, 1948".

Aunque Limón considera que el contenido del corrido de Murrieta se

68

Introducción

ciñe al de los corridos tradicionales, encuentra que su forma es irregular. Nos dice: "In meter, rhyme, and verse patterns, it is not a *corrido,* yet it does present the traditional heroic figure, pistol in hand, opposing the forces of oppresion, the *americanos*" (1992: 117). Por lo tanto, se ve en la necesidad de llamar las estrofas que traduce, como vimos en el trozo que citamos *descriptive songs,* o simplemente *song*: "Whereas the *corridista* inserts occasional lines of boasting dialogue within a larger narrative of events, this song is spoken entirely by the figure of Joaquín Murrieta" (1992: 118). Los corridos formados por estrofas de seis versos no son raros, ni en México ni en la frontera México y los Estados Unidos, como podemos observar en los ejemplos citados por Daniel Castañeda en su libro, *El corrido mexicano: su técnica literaria y musical* (1943), en el cual hace una clasificación del corrido por estrofas. Vicente T. Mendoza, en *El romance español y el corrido mexicano: estudio comparativo* (1939), dice, "La forma literaria del corrido es siempre estrófica, ya sea de cuatro versos, *de seis* o de ocho. Más común es la de cuatro versos octosílabos" (1939: 132; énfasis nuestro).

El corrido de seis versos también existe en la frontera, sobre todo entre los de origen reciente, como aquellos que tratan de temas fronterizos. Como ejemplo citaremos los titulados *El contrabando de Nogales,* el *Corrido de los mojados* y *Pancha la contrabandista.* El primero es un típico corrido chicano:

> Llegando casi a Tucsón
> los para el Highway Patrol
>
> Y se adelantó a decirle:
> —Yo no conozco al señor;
> no sé si trae papeles,
> porque le di un aventón (Jaramillo, 1980: 173).

En el segundo la voz es la de un indocumentado:

> Porque somos los mojados
> siempre nos busca la ley,
> porque somos ilegales
> y no hablamos el inglés;
> el gringo terco a sacarnos
> nosotros a volver.

Introducción

Si unos saca[n] por Laredo
por Mexicali entran diez,
si otro sacan por Tijuana
por Nogales entran seis;
ahí nomás saquen la cuenta,
cuantos entramos al mes (*El Foro* Sept. 1980: 6).

En el tercero el personaje es una muchacha de diecinueve años, tan valiente como cualquier héroe masculino:

Este es el corrido
de Pancha Machete
aquella mujer valiente,
que como era buena
también era mala
valor tenía suficiente (Anónimo; copia en mi archivo).

Si es verdad que en los corridos de la Revolución la cuarteta es la estrofa que predomina, la sextilla aparece de cuando en cuando. Como ejemplo citaremos una sextilla del corrido zapatista, "El Coyote", de Guerrero, donde lo recogió Celedonio Serrano Martínez. Lo reproduce María Herrera-Sobek en su libro *The Mexican Corrido, A Feminist Analysis:*

La Güera y su gente
improvisa[n] sus trincheras,
aunque es mujer, tiene el grado
de coronel, y sus trenzas
no han impedido que ostente
con orgullo sus estrellas (1993: 98).

En fin, apuntaremos que lo común del corrido en sextillas lo demuestra el hecho de encontrarse en una sola antología, la de Julián Calleja, más de una docena de ellos.

Teniendo en cuenta estas observaciones, nos parece que es factible considerar las composiciones dedicadas a Murrieta, en todas sus variantes, como *corridos* y no *canciones*. Así lo han hecho Acosta y los editores de los discos citados, lo mismo que Castañeda, Robb y otros. Pero existe una razón de mayor peso que explica por qué el *Corrido de Joaquín Murrieta,* según las versiones hasta hoy recogidas, está compuesto en sextillas.

70

Introducción

Creemos que su origen se encuentra en un corrido del norte de México que tiene la misma forma. Dio la casualidad que leyendo el libro *El corrido zacatecano* (1976) de Cuauhtémoc Esparza Sánchez, dimos con el corrido *Mañanas de los cahiguas*, del cual dice el autor: "Cabe señalar que la música de algunos corridos, nacida problablemente en Zacatecas, pasó después a otros lugares; en apoyo a lo anterior podemos citar el texto musical de las *Mañanas de los Cahiguas* que pasa a Sonora al *Corrido de Joaquín Murrieta*" (1976: 8). Este corrido zacatecano presenta otras semejanzas con el *Corrido de Joaquín Murrieta*, tanto en el contenido como en la forma, que no apunta Esparza Sánchez.

El corrido *Mañana de los cahiguas* está compuesto en estrofas de seis versos, característica ya anotada por Esparza Sánchez (1976: 5-6); mas no el hecho de que también el *Corrido de Joaquín Murrieta* (en todas sus versiones) es una composición de estrofas de seis versos.

Mañanas de los cahiguas

Procede de Fresnillo. Comunicó, ahí mismo, José Valdez de 89 años, el 2 de octubre de 1950.

1

Año de mil ochocientos,
año de cincuenta y tres,
ya los *apaches* llegaron
bufando como una res,
asaltando en el Estado
al derecho y al revés.

2

Cuando apenas era un niño,
huérfano a mí me dejaron
sin disfrutar un cariño;
a mi padre lo mataron
y a mi amiga Marianita,
¡cobardes!, la asesinaron.

Introducción

3

Juré vengarme de todos
en esta tierra que piso,
pues yo soy zacatecano
porque Dios así lo quiso,
y en mi sarape, bordada,
traigo mi fe de bautizo.

4

Nos atacaron a todos
en el cerro del Pardillo,
porque un resorterazo echó
doña Isabel Hermosillo,
acabaron con cincuenta
aunque huímos a Fresnillo.

5

Bonito pueblo de Nieves
con sus calles alineadas,
donde me encontré a Pavón
en su llegua "La Plateada",
con su pistola repleta
y su gente uniformada.

6

Francisco Pavón es hombre,
se los digo, *compadraches,*
por eso sale al camino
a matar a los *apaches,*
ya no es otro su destino,
achis, achis, achis.

7

El cahigua más terrible
es el mentado sargento,
pues fama en todo el norte
su salvajismo sangriento,
ya que mutila a las gentes
y luego le grita al viento.

Introducción

8

Cuando *peliamos* con él
pronto vimos su *listeza,*
al ver su grande fiereza,
pusieron quinientos pesos
de valor a su cabeza.

9

En los pueblos del Estado
pues sabido es que el malvado,
de la sangre que vertía,
a todos tenía azorados
y ya ni se defendían.

10

Llegó el gobernador:
don Francisco G. Pavón,
y del Pardillo hasta Nieves
echamos persecución
de *apaches* y americanos
que huyeron hasta el *Tucsón.*

11

Recuerdos largos dejaron
cerca del *rial* de Fresnillo,
y a la gente revolcaron
en el cerro del Pardillo,
matando unos a balazos
o pasados a cuchillo.

12

Eran como mil quinientos,
con otros los combatí,
mas sólo a quince llegaron
la sangre que yo vertí;
compañeros me ayudaron
con valor que yo les di.

13
Combatí con los *apaches*
y uno me dio una estocada,
—¡Con cuidado! —le decía—,
pues esto no vale nada,
y en seguida le metí
veinticuatro puñaladas.

14
Vuela, vuela, palomita,
del reino republicano.
Si no mata a los *apaches*
el gobierno americano,
les daremos *chicharrón*
en suelo zacatecan
(*El corrido zacatecano* 1976: 19-29).

Esa simple observación nos llevó a comparar ambos corridos, y con satisfacción descubrimos que también existen grandes semejanzas de contenido. En la literatura popular no es rara la intertextualidad, tanto de formas como de temas y contenidos; y eso es precisamente lo que ocurre con estos dos corridos, cuyo paralelismo estilístico y de contenido es más que fortuito. A continuación citamos las estrofas que más se parecen, con las semejanzas en cursiva:

Cahiguas (A)

[1]
Año de mil ochocientos,
año de cincuenta y tres,
ya los *apaches* [*sic*] llegaron
bufando como una res,
asaltando en el Estado
al derecho y al revés.

Murrieta (A)

[1]
Yo no soy americano
pero comprendo el inglés.
Yo lo aprendí con mi hermano
al derecho y al revés.
A cualquier americano
lo hago temblar a mis pies.

Introducción

[2]

Cuando apenas era un niño
huérfano a mí me dejaron
sin disfrutar *un cariño;*
a mi padre *lo mataron*
y a mi amiga Marianita,
¡cobardes!, la asesinaron

[3]

Juré vengarme de todos
en esta tierra *que piso,*
pues yo soy zacatecano
porque Dios así lo quiso
y en mi sarape, bordada ,
traigo mi fe de bautizo.

[5]

Bonito pueblo de Nieves
con sus calles alineadas,
donde me encontré a Pavón
en su yegua "la *Plateada*",
con su pistola repleta
y su gente uniformada.

[2]

Cuando apenas era un niño
huérfano a mí me dejaron.
Nadie me hizo ni *un cariño,*
a mi hermano *lo mataron.*
Y a mi esposa Carmelita
cobardes la asesinaron.

[10]

No soy chileno ni extraño
en este suelo *que piso.*
De México es California
porque Dios así lo quiso
Y en mi sarape cosida
traigo mi fe de bautismo.

[11]

Qué *bonito* es California
con sus calles alineadas,
donde paseaba Murrieta
con su tropa bien formada,
con su pistola repleta,
y su montura *plateada.*

[12]

Me he paseado en California
por el año del cincuenta,
con mi montura *plateada,*
y mi *pistola repleta.*
Yo soy ese mexicano
de nombre Joaquín Murrieta.

Introducción

<table>
<tr><td>[6]</td><td>[8]</td></tr>
</table>

[6]	[8]
Francisco Pavón es hombre,	Yo soy aquél que domina
se los digo, compadraches,	hasta leones africanos.
por eso sale al camino	*Por eso salgo al camino*
a matar a los apaches,	*a matar* americanos.
ya no es otro su *destino*	*Ya no es otro* mi *destino*
achis, achis, achis.	¡pon cuidado, parroquianos!

Philip Sonnichsen, en sus comentarios al Disco en el cual se encuentra el corrido de Murrieta, nos dice: "There are many versions of the *Corrido* of Joaquín Murieta [*sic*], each contributing to the legend. The version here is no exception. It was recorded in 1934 by the Hermanos Sánchez y Linares.[...]" In a 1975 interview with the surviving brother, Víctor Sánchez had this to say:

> The *corrido* was written before I was born; it is from the last century. I heard it as a child in Mexico, sung during the time of the Revolution. I also heard it in Arizona. We had many requests for this *corrido*, at parties, and then after we began to sing it on the radio, people would write us cards to the station and asked us to record it so they could have the disc. Felipe Valdéz [*sic*] Leal[3] added three or four verses to make it fit both sides of the record—I don't remember which ones but possibly the one about coming from Hermosillo.[4]

Sin conocer versiones del corrido de Murrieta anteriores a 1934 es muy difícil identificar las estrofas añadidas por Valdez Leal, además de la tercera mencionada por Víctor Sánchez y que se inicia con el verso "Yo me vine de Hermosillo". Tal vez en el futuro, al descubrir otras versiones, como la utilizada por los Hermanos Sánchez y Linares para grabar el disco, y las que menciona Esparza Sánchez existentes en Sonora, será posible llevar a cabo esa tarea. Dadas las semejanzas, sin embargo, casi se podría decir que el corrido de Murrieta nos parece ser una refundición radical de las *Mañanas de los cahiguas*.

Para probar lo anterior sería necesario establecer las fechas de ambos corridos ya que también se podría decir que las *Mañanas* fueron plasmadas sobre el corrido de Murrieta, tal vez de una versión perdida. Si bien Esparza Sánchez no menciona la fecha del corrido que transcribe, recogido en Fresnillo, donde se lo comunicó José Valdez, de 89 años, el 2 de enero de 1950, en el texto encontramos ciertas referencias de personajes y

Introducción

hechos históricos que nos pueden ayudar a determinarla, lo mismo que el año que ocurrieron los acontecimientos narrados, esto es, 1853, que coincide con la fecha en que murió Murrieta. Se menciona en *Los cahiguas* a Doña Isabel Hermosillo, quien, según Esparza Sánchez, era una señora española radicada en Fresnillo que murió en la ciudad de Zacatecas en 1854—un año después del ataque a Pardillo—a los cuarenta años de edad. Aparece también otro personaje histórico, el general de brigada Francisco G. Pavón (1818-1861), gobernador y comandante general del departamento de Zacatecas del 22 de agosto de 1853 al 17 de agosto de 1855 (Esparza Sánchez 114, n. 35). Fue conocido del narrador del corrido, a quien acompañó en la expedición de 1853 contra los apaches. De mayor importancia nos parece el texto de la última estrofa, relativa a las incursiones de los apaches en territorio mexicano a partir de 1848. El Artículo XI del Tratado de Guadalupe Hidalgo hace referencia a esas incursiones, que según parece continuaban en 1853, según el corrido:

La fecha de composición de un corrido histórico, cuyo contenido es generalmente contemporáneo, narrado en tercera o primera persona por testigos oculares de lo que se relata, puede ser determinada por la fecha que se menciona en el texto y por las referencias históricas. Es por eso muy posible que las *Mañanas de los cahiguas* hayan sido compuestas en 1853 o poco después. Lo cual indica que es difícil pensar en un corrido sobre las hazañas de Murrieta anterior a ese año, que fue el de su muerte, aunque sí es verdad que en algunas de las estrofas en otras versiones hay un verso que dice "Me he paseado en California / por el año del cincuenta".

Otra circunstancia que nos hace pensar que el corrido zacatecano es de antiguo origen es el uso de la palabra *mañanas* en el título; palabra que, según Mendoza, aparece en el corrido más antiguo que se conoce. "De la época inicial del corrido —dice— y de los ejemplos que se refieren a hechos *históricos* se incluye [en su antología] por primera vez uno referido al Padre de la Patria: *Mañanas de Hidalgo en Zacatecas*, probablemente el más antiguo que se conoce" (1964: 31-32). En su primer libro (1939) Mendoza dice: "En el fenómeno histórico aparece claro que el corrido enraizó en el Sur y poco a poco, gradualmente, fue invadiendo con sus relatos la parte Norte del país; o transportado por los cancioneros y trovadores de las ferias o llevado por medio de la emigración de los braceros michoacanos que van al norte en busca de trabajo" (1939: 153). Esparza Sánchez rechaza esa teoría, ya que, como dice, "en Zacatecas hubo corridos ante-

Introducción

riores a esa fecha [segundo tercio del siglo XIX]; por ejemplo las *Mañanas de Hidalgo* que datan de 1811 y que, por ahora, son las más antiguas" (1976: 5). El hecho histórico al cual se refieren las *Mañanas de los cahiguas* ocurrió en 1853, según el historiador Elías Amador (*Bosquejo histórico de Zacatecas*, 1912: 2:517-18), citado por Esparza Sánchez: "Como los pequeños centros de población [...] continuaban expuestos a las frecuentes depredaciones de los cahiguas [...] el gobernador Francisco G. Pavón [...] durante los meses de octubre y noviembre de 1853 [...] salió a su encuentro" (1976: 19).

Existen semejanzas y diferencias entre las *Mañanas de los cahiguas* y el *Corrido de Joaquín Murrieta,* sobre todo en la naturaleza del héroe. Aunque en el corrido zacatecano el narrador elogia a Pavón, llamándolo hombre valiente, no es el militar el héroe del corrido, sino el mismo narrador, personaje parecido a Murrieta, pues también promete vengarse de quienes lo injuriaron, los apaches, quienes mataron a su padre y a su amiga Marianita. En este aspecto, las vidas de los dos héroes son semejantes. Mas no en la ideología, ya que el asunto de *Los cahiguas* es la confrontación de los habitantes de un pueblo zacatecano con los apaches, mientras que en el corrido de Murrieta al asunto le dan forma las hazañas gloriosas del héroe en su lucha contra los invasores norteamericanos en las minas de oro en California. En el primero se acusa al indio, en el segundo a los americanos. Es de interés notar, sin embargo, que en *Los cahiguas* se identifica al apache con el americano:

> echamos persecución
> de *apaches* y americanos
> que huyeron hasta el *Tucson* (ES 20).

La transposición es obvia: en *Murrieta* el americano tiene el lugar que el apache en *Mañanas*, del cual se dice:

> a mi padre lo mataron
> y a mi amiga Marianita,
> ¡cobardes!, la asesinaron.

Y de los americanos dice Murrieta:

Introducción

a mi hermano lo mataron
y a mi esposa Carmelita
cobardes la asesinaron.

Es necesario apuntar, sin embargo, que en el corrido zacatecano encontramos un personaje, el jefe apache, sargento inominado, que presenta algunas de las características de Joaquín Murrieta: es valiente, listo y fiero. El gobierno, como en el caso de Murrieta, le pone un precio a su cabeza:

Cuando *peliamos* con él
pronto vimos su *listeza,*
y los jefes del Estado
al ver su grande fiereza,
pusieron quinientos pesos
de valor a su cabeza.

Ya observamos que son muy pocas las versiones que conocemos del *Corrido de Joaquín Murrieta* como para poder trazar su desarrollo histórico; las únicas completas, parece que son de reciente origen; las otras son simples fragmentos.[5] Además de los dos recogidos por Acosta, tenemos noticias de uno que se encuentra en el libro *Hispanic Folk Music of New Mexico and the Southwest* (1980) de John Donald Robb. Otro fragmento apareció en la *Revista Cultural de la U.A.C.J.* [Universidad Autónoma de Ciudad Juárez] en 1985. Manuel Rojas recogió una versión del corrido *Joaquín Murrieta* de nueve sextillas (1992: 65-66), y otros dos corridos relacionados a Joaquín, *Las coplas de Juan Valenzuela* (p. 64) en cuartetas, y uno en sextillas, *La cabeza de Murrieta* (p. 66), escrito por León Barraza G.

En conclusión, se puede decir que la influencia de las *Mañanas de los cahiguas* sobre la composición del *Corrido de Joaquín Murrieta* es obvia, tanto en la forma como en el contenido. Sin embargo, puede ser que exista un prototipo anterior hoy desconocido, del cual se derivan ambos corridos. Mientras no se descubra, valga lo apuntado sobre las semejanzas entre el corrido zacatecano y el californiano.

IX

ESTA EDICIÓN

El crítico que trate de esclarecer la historia de un texto literario a veces se tiene que convertir en verdadero detective. Eso ocurre en el caso de la novela *Vida y aventuras del más célebre bandido sonorense, Joaquín Murrieta; sus grandes proezas en California,* de la cual existen varias ediciones, todas ellas atribuidas al novelista mexicano Ireneo Paz. Sin embargo, al consultar la *Bibliografía de novelistas mexicanos* (1926) del cuidadoso bibliógrafo Juan B. Iguínez, descubrimos que en la lista de novelas de Paz no se encuentra la dedicada a Murrieta. Esto despertó nuestras sospechas y decidimos investigar la omisión en tan prestigiosa bibliografía. Al revisar las varias ediciones que existen de la obra, descubrimos que en ninguna de ellas se dice que Paz es el autor; solamente que fue publicada en México, en la Tipografía y Encuadernación de Ireneo Paz, 2ª de Relox número 4. ¨Ya explicamos en la Sección III que en 1925 apareció en Chicago una traducción al inglés de la edición publicada por Paz, y a él atribuida. La traductora, Frances P. Bell, no conociendo el historial del libro, pensó que era obra del editor, Ireneo Paz. Y se podría creer que lo es, como lo afirmó el mismo Octavio Paz, nieto de don Ireneo.

La historia de esta edición es complicada. En 1939 el historiador Joseph Henry Jackson, en su libro *Bad Company*, en el capítulo dedicado a Murrieta (1977: 3-40) ya había notado las semejanzas entre la traducción de Bell y la obra de John Rollin Ridge (p. 332). Lo que no explica es la complicada historia de la trayectoria del texto, desde Ridge hasta Bell, ya explicada más arriba y que no es necesario repetir. Valga decir que, más que a los hechos históricos, la fama de Joaquín Murrieta se debe en gran parte a la obra de Rollin Ridge "Yellow Bird" (Pájaro Amarillo), cuya traducción, a través del francés, el lector tiene en sus manos. La edición de Ireneo Paz es la que más ha dado a conocer la vida y hechos de Murrieta, a través de las numerosas ediciones, en español, publicadas en los Estados Unidos, todas ellas hoy agotadas.

¿Biografía o novela? Los primeros críticos y comentaristas clasificaron el libro de Ridge como perteneciente al género biográfico; y con razón,

Introducción

ya que el autor mismo nos dice que lo que dice sobre Murrieta es estrictamente verdadero (1955: 4), opinión apoyada por los reconocidos historiadores norteamericanos Hubert Howe Bancroft y Theodore H. Hittell, quienes utilizaron la obra de Ridge como fuente de información en sus eruditas historias de California. Sin embargo, no es en la historia donde el nombre de Murrieta ha perdurado, sino en la literatura, el teatro, el cine, el corrido y la poesía. Esta nueva edición es un tributo a Joaquín Murrieta, el único héroe californiano a la altura del arte, la historia y el mito.

Luis Leal
University of California at Santa Barbara
1999

NOTAS

I

1. El nombre se escribe con doble ere; la mayoría de los escritores norteamericanos y los chilenos, sin embargo, lo escriben con una ere, letra que en el inglés de los Estados Unidos se pronuncia como si fuera erre. Ejemplos de esta tendencia son las palabras Monterrey, Carillo, etc., en vez de Monterrey, Carrillo. A veces se deletrea mal el nombre de Murrieta añadiéndole una t (Murietta). Mantenemos la doble ere, excepto en las citas, donde conservamos la escritura del original. Véanse las observaciones de Albert Huerta y Manuel Rojas sobre este asunto.
2. Es curioso que Latta no mencione este periódico, que sin duda es una importante fuente de documentación sobre Murrieta. Para Latta, el nombre de Joaquín Murrieta no aparece hasta febrero de 1853.

II

1. Ver Jay Monaghan, *Chile, Perú, and the California Gold Rush of 1849* (Berkeley: University of California Press, 1973).
2. Ver Nadeau 1974: 62, 65.
3. El Acta completa la reproduce Latta en la p. 328.

III

1. Ver Franklin Walker, *San Francisco Literary Frontier* (New York: Knopf, 1939)
2. Ver Walker, "Ridge's Life of Joaquín Murieta . . ."
3. *Evangelina: Romance de la Arcadia.* Traducido por Carlos Morla Vicuña (Nueva York: Imprenta de Eduardo O. Jenkins, 1871). En octavas reales.
4. Año 1, Número I, Santiago, Chile, agosto de 1936.
5. Biblioteca Nacional, *Anuario de la prensa chilena, 1877-1885.* I. *Libros, folletos y hojas sueltas.* ([Santiago]: Imprenta Universitaria, 1952), p. 58, No. 411. La octava edición se publicó en Santiago, en la Imprenta Valparaíso, en 1897.
6. *Gaceta* de Santa Bárbara, núm. 106 (20 julio 1881), p. 1.
7. Véase la nota de Charles W. Clough en Farquhar (1969: xiii-xvii). También Luis Monguió, *"Lust for Riches:* A Spanish Nineteenth Century Novel of the Gold Rush and Its Sources," *California Historical Society Quarterly* 27

(Sept. 1948): 237-248.

8. Tipografía y Encuadernación de I. Paz. Las reimpresiones son numerosas. En 1908 Paz publica la 4a. edición; la 5a. en Los Angeles, California: O[scar]. Paz y Cía., 1919, y otra edición en la ciudad de México, Ediciones Don Quijote, en 1953.

9. Según Jackson (1955: xliii), "this translation hardly seems to have been worth the trouble", ya que la traducción al español viene del inglés. Esto es cierto, pero hay que añadir que la traducción al español no fue hecha directamennte del inglés, sino a través del francés.

IV

1. Ver Richard Boyd Hauck, *Crockett Bibliography* (West Port, Conn.: Greenwood Press, 1982).

2. Ver Leonard Pitt, *The Decline of the Californios: A Social History of the Spanish-Speaking Californians* (Berkeley: University of California Press, 1970).

3. Ver Nadeau 1974: 115-116.

4. Los princiaples historiadores de la vida de Murrieta no mencionan a Joe Lake.

5. En las últimas dos décadas han aparecido varios exhaustivos estudios de la familia de Murrieta. Los más importantes son los de Latta y Rojas, quienes han estudiado el problema en Sonora, entrevistando a numerosas personas y consultando los archivos.

V

1. Según Nadeau (1974: 115), el primero, y único, número del *Pacific Police Gazette* es desconocido.

2. Es raro que Jackson, conocedor de la bibliografía de Murrieta, no mencione esta novela de Badger, aunque sí comenta la aprimera, *Murieta, the Saddle King.*

3. Herbert F. Smith, *The Popular American Novel* (Boston: Twayne Publishers, 1980), p. 95. La película *Bonnie and Clyde,* dirigida por Arthur Penn y con actuaciones de Warren Beatty y Faye Dunaway, apareció en 1967. La acción tiene lugar durante la década de los años 30.

4. Según Latta, todos los Murrieta hablaban inglés: "In the group of Joaquíns three members were blond, two were brunet, and all spoke English 'fluently' [...] Murrieta spoke English so well that with no disguise he was able to pass either as a Gringo or an Englishman. In his own family he was known as Joaquín Murrieta, El Huero (The Blond One). After he came to California, in order to distinguish him from his three Joaquín Murrieta relatives, he became known as Joaquín, El Famoso, or simply as El Famoso (The Famous One)"

Introducción

(1974: 12). Rojas rechaza estas ideas de Latta, ya que le parecen absurdas.
5. Citamos por la segunda edición, *Cuentos californianos*. Introducción de Miguel López Rojo (Guadalajara: Secretaría de Cultura de Jalisco, 1993). "Joaquín Murrieta", pp. 89-97.

VI

1. Ninguno de los escritores interesados en Joaquín menciona este personaje, que si bien no tiene nada que ver con Murrieta (en la novela de Miller Joaquín es un artista), sí indica su presencia en la obra creativa de Miller. Para un análisis del personaje ver Frost, 75-80.
2. Citamos por la traducción al español publicada en Coyoacán, D. F., por el Grupo Mascarones en febrero de 1975, tomada de la revista *Casa de las Américas*, núm. 82.

VII

1. Un ejemplar de esta rara obra se encuentra en la Biblioteca Bancroft de la Universidad de California en Berkeley. Existe edición contemporánea editada por Glenn Loney (ver Bibliografía).
2. El nombre Ignacious puede ser que Howe lo haya tomado de la noticia publicada el 2 de febrero de 1853 en el Stockton *San Joaquín Republican* en la cual se menciona a un mexicano llamado Ignatius Moretto (ver Latta 1980: 39).
3. Wood explica (p. 60) que tal vez Owen no sabía el nombre de pila de Gabutti y se trata del mal uso del Don, como título honorífico, con el apellido.
4. En la edición bilingüe de 1973 el traductor, Ben Belitt, trata de expresar el hecho de que los inmigrantes hablan en inglés traduciendo el parlamento del *ranger* en un inglés en el que el *ranger* trata de imitar el español, o cree que está hablando en español: "We no sello chicha in these parts. In California only sello weeskie" (65).
5. Según nota de Neruda, el parlamento de Juárez pidiendo a Joaquín que defienda a los indios, es "transcripción textual de un documento publicado en *The Last of the California Rangers*, de Jill L. Cosley-Batt" (1973: 130).
6. Ver *Plural*, 2a. época, 17.2, No. 193 (Nov., 1987): 22-34.
7. Ver Nicolás Kanellos, ed. "Mexican American Theatre: Then and Now". En la *Revista Chicano-Riqueña*, 11.1 (Spring, 1983: 32).

Introducción

VIII

1. Para un estudio más detallado del corrido de Murrieta véase nuestro artículo, "*El corrido de Joaquín Murrieta,* origen y difusión" en *Mexican Studies / Estudios Mexicanos* 11.1 (Winter 1995).

2. Sobre este corrido véase nuestro estudio, "El corrido de Leandro Rivera," en *La Comunidad* No. 199, Suplemento Dominical de *La Opinión* (Los Angeles, 13 mayo 1984: 12).

3. Nota del Ed.: "All that time Felipe Valdez Leal worked as a salesman for the Casa de Música, a music store in downtown Los Angeles".

4. Nota del Ed.: "Interview with Víctor Sánchez," September-October, 1974.

5. Para estos fragmentos y otras versiones véase nuestro estudio, citado en la nota 1.

BIBLIOGRAFÍA

Acevedo Hernández, A. *Joaquín Murieta. Drama en seis actos.* En *Excélsior, Revista Semanal de Literatura y Variedades.* Santiago de Chile, Año 1 (1936), Suplemento No. 1, pp. [3]-30.

Acigar, El Profesor. *El caballero chileno bandido de California: única y verdadera historia de Joaquín Murieta.* Barcelona: Biblioteca Hércules, sin fecha.

Acosta, Vicente S. 1951. "Some Surviving Elements of Spanish Folklore in Arizona." M.A. Thesis, Arizona.

Aguirre Bernal, Celso. *Joaquín Murrieta. Raíz y razón del movimiento chicano.* México, 1985.

Alta California. San Francisco, 15 dic. 1852-23 agosto 1853.

Amador, Elías. *Bosquejo histórico de Zacatecas.* 2 vols. Guadalupe, Zac.: Tipografía del Hospital de Niños, 1912; reimpreso en Zacatecas: Taller Tip. Pedroza, 1943.

Angel, Myron. *History of San Luis Obispo County.* Oakland, California, s.p. de i., 1883.

Anónimo. "A Pioneer's Story of the Notorious Bandit and Outlaw." *Call* (14 Oct.1887):

————. [Joaquín...]. *Sunset Magazine*, 1927?

————. "Joaquín Murieta Lore." *Tribune.* Oakland, California, 20 feb. 1949; reimpr. *Western Folklore* 8 (1949): 271-272 [Especulaciones de Wade Wilson sobre la muerte de Murrieta].

————. "'El Famoso' Conquers 8th Street Bridge." *The Tribune* Oakland, California, 12 Sept 1991, p. A12.

Ashbury, Herbert. *The Barbary Coast: An Informal History of San Francisco's Underworld.* New York: Alfred A. Knopf, 1933.

Badger, Joseph E. *Joaquín, the Saddle King.* New York: Beadle & Adams, 1881. "The Bell Dime Library."

————. *Joaquín, The Terrible.* New York: Beadle & Adams, 1881; Reimpr. Brooklyn, New York: Dime Novel Club, 1947.

Bancroft, Hubert Howe. *California Pastoral 1769-1848.* San Francisco, 1888.

Beers, George. *The Hunted Bandit of the San Joaquín.* 1875; reimpr. *The California Outlaw: Tiburcio Vázquez.* Los Gatos, California: Talisman Press, 1960.

Bell, Frances P. *Life and Adventures of the Celebrated Bandit Joaquín Murrieta, His Exploits in the State of California.* Translated from the Spanish of Ireneo Paz by Frances P. Bell. Chicago: Regan Public Corp., 1925; Reimpr. Chicago: Charles T. Power, 1937.

Introducción

Bell, Horace. 1881. *Reminiscences of a Ranger.* Los Angeles: Yarnell, Caystile & Mathes, 1885.

————. 1930. *On the Old West Coast.* New York: Morrow, 1930.

Bernaldo de Quirós, Constancio. *El bandolerismo en España y México.* México, 1959.

Block, Eugene. *Great Stagecoach Robbers*, 1962.

Boyce, Keith. "The Evolution of a Demon." *Pacific Monthly* 3-4 (April, 1891: 143-51).

————. "The Fra Diavolo of El Dorado." *The Californian* 4.5 (Oct., 1893: 695-700).

Brewer, William Henry. *Up and Down California in 1860-1864. The Journal of William Henry Brewer.* Ed. Francis P. Farquhar. New Haven, Connecticut: Yale University Press, 1930.

Burns, Walter Noble. *The Robin Hood of El Dorado: The Saga of Joaquín Murrieta, Famous Outlaw of California's Age of Gold.* New York: Coward-McCann, 1932.

California Assembly Journal. 16 March 1853, p. 351.

California Police Gazette. "Life of Joaquín Murieta, the Brigand Chief of California." San Francisco, 1859.

————. *Idem.* San Francisco: Butler and Co., 1861.

————. *Joaquín Murieta, the Brigand Chief of California.* Ed. Francis P. Farquhar. San Francisco: Grabhorn Press, 1932.

————. *Idem.* Fresno, California: Fresno Valley Publishers, 1969. Supplement of Notes by Raymund F. Wood and Charles W. Clough.

California Senate Journal. 4 May 1853, p. 445.

Calleja, Julián. *Método de guitarra sin maestro. Con acompañamiento para corridos mexicanos.* México, D. F.: El Libro Español, 1972. En la cubierta: *Los mejores corridos mexicanos, con acompañamiento para guitarra.*

Callison, Charles M. "Searching for Murrieta's Home & Grove in El Canada Molino Vallejo." *California Historical Courier* (April/May 1987). Resumen y trad. en Rojas, pp. 145-146.

Campa, Arthur L. *Hispanic Folklore Studies of Arthur L. Campa.* With an Introduction by Carlos E. Cortés (New York: Arno Press, 1976), pp. 102-103.

Caro, Brígido. *Joaquín Murrieta* [película].

Carrillo, Adolfo. *Cuentos californianos.* Los Angeles, 1922? 2ª ed. Introducción de Miguel López Rojo. Guadalajara: Secretaría de Cultura de Jalisco, 1993.

Castañeda, Daniel. *El corrido mexicano: su técnica literaria y musical.* México: Editorial Surco., 1943.

Castañeda Shular, Antonia, Tomás Ybarra-Frausto y Joseph Sommers. *Literatura chicana texto y contexto / Text and Context: Chicano Literature.* Englewood Cliffs, N.J.: Prentice-Hall, 1972.

Introducción

Castillo, Pedro, and Albert Camarillo. *Furia y muerte: los bandidos chicanos.* Los Angeles: Chicano Studies Center, University of California, 1973. "Aztlán Publicacions" Monograph 4.

Cerecedo, Onofre. "Joaquín Murrieta."[Leyenda]. *El Regidor,* San Antonio, TX, 9. 359 (30 abril, 1896): 3. Tomado de *La Revista del Pacífico.* ¿Publicado primero en un libro, México, 1855?

Clough, Charles W. ver *California Police Gazette,* 1969.

C.M. ver Morla Vicuña, Carlos.

Coolidge, Dane. *Gringo Gold. A Story of Joaquín Murieta the Bandit.* New York: Dutton, 1939; reimpr. Boston: Gregg Press, 1980, 1981.

Corcoran, May S. "Robber Joaquín, As Seen in Statutes of California Legislature Journals and by One Living Ranger." *Grizzly Bear* (June, 1921): 4.

Corle, Edwin. *The Royal Highway (El Camino Real).* Indianapolis / New York: Bobbs-Merrill, 1949. Chapter 21: "Your Money or Your Life."

Cortés, Carlos E. "El bandolerismo social chicano". *Aztlán, historia del pueblo chicano, 1848-1910.* Eds. David Maciel y Patricia Bueno. Trans. Roberto Gómez Ciriza. México: SepSetentas, 1975, pp. 111-122.

Cossley-Batt, Jill L. *The Last of the California Rangers.* New York: Funk & Wagnalls, 1928. (sobre William J. Howard).

Cunningham, John Charles. *The Truth about Murietta.* Los Angeles: Wetzel Publishing Co., 1938.

Daily Alta California. Ver *Alta California.*

Dale, Edward, and Gaston Litton. *Cherokee Cavaliers.* Norman: University of Oklahoma Press, 1939.

Duke, Thomas S. *Celebrated Criminal Cases of America.* San Francisco: The James H. Barry Company, 1910.

Elizondo, Sergio. "Murrieta en la loma". *Perros y antiperros: épica chicana.* English trans. Gustavo Segade. Berkeley: A Quinto Sol Publication, 1972, pp. 62-64.

———. "Murrieta, dos". *Idem.* pp. 64-67.

Esparza Sánchez, Cuauhtémoc *El corrido zacatecano.* México: Universidad Autónoma de Zacatecas, 1976, p. 8. "Colección Científica Histórica" 46, SEP. Esta versión del *Corrido de los cahiguas* es la única que conocemos.

Espinosa Domínguez, Carlos. *ver* Grushkó.

Farquhar, Francis P. ver *California Police Gazette,* 1932 y 1969.

Fitzgerald, John H. "Adventures with Joaquín, the Mountain Bandit." *Golden Era* 12 April, 1857.

Foro, El. Sept. 1980.

Frost, O. W. *Joaquín Miller.* New York: Twayne Publishers, 1967.

Gabutti, Don? [Drama acerca de Murrieta presentado en Hermosillo, Sonora, durante el otoño de 1872]. Ver Wood, "New Light" (Winter 1970).

Introducción

Gaceta, La. "Vida y aventuras de Joaquín Murrieta." Capts. I-IV. Santa Bárbara, California, Año 2, números 98-106 (Junio 1-Julio 30, 1881).

Gailard, Robert. *L'homme aux mains de cuir.* Paris: Presses Pocket, 1974.

————. *El hombre de las manos de cuero.* Barcelona: Editorial Picazo, 1986.

Girl Reporter, A. [Joaquín...]. *Call,* San Francisco, Dec. 1923-Feb. 1924.

Gollomb, Joseph. *Master Highwaymen.* New York: The Macaulay Company, 1927.

Gonzales, Rodolfo. *I Am Joaquín: An Epic Poem.*, 1967. Rpt. New York: Bantam, 1972.

————. *Yo soy Joaquín.* Coyoacán, D. F.: Grupo Mascarones, 1975.

Griswold del Castillo, Richard. *The Treaty of Guadalupe Hidalgo, A Legacy of Conflict.* Norman: University of Oklahoma Press, 1990.

Grushkó, Pável. "Estrella y muerte de Joaquín Murieta". Libreto de Pável Grushkó para la ópera-rock de Alexei Ribnikov (selección). (Basada en motivos de la cantata dramática *Fulgor y muerte de Joaquín Murieta* de Pablo Neruda). Estrenada en Moscú en mayo de 1976. Trad. de David Chericián. Precedida de una entrevista a Grushkó por Carlos Espinosa Domínguez. *Plural* 2ª época, 17.2, Núm. 193 (nov. 1987: 22-34).

Gutierrez, Lalo. *Corrido de Joaquín Murieta.* Tucson, 1948 (grabación).

Henshall, Joseph A. "A Bandit of the Golden Age." *Overland Monthly* 53 (April, 1909: 313-319).

Hermanos Sánchez y Linares. *Corrido de Joaquín Murrieta.* 1934. Recogido por Chris Strachwitz en la colección *Texas-Mexican Border Music*, Vols. 2 & 3, *Corridos,* Parts 1 & 2 (1974), con texto, comentarios, notas y traducción al inglés por Philip Sonnichsen y otros. Berkeley: Arhooli Records. Folklyric Records 9004. Esta versión, la más completa que conocemos, consta de 12 sextillas.

Herrera-Sobek, María. *The Mexican Corrido: A Feminist Analysis.* Bloomington: Indiana University Press, 1993. First Midland Book Edition.

————. *Northward Bound: The Mexican Immigrant Experience in Ballad and Song.* Bloomington: Indiana University Press, 1993, pp. 16-18.

Herrero, Ignacio (editor). *El bandido chileno en California.* San Antonio, Texas: Editorial Martínez, 1929 [c.1926].

Hittell, Theodore H. *History of California.* 4 vols. San Francisco: W. T. Stone, 1898.

Hobsbawm, Eric J. *Bandits.* New York: Delacorte Press, 1969.

Howard, William. [Article in] *Merced County Sun,* May 3, 1890.

Howe, Charles E. B. *A Dramatic Play Entitled Joaquín Murieta de Castillo, the Celebrated California Bandit.* San Francisco: Commercial Book and Job Steam Printing Establishment, 1858 2ª ed., de Glenn Loney, 1983.

Huerta, S. J., Father Alberto. *Murieta y los californios.* Madrid, s. p. de i., 1983.

————. 1985. *Murieta el famoso.* Madrid, s. p. de i., 1985.

Introducción

————. "Joaquín Murieta: California's Literary Archetype." *The Californians; The Magazine of California History* 5.6 (Nov-Dec, 1987: 47-50).

————. "California: el bandido y el vendido" *Religión y Cultura* 172 (enero-marzo, 1990: 9-59).

Hyenne, Robert. *Un bandit californien (Joaquín Murieta).* Paris: Le'crivan et Toubon, 1862.

————. *El bandido chileno Joaquín Murieta en California.* Ed. Ilustrada. Barcelona: V. Acha, editor / México: Maucci Hnos., sin año de publicación.

————. *Idem.* Trad. del francés por C. M. [Carlos Morla]. Santiago [de Chile]: Centro Editorial "La Prensa", 1906.

————. *Idem.* 15ª ed. Valparaiso, Chile: Sociedad Impresora y Litografía Universo, 1910.

————. *Joaquín Murrieta, el bandido chileno en California.* San Antonio, Texas: Editorial Martínez, 1926. 2ª ed., 1929.

————. *Vida y aventuras de Joaquín Murieta.* Prólogo de Ricardo Donoso. *Excelsior.* Santiago de Chile, año I (1936), Suplemento No. 1, pp. 31-90.

Jackson, Joseph Henry. *Bad Company: The Story of California's Legendary and Actual Stage Robbers, Bandits, Highwaymen and Outlaws.* New York: Harcourt Brace, 1939. "Joaquín Murieta," pp. 3-40; reimpr. 1949; reimpr. Lincoln: University of Nebraska Press., 1977.

————. *Anybody's Gold. The Story of California's Mining Towns.* New York: Appleton-Century, 1941; Rpt. San Francisco: Chronicle Books, 1970.

————. *The Creation of Joaquín Murieta.* Stanford, California: Stanford University Press, 1948..

————. "The Creation of Joaquín Murieta." *Pacific Spectator.* 2.2 (Spring, 1948).

————. "Introduction" to the University of Oklahoma Press 1955 ed. of Ridge's novel, pp. xi-l.

Jaramillo, Felipe. "Los corridos fronterizos de Agua Prieta, Sonora, México", *Borderlands* 3.2 (Spring 1980), 173.

Kennedy, Mary Jean. "The Gold Cap of Joaquín Murieta." *Western Folklore* 13 (1954): 98-101.

Klette, Ernest. *The Crimson Trail of Joaquín Murieta.* Los Angeles: Wetzel Publishing Co., 1928.

Klyn, Dianne C. *Joaquín Murrieta in California.* San Ramon, California: Publishing Place, 1989.

Kooistra, Paul. *Criminals as Heroes: Structure, Power and Identity.* Bowling Green, Ohio: Bowling Green State University, 1989.

Kyne, Peter B. "Robin Hood of El Dorado." *Chronicle,* San Francisco, Feb. 1936?

Latta, Frank F. *Joaquín Murieta and His Horse Gangs.* Santa Cruz, California: Bear State Books, 1980.

Leal, Luis. "El corrido de Joaquín Murrieta: origen y difusión." *Mexican History / Estudios Mexicanos* 11.1 (Winter 1995): 1-23.

Introducción

———— "El corrido de Leandro Rivera". *La Comunidad* No. 199, Suplemento Dominical de *La Opinión* (Los Angeles, 13 mayo 1984), 12.

Lee, Hector H. *Heroes, Villains and Ghosts: Folklore of Old California.* Santa Barbara, California: Capra Press, 1984.

Limón, José E. *Mexican Ballads, Chicano Poems. History and Influence in Mexican American Social Poetry.* Berkeley: University of California Press, 1992.

Lock, Raymond Friday. *Joaquín Murieta. The Adventures of the Latino Robin Hood.* Los Angeles: Holloway House Publishing Co., 1980.

López, Jesse. *Joaquín Murrieta's Treasure.* Albuquerque, N.M.: Pajarito Publications, 1979.

Los Angeles Times. April 9, 1928.

————. March 16, 1969 (reseña del libro de Neruda).

MacLean, Angus. *Legends of The California Bandidos.* Fresno, California: Pioneer Publishing, 1977. Reprint, Arroyo Grande. Bear Flag Books, 1989.

Mares, E. A. *El corrido de Joaquín Murieta.* Obra teatral presentada en la Compañía de Teatro de Albuquerque el 25 de mayo, 1984.

Martínez López, Enrique. *La variación en el corrido mexicano: interlocuciones del narrador y los personajes* Madrid: El Romancero Hoy: Poética, 1979.

Mason, J. D. *History of Santa Barbara County.* Oakland, California: Thompson & West, 1981.

————. *California. His California Diary Beginning in 1855 and Ending in 1857.* Ed. John S. Richards. Seattle, California: F. McCaffrey at his Dogwood Press, 1936.

McCarthy, Gary. *The Gringo Amigo.* New York: Doubleday, 1991.

McNeer, Mary. "Bandit!" *The California Gold Rush.* cap. 16. New York: Random House, 1950, pp. 149-157.

Mendoza, Vicente T. *El romance español y el corrido mexicano: estudio comparativo.* México: Ediciones de la Universidad Nacional Autónoma, 1939.

————. *Lírica narrativa de México: el corrido.* México: UNAM, 1964.

Miller, Joaquín. *Joaquín, et al.* Portland, Oregon: S. J. McCormack, 1869.

————. "Californian." *Songs of the Sierras.* Boston: Roberts Brothers, 1872.

————. *Joaquín Miller's Poems* (in six volumes). Volume Two: *Songs of the Sierras.* San Francisco: Harr Wagner Publishing Company, 1920.

Mitchell, Richard Gerald. "Joaquín Murieta: A Study of Social Conditions in Early California", M.A. Thesis, Dept. of History, University of California, Berkeley, 1927, pp. 39-69; reimpr. in Castillo and Camarillo, pp. 37-51.

Monaghan, Jay. *Chile, Peru and the California Gold Rush of 1849.* Berkeley: University of California Press, 1973.

Monguió, Luis. *"Lust for Riches: A Spanish Nineteenth Century Novel of the Gold Rush and its Sources." California Historical Society Quarterly* 27 (Sept 1948: 237-48).

Introducción

Monroy Rivera, Oscar. *Joaquín Murrieta. Obra de teatro.* Ciudad Juárez, Chihuahua: Universidad Autónoma de Ciudad Juárez, 1989. "Cuadernos Universitarios", 7.

[Morla Vicuña, Carlos]. C. M. *El bandido chileno Joaquín Murrieta en California* [Santiago de Chile: Imprenta de la República, de Jacinto Núñez, 1867] (traducción del francés de Hyenne).

————. [2ª ed., 1874].

————. 3 ª ed. 1879.

————. 15 ª ed., ver Hyenne, Robert.

————. ver Nombelay Tabares, Julio.

Murray, Walter. "Letters, 1857-1858." *San Francisco Bulletin,* 1858; reimpr. en Angel Myron.

Nadeau, Remi. "Joaquín, Hero, Villain, or Myth?" *Westways,* Jan. 1963.

————. *The Real Joaquín Murieta. California's Gold Rush Bandit: Truth v. Myth.* Santa Barbara, California: Crest Publications, 1974.

Neruda, Pablo. *Fulgor y muerte de Joaquín Murieta, bandido chileno ajusticiado en California el 23 de julio de 1853.* Santiago de Chile: Empresa Editorial Zig Zag, 1966; reimpr. 1967. (drama)

————. *Splendeur et mort de Joaquín Murieta.* Paris: Gallimard, 1969.

————. *Splendor and Death of Joaquín Murieta.* Trans. by Ben Belitt. New York: Farrar, Straus, and Giroux, 1972; reimpr. 1973.

————. *Fulgor y muerte de Joaquín Murieta. / Splendor and Death of Joaquín Murieta.* London: Alcove Press, 1973.

————. *Fulgor y muerte de Joaquín Murieta.* Buenos Aires: Losada, 1974.

Nicholson, Loren. *Romualdo Pacheco's California. The Mexican-American Who Won.* San Luis Obispo/San José: California Heritage Associates, 1990.

Nombela y Tabares, Julio. *La fiebre de riquezas; siete años en California.* 2 vols. Madrid, 1871-1872. Contiene la trad. al español de Hyenne. Ver Monguió.

Pacific Police Gazette. "Joaquín the Mountain Robber or the Bandits of the Sierra Nevada." May 1954. "No copy of this 'biography' has ever come to light" (Nadeau 1974: 115).

Paredes, Américo. 1973. "José Mosqueda and the Folklorization of Actual Events." *Aztlan* 4.1 Spring, 1973

Paredes, Américo. *With His Pistol in His Hand.* Austin: University of Texas Press, 1958.

————. *A Texas-Mexican Cancionero: Folksongs of the Lower Border* (Urbana: University of Illinois Press, 1976), p. 23.

Paredes, Raymund A. 1973. "The Image of the Mexican in American Literature." Diss. University of Texas at Austin.

Park, Charles Caldwell ("Carl Gray"). *A Plaything of the Gods.* Boston: Sherman, French, 1912 [novela].

Introducción

Paz, Ireneo ed. *Vida y aventuras del más célebre bandido sonorense Joaquín Murrieta; sus grandes proezas en California.* México: Tipografía y Encuadernación de Ireneo Paz, 1904 (ejemplar en la Biblioteca Bancroft de la Universidad de California en Berkeley).

————. *Idem.* 4ª ed. 1908.

————. *Idem.* 5ª ed. Los Angeles: Oscar? Paz y Cía, 1919.

————. *Idem.* 5ª ed. [*sic*] México: Editorial Don Quijote, 1953.

————. Ver Bell, Frances P.

Peeples, Samuel Anthony. *The Dream Ends in Fury.* New York: Harper, 1949 [novela].

Ridge, John Rollin ("Yellow Bird"). *The Life and Adventures of Joaquín Murieta, the Celebrated California Bandit.* San Francisco, 1854.

————. *The History of Joaquín Murieta, the King of California Outlaws, Whose Band Ravaged the State in the Early Fifties.* 3rd. [*sic*] ed., "with much and hereto unpublished material." San Francisco: Fred MacCrelish, 1871; revised ed. Hollister, California: Evening Press, 1927.

————. *The Life and Adventures of Joaquín Murieta, the Celebrated California Bandit.* New edition with Introduction by Joseph Henry Jackson. Norman: University of Oklahoma Press, 1955; Reimpr. 1969.

Robb, John Donald. *Hispanic Folk Music in New Mexico and the Southwest.* Norman: University of Oklahoma Press. 1980.

Robin Hood of El Dorado, The. Película dirigida por William Wellman. Warner Baxter en el papel de Murrieta. Otros actores: Ann Loring, Margo, Bruce Cabot y J. Carrol Naish. Hollywood, 1936.

Rodriguez, Richard. "The Head of Joaquín Murrieta." *California* 10.7 (July, 1985: 55-62, 89).

Rojas, Arnold R. "Joaquín Murrieta." *The Vaquero.* Charlotte, North Carolina: McNally and Loftin, 1964; rpt. in Luis Valdez and Stan Steiner, pp. 107-109.

Rojas, Manuel. *"Joaquín Murrieta, el patrio". El "Far West" del México cercenado.* Mexicali, B.C.: Gobierno del Estado de Baja California, 1986.

————. *Idem.* 2ª ed. corregida. Mexicali, B.C.: Instituto de Cultura de Baja California, 1990.

————. *Idem.* 3ª ed. corregida, 1992.

Romero, Michael. *Joaquín Murrieta: The Life of a Legend.* Soledad, California: Published by the author, 1979.

Rousseau, B.G. "Treasure of Joaquín Mureita [*sic*]" *Overland Monthly* 82 (Jan.1934: 21-23, 39-40).

San Francisco Daily Herald. March 1 and April 18, 1853.

San Joaquín Republican. Stockton, California. 21, 23 Jan. 1853.

Scanlan, J. M. "Joaquín, a California Fra Diavolo." *Overland Monthly,* 26 Nov. 1895, pp. 530-39.

Introducción

Schroeter, Dr. O. V. "Joaquín Murrieta, Famous California Outlaw." *Los Angeles Times,* 4 Sept. 1915.

Secrest, William B. *Joaquín, Bloody Bandit of the Mother Lode.* Fresno, California: Saga-West Publishing Co., 1967. (40 pp.)

———. *The Return of Joaquín.* Fresno, California: Saga-West Publishing Co., 1973.

———. "Horrible History of a Highwayman's Head." *The Californians.* Nov./Dec. 1986.

Sherman, Edward A. "Recollections of Mayor Edward A. Sherman. "*California Historical Society Quarterly* 23 (Dec. 1944): 349-377.

Silva Castro, Raúl. *Panorama literario de Chile.* Santiago: Editorial Universitaria, 1961.

Simmons, Merle E. *The Mexican Corrido as a Source of Interpretive Study of Modern Mexico (1870-1950).* Bloomington: The University of Indiana Press, 1957. Reimpreso en Nueva York en 1969.

Sonnichsen, Philip. Ver Hermanos Sánchez y Linares.

Statutes of California. 1893. Chapter 136, p. 194.

Steckmesser, Kent L. "Joaquín Murieta and Billy the Kid." *Western Folklore* 21.2 (April 1962): 77-82.

Steiner, Stan. "On the Trail of Joaquín Murrieta." *American West* 18.1 (1981). Publisher, 1906. Appendix: "Joaquín Murieta the Bandit," pp. 181-200. (Entresacado de la obra de Ridge).

Stewart, Marcus. *Rosita: A California Tale.* San Jose, California: Mercury Steam Press, 1882 (poema).

Strachwitch, Chris. Ver Hermanos Sánchez y Linares.

Valdez , Luis, and Stan Steiner, eds. "Love Secrets of Joaquín Murieta, from an Old Newspaper." In *Aztlan: An Anthology of Mexican American Literature.* New York: Knopf-Vintage Books, 1972.

Vasconcelos, José. *Breve historia de México.* 5ª ed. México: Ediciones Botas. 1944.

Walker, Franklin. *San Francisco Literary Frontier.* New York: Knopf, 1939.

———. "Ridge's Life of Joaquín Murieta—The First and Revised Editions Compared." *California Historical Society Quarterly* 16 (1939): 256-262.

Weber, David J. "Joaquín Murrieta." *Foreigners in Their Native Land.* Albuquerque: University of New Mexico Press, 1973, pp. 228-31 [Reproduce las primeras páginas de Ridge].

Wells, Evelyn. "Story of California's Notorious Bandits of the Early Fifties." San Francisco, 1923-1924. (Mounted newspaper clippings).

West, John O. *To Die Like a Man* (1964).

Williams, Henry Llewellyn. *Joaquín, the Claude Duval of California, or the Marauder of the Mines.* New York: Pollard & Moss, 1888.

Introducción

Wood, Dr. Raymund F. *Mariana La Loca: Prophetess of the Cantua & Alleged Spouse of Joaquín Murrieta.* Fresno, California: Fresno County Historical Society, 1970.

———. "New Light on Joaquín Murrieta." *Pacific Historian* 14.1 (Winter 1970): 54-65.

———. *Ver California Police Gazette*, 1969.

Joaquín Murrieta por Charles Christian Nahl,
California Police Gazette (1859)

VIDA Y AVENTURAS

del más célebre bandido sonorense

JOAQUIN MURRIETA

Sus grandes proezas en California

I

La juventud de Joaquín.—Su viaje a California.
Los americanos aplican la ley de Lynch a su hermano.
—Asesinan a su mujer después de haberla violado.

Joaquín nació en la República de México.

Su familia, originaria de Sonora, y respetable bajo todos conceptos, le hizo criar en su pueblo natal, donde recibió una buena educación.

Durante su niñez se hizo notable por sus disposiciones dulces y apacibles; nada hacía preever en aquel entonces ese espíritu atrevido, indomable, que lo hizo tan célebre más tarde. Todos los que lo conocieron cuando joven, hablaban afectuosamente de su buen natural, noble y generoso; apenas podían creer que el terrible aventurero de California que vamos a retratar, fuera el mismo Joaquín Murrieta que ellos conocieron.

En 1845 Joaquín abandonó su pueblo en Sonora para ir a buscar fortuna en la capital. Tenía entonces diez y seis años, era alto, bien hecho, de rostro no sólo agradable, sino hermoso, y unía a esas cualidades físicas, grandes disposiciones para las aventuras.

Llegado a México, se dirigió a la casa de un antiguo amigo de su padre, el Sr. Estudillo, entrególe una carta de introducción, mediante la cual fué muy bien acogido por ese señor.

Muy pronto su protector obtuvo para él un destino como palafrenero en las caballerizas del Presidente López de Santa Anna. Esta posición, relativamente mediocre, se le hizo entender que podía conducirle a los más elevados puestos gubernamentales; era una de las gradas de la escala con que algunos, no todos, empiezan a subir en el poder.

Santa Anna había sido muy amante de la escuela de equitación. Joaquín, cuyos hechos le habían dado celebridad en su país natal, y que más de una vez se divirtiera en domar los caballos más salvajes de Tejas, Joaquín, decíamos, vió en la pasión del gobernante de México un medio de hacerse conocer de Santa Anna y captarse sus simpatías.

Sin embargo, sus ambiciosas esperanzas no se realizaron tan pronto como él hubiera querido. Hasta tuvo que desistir un poco de sus pretensiones en virtud de las celosas sospechas de sus camaradas los palafreneros de las caballerizas presidenciales.

Entre éstos había uno apellidado Cumplido, que más de una vez se había quejado del aire aristocrático que empleaba Joaquín para con ellos. Joaquín se hizo el desapercibido con respecto de los celos de sus camaradas; trató de extinguirlos no ocupándase de otra cosa que de su negocio. Pero esto no era lo que quería cumplido.

La ocasión que buscaba no tardó en presentarse.

Habiendo un día sonreído con burla por la manera con que Joaquín montaba a caballo, se trabó una disputa: de la disputa se pasó a un desafio, escogiéndose el día para la prueba. Era preciso saber cuál de los dos adversarios manejaba mejor un caballo.

Llegada la hora convenida, todos los habitantes de la casa del Presidente se reunieron, con la esperanza secreta de asistir a la completa derrota del joven sonorense.

Ambos rivales comenzaron por algunas carreras sin importancia, ejecutadas por vía de diversión; pero luego vino el salto final, que debía decidir la cuestión del mérito de los ginetes.

Se trataba de saltar un muro de adobe de cinco pies de elevación y tres de espesor, sin que el caballo lo tocase, ni aún con sus herraduras. Los adversarios tenían ante sí un espacio de cien pies para emprender la carrera.

Cumplido se lanzó el primero, franqueó el muro con facilidad, recibiendo las felicitaciones más entusiastas por parte de sus camaradas.

Joaquín sólo estaba a cincuenta pies del muro, cuando sin ir más lejos, volvió sobre sus pasos con la brida tendida, expoleó el vientre de su caballo y pasó por encima de la muralla. Pero mientras el animal estaba en el aire, un lacayo mal intencionado agitó un pañuelo blanco sujeto con un anillo ante sus ojos, lo que causó un movimiento al noble bruto y tocó con sus herraduras ciertas partes del adobe.

Todos los espectadores se echaron a reír en vista del accidente de que fué víctima Joaquín. Uno sólo, el hijo del General Canales, que en los primeros días de su servicio había pasado por el mismo lance pesado, no se mezcló con los enemigos del joven sonorense. Indignado de la vergonzosa conducta de Cumplido, se lanzó sobre él, puñal en mano, y a no haber Joaquín acudido a tiempo para sujetar el brazo levantado ya, el mexicano hubiera pagado con la vida su acto de cobardía.

Joaquín declaró que no sufriría que se derramase una sola gota de sangre por su causa; luego, dirigiendo una sonrisa de desprecio a su adversario, montó ligeramente en su caballo, franqueó el muro de un salto y salió de la ciudad.

Poco tiempo después llegó a su pueblo natal, determinado a dejar a un lado todos sus deseos ambiciosos y a vivir dichosa y tranquilamente en los encantadores lugares donde pasara su niñez.

No obstante, en Enero de 1848, Joaquín llegó a San Francisco en busca de su hermano Carlos, que desde muchos años atrás residía en California y que obtuvo de un gobernador generoso, tan frecuentes en aquella época, una concesión de cuatro leguas de tierra. Joaquín no le encontró, ni tuvo noticia de él. En vista de esto, regresó para Sonora, en donde no tardó en casarse con una hermosísima joven llamada Carmen Felix.

Hacía un año que estaba casado, cuando recibió una carta de su hermano suplicándole que a la mayor brevedad fuese a reunirse con él a la Misión de San José, perteneciente a la California.

Carlos añadía que se habían descubierto grandes cantidades de oro en las montañas, y que si quería hacer fortuna, sin pérdida de tiempo debía encaminarse a los placeres.

Joaquín hizo todos los preparativos necesarios para este viaje; pero asuntos de familia y una enfermedad que tuvo su padre, retardaron diez meses su partida.

Entonces se puso en camino, acompañado de su linda mujercita.

Al llegar a San Francisco quedó tan maravillado del cambio que se había operado en aquella ciudad desde su precedente visita, que resolvió pasar en ella algunos días: para ver cómo comprendían la existencia los americanos.

Dos días después de su llegada, estando paseando en una de las ricas casas de juego que había en la plaza, encontró a su hermano.

Este, después de abrazarle tiernamente y de pedirle informes de su familia, le participó que por medio de títulos falsos, los americanos le habían quitado las cuatro leguas de tierra que le fueron concedidas por el gobernador mexicano, y que iba a las minas en busca de un testigo que necesitaba, después de lo cual ambos se embarcarían para México a fin de avistarse personalmente con el concesionario y volver a recobrar el terreno en cuestión, si posible fuere.

Entonces Joaquín manifestó a su hermano que deseaba acompañarlo a las minas, a fin de ver cómo y en qué cantidad se sacaba el oro. Convino en ello Carlos, pero aconsejó a Joaquín que dejase a su mujer en la misión de Dolores, en casa de un antiguo amigo que allí tenía, llamado Manuel Sepúlveda.

El sonorense aceptó la propuesta y al día siguiente él y su hermano fueron a Sacramento, en donde compraron caballos para dirigirse a Hangtown.

Allí encontraron el testigo que Carlos necesitaba. Era éste un joven californio apellidado Flores, que acababa de llegar de un campo minero bastante lejano, para vender una cantidad de oro en polvo.

Carlos le presentó a su hermano, luego los tres entraron en un restaurant mexicano y pidieron de cenar.

Mientras discurrían sobre los alimentos que les sirvieron en la cena, como las tortillas y otros manjares por el estilo, y respecto al robo de que había sido víctima Carlos, dos americanos que habían seguido a Joaquín y a su hermano desde que salieron de San Francisco, entraron en la fonda, pidieron algo que beber en el mostrador, y después de dirigir una mirada al parecer indiferente, sobre nuestros tres personajes, se salieron sin decir una palabra.

Después de la cena, Flores suplicó a Joaquín que le prestase su mula para dar un paseo con Carlos alrededor de la ciudad.

Joaquín se sentía algo indispuesto del cansancio de su viaje; por lo tanto se quedó en casa a fumar un cigarrito, refleccionando sobre las invasiones que más de una vez se habían permitido los yankees en los ricos dominios de México.

Durante la guerra entre México y los Estados Unidos, Joaquín se había hallado en contacto con varios norte-americanos, y aunque no estaba conforme del todo con sus ideas, sin embargo, disgustado de la debilidad de los suyos, algunas veces había sentido no haber nacido en el país de la independencia y libertad.

Comparaba a menudo la pereza, la dejadez, la apatía y el carácter sumido de sus compatriotas, con la energía, actividad y cultura de los americanos, sobre todo con relación a su amor eterno por la libertad; y a no haber ofrecido tantos atractivos su pintoresca y apacible casita situada en uno de los valles más hermosos de Sonora, Joaquín habría abandonado su nacionalidad para siempre, convirtiéndose en ciudadano americano de hecho, cuando ya lo era de corazón, una vez que tanto le repugnaba el despotismo y la falta de lealtad de los gobernantes de México.

De pronto Joaquín fué interrumpido en sus cavilaciones por la gritería salvaje de algunos centenares de mineros que recorrían las calles dando voces descompasadas.

—¡Que se les cuelgue! ¡que se les cuelgue! que se les ponga la cuerda en el pescuezo y que sean juzgados estos mexicanos del infierno, estos ladrones endiablados! . . .

Joaquín se lanzó fuera de la habitación en que se hallaba, a tiempo para presenciar el espectáculo que ofrecían su hermano y Flores, colgados del pescuezo en una de la ramas de un árbol.

Habían sido acusados de robo de caballos por los dos americanos venidos de San Francisco, que aparecían como los propietarios de los animales robados.

Fué tal el furor de la muchedumbre, excitada por los yankees, que las dos víctimas no habían tenido tiempo para justificarse, y todos sus esfuerzos para hacerse oír y probar que los caballos eran de su propiedad legítima, se habían estrellado contra las imprecaciones y gritos salvajes de esa multitud ciega.

Admirado y horrorizado a la vez, Joaquín sólo tuvo valor para echar una mirada sobre el cuerpo inanimado de su hermano Carlos y sobre los grupos de demonios que lo rodeaban, y para cerciorarse de que lo que estaba viendo no era ficción, sino la triste realidad: luego se deshizo en llanto, y sin desanimarse, procuróse una mula y volvió a Sacramento a marchas forzadas llevando en su pecho el deseo de vengarse.

Allí tomó el vapor para San Francisco: a su llegada se dirigió a la Misión, y de allí a la vivienda de Sepúlveda, donde contó a su mujer los detalles relativos al asesinato de su hermano.

La narración de Joaquín hizo palpitar de terror el corazón de la pobre Carmen; pero, con aquel acento que el ardor del sentimiento da a la mujer, la esposa de Joaquín le amonestó para que dejase a un lado sus proyectos de venganza, que podrían serle fatales, esperando que la propia conciencia de los culpables los castigaría tarde ó temprano. Aseguróle que no todos los americanos eran tan depravados, tan sanguinarios como los que se habían constituido en asesinos de su hermano Carlos; y con toda la pasión de un corazón verdaderamente amante, le suplicó que no se dejase arrastrar de sus criminales designios.

Sus lágrimas y súplicas, sus frases de amor y de consuelo produjeron un cambio notable en las intenciones de Joaquín, y dispusieron su espíritu hácia el olvido del mal.

—Sea así, dijo levantándose: todo ha pasado ya. Olvidemos y seamos dichosos. Cuando haya juntado alguna cantidad de oro en polvo, volveremos a nuestra patria y no saldremos de ella nunca más.

Algunos días después Joaquín, acompañado de su mujer, se dirigió a las minas situadas en el río Stanislaus: allí construyó una pequeña casa de madera, y comenzó a lavar la tierra para recoger las partículas auríferas que en ella se encontraban.

En aquel entonces el país estaba invadido por un número considerable de individuos sin fe ni ley que los gobernara, quienes, dándose el nombre de *americanos,* miraban con ojos malignos y profesaban un odio atroz a todos los mexicanos, no viendo en ellos más que una raza conquistada sin derecho ni privilegio alguno, y útil solamente bajo el yugo doméstico ó la férula del esclavo. Esos séres no podían ó no querían vencer la preocupación del color y la antipatía innata de castas, dos principios que son siempre más violentos, más amargos y más vivos entre los pueblos ignorantes: separándose esos principios, ¿qué es lo que hubiera podido excusar plausiblemente su inhumana opresión?

Una banda de esa gente frenética, que se atribuía el privilegio brutal de hacerlo todo a su antojo, se presentó a Joaquín y le intimó que abandonase su *claim,* pues no era permitido a ningún hombre de su raza el trabajar en las minas en aquella región.

Habiendo rehusado Joaquín dejar un lugar que le alentaba con la esperanza de labrarse una fortuna, los más feroces de la pandilla lo dejaron postrado a fuerza de golpearlo con el mango de sus revólvers; y, mientras permanecía tendido en el suelo privado de sus sentidos, se apoderaron de su dulce y amada esposa Carmen, y le quitaron la vida después de haberla violado de la manera más infame que imaginarse puede.

Asesinan a Carmen, mujer de Joaquín, después de haberla violado.

II

El caballo robado.—Castigo inmerecido.
—Primer paso en la carrera del crimen.
—Joaquín organiza una campaña de bandidos.
—Asesinato de Clark en San José.
—Tentativa de asesinato en la persona de un polizonte de Marisville.
—Salida para las montañas de Shasta.

Cuando Joaquín volvió en sí, ya pueden imaginarse nuestros lectores la desesperación, la sed de vengarse que agitaba su pecho. Pero al paso que ese sentimiento le torturaba el alma, se sentía incapaz de luchar por sí sólo contra los asesinos de su mujer y de su hermano. Una imprudencia hubiera podido costarle muy caro.

Resolvió por tanto esperar y sufrir con calma, hasta que se le presentase la oportunidad de poner en ejecución sus planes.

Con ese objeto, en Abril de 1850, se dirigió al condado de Calaveras, é hizo alto en las minas de Murphy's; pronto se cansó del trabajo de las minas y trató de hacer fortuna jugando albures.

El monte es un juego muy en voga en México y es considerado por algunas clases de la sociedad como una de las ocupaciones más honrosas.

Al principio le sonrió la fortuna; pero muy pronto se declaró contra él la tirana suerte de una manera brusca, completa, y entonces Joaquín se lanzó en los sombríos abismos del crimen.

Un día fué no lejos de su campo a ver a uno de sus amigos llamado Valenzuela, y por la noche, volvió a Murphy's montado en un caballo que le había prestado el amigo.

De repente se encontró rodeado de una muchedumbre furiosa que le acusaba de robo: varios individuos decían que el caballo que montaba había sido robado algunas semanas antes.

Joaquín declaró que le habían prestado el animal, tratando al mismo tiempo de convencer a sus acusadores de la honradez de Valenzuela. Pero estos nada escucharon, tomaron al desdichado joven sonorense, lo ataron a un árbol y le dieron de latigazos vergonzosamente delante de todo el mundo.

En seguida la turba salvaje se encaminó a la residencia de Valenzuela, y fué ahorcado, sin darle tiempo ni para disculparse.

Esto fué bastante para provocar un cambio repentino en el carácter de Joaquín; pero uno de esos cambios terribles, implacables y sórdidos a la vez. Su alma apasionada ya no encontró ningún límite; el sentimiento del honor perdió todo su valor en aquel corazón destrozado por la adversidad. Juró desde aquel entonces que no viviría más que para vengarse, y que no dejaría a su paso un solo punto que no fuese regado con la sangre de sus enemigos.

Poco tiempo después del suceso que acabamos de relatar, era una hermosa noche, un americano seguía un sendero situado a corta distancia del pueblo.

Al descender por una quebrada que atravesaba el angosto sendero, encontróse de repente cara a cara con Joaquín. Los ojos de éste despidieron chispas de rabia cual los de un tigre sediento de sangre; todo su cuerpo se agitó con un temblor nervioso.

Durante un minuto, los dos hombres no cesaron de mirarse; por último, Joaquín se avalanzó sobre el viajero, lanzando un grito feroz, y le sepultó su puñal en el pecho.

—¿Qué os he hecho yo? murmuró el americano cayendo al suelo. ¡Perdón! ¡Tened compasión de mí!

—¿La tuvísteis para mí cuando ayudásteis a que me diesen de latigazos delante de una gran multitud de gentes, cuando con la conciencia de vuestra fuerza y protegido por la brutalidad de nuestros compatriotas, os apoderásteis de un hombre inocente, de un *hombre* como vos, de un hombre semejanza de Dios y que posee una alma y un corazón como todos los demás, de un hombre que por sí sólo tiene más honradez que todos vosotros juntos? ¿Y tuvísteis compasión cuando os apoderásteis de ese hombre, y lo apaleásteis y le hicísteis sufrir mil torturas? Cuando vuestros compatriotas colgaron a mi hermano del pescuezo como a un perro, ¿se le hizo gracia alguna? Cuando asesinaron al tesoro más querido que poseía mi corazón, en mi presencia y casi ante mis ojos, y cuando ella pidió perdón a aquellos miserables con voz angelical, arrastrándose a sus pies, ¿tuvieron compasión de la infeliz criatura? ¡Ah! sólo de pensarlo mi corazón se inflama, añadió Joaquín llevando una mano hacia su corazón, mientras que con la otra asestaba otra puñalada a su víctima.

—¡Asesino! murmuró el americano, apoyando un codo en el suelo y dirigiendo su moribunda mirada hácia el terrible Joaquín. ¡Perdón! ¡oh! ¡perdón! . . .

Pero antes de que concluyese la frase, el acero de Joaquín le atravesó el corazón, dejándolo cadáver.

Fuera de sí el sonorense, (tal era la sed de venganza de que estaba poseído), continuó apuñaleando a su víctima, hasta que el cadáver del infeliz americano quedó, materialmente hablando, reducido a añicos.

—¡Ahora, dijo nuestro héroe, mi obra de exterminio ha empezado ya! ¡Adelante!

Y sus dientes se chocaron convulsivamente, se crispó su cuerpo, sus ojos recorrieron con una mirada la inmensidad azul del cielo que estaba suspendido sobre su cabeza; su mano convulsa y agitada apretaba con rabia el puñal que destilaba todavía la sangre de su víctima.

—Hé aquí, continuó diciendo, a uno de mis ofensores tendido a mis pies. ¡Ahora que he enseñado a mi corazón y a mi mano lo que les toca cumplir, juro no descansar ni vivir tranquilo hasta que haya exterminado al último de esos bandidos! ¡Y tú, amada Carmen, tú cuyo espíritu espero que vigile por mí y me proteja, tú también serás vengada, y de una manera terrible! Mi brazo es fuerte ahora para cumplir su obra de destrucción; en lo sucesivo la sangre de los americanos correrá en abundancia y tan limpia como los torrentes de nuestras montañas.

Al día siguiente, el cadáver del americano fué encontrado por algunos mineros, y aunque estaba horriblemente mutilado, le reconocieron como a uno de los hombres que más habían contribuido a hacer maltratar a Joaquín en la escena de los latigazos.

Poco tiempo después, un doctor americano acertó a pasar cerca del lugar donde se había cometido el asesinato, y encontró a dos individuos montados a caballo, que descargaron sobre él sus revolvers.

Merced a la agilidad de sus piernas y a la desigualdad del terreno, el doctor logró escaparse sin otra avería que su sombrero traspasado por una bala.

Si la bala hubiera sido dirigida una pulgada más abajo, era hombre muerto.

Estos hechos aterrorizaron a todos aquellos que habían sido partícipes en el complot contra Joaquín: ya no se aventuraban a salir fuera de la ciudad. Apenas se alejaban a pequeñas distancias en el campo, apenas se animaban a salir a la carretera real, cuando eran asesinados misteriosamente.

A cada instante se recibían informes de haber sido encontrado algún americano asesinado en los caminos ó en los senderos, y siempre se sacaba en limpio que la víctima era alguno de los enemigos de Joaquín.

Una comisión nombrada con motivo de estos frecuentes asesinatos, había declarado al sonorense fuera de la ley; y ya no le quedaba más recurso que seguir la carrera criminal que había emprendido de un modo tan sangriento.

Juzgó necesario para el mejor éxito de su empresa, tener caballos y dinero, lo que no podía obtener de otra manera que añadiendo el robo al asesinato.

De este modo se convirtió en bandido antes de cumplir veinte años.

En 1851 todo el mundo sabía que una pandilla de bandoleros cometía excesos por toda la California, y que su jefe no era otro que el joven Joaquín Murrieta.

Las caravanas eran sorprendidas en los caminos, y se las obligaba a hacer alto y a entregar cuanto tenían consigo; los que viajaban por las regiones salvajes y solitarias, eran arrancados violentamente de la grupa de sus caballos por medio del lazo, y asesinados en los matorrales; los caballos desaparecían de los ranchos; en una palabra, todo el Estado se hallaba conmovido en presencia del pillaje y la devastación que causaba la partida de bandidos de Joaquín.

La inteligencia superior y la educación que Joaquín poseía, habían bastado para que fuese respetado por sus camaradas.

Además, se valió para el logro de sus planes, de la preocupación que existía entre los mexicanos contra los yankees, debida en parte a las desastrosas consecuencias que para los primeros produjo la guerra de México; así, pues, muy pronto se vió rodeado de una multitud de sus compatriotas, cuyo número aumentaba de día en día con la fama de sus hazañas.

Entre los que se reunieron con Joaquín, distinguíase sobre todos los demás un joven llamado Reinaldo Felix, hermano de la mujer de nuestro héroe, el cual tenía tantos deseos de vengar en los americanos el asesinato de su hermana, como el mismo Joaquín. Felix fué nombrado subteniente de la pandilla, y más de una vez se hizo notable al frente de un destacamento, y al lado de Jack Tres-Dedos, jefe que se había afiliado bajo el estandarte de Joaquín, alhagado por la fama de sus proezas.

Jack era una fiera disfrazada de hombre, y se le conocía en México bajo el nombre de Manuel García. Durante la guerra de México, perdió un dedo en una escaramuza habida entre mexicanos y americanos: de aquí le venía el apodo con que era conocido en California. Este sujeto fué quien sorprendió a dos americanos en el camigo entre Sonora y Bodega, los desnudó, los martirizó cruelmente cosiéndolos a puñaladas, les cortó la lengua y les sacó los ojos, y después quemó sus cadáveres todavía palpitantes.

De los satélites de Joaquín, citaremos a Pedro González, Luis Guerra, Juan Cardoza y Joaquín Valenzuela, todos hombres valientes, astutos, acostumbrados a la fatiga y ardiendo en deseos de venganza.

González, que tenía el mérito de conocer muy bien los caballos ¡había robado tantos! se encargó de proveer a la compañía de cabalgaduras. A más, servía de espía, y a cualquier lugar que se dirigía la pandilla, nuestro hombre daba detalles exactos de la situación de los pueblos circunvecinos.

Valenzuela era hermano del sujeto que fué ahorcado el mismo día que dieron latigazos a Joaquín: había servido por mucho tiempo en México en compañía de Guerra, a las órdenes de un bandido muy conocido, guerrillero y monje a la vez, llamado el padre Jarauta.

En la época que pasaban los sucesos que estamos narrando, la banda de Joaquín se componía de cuarenta y cinco hombres cuando menos, y a cada rato le llegaban refuerzos de la Baja California y de Sonora.

A la cabeza de esta poderosa reunión de perdonavidas, Joaquín asoló el Estado durante el año de 1851, sin que las muchas personas que lo trataban amistosamente, llegasen ni siquiera a imaginarse, al verle frecuentemente en sus pueblos, que aquel hombre tenía la más mínima parte en los sucesos que iban refiriéndose de boca en boca y que tenían consternados a los habitantes de California.

A veces permanecía varias semanas en un mismo pueblo, dedicándose al juego, sin que nadie fuese capaz de adivinar su verdadero carácter.

En el verano de 1851, Joaquín habitaba en un punto retirado del pueblo de San José: una noche fué preso por haberse hallado complicado en una pendencia que hubo en una de las casas de un baile llamado comunmente de los *fandangos*.

Presentado ante un magistrado, fué multado en doce pesos.

Al ponerlo en libertad, suplicó al sheriff Clark, que estaba encargado de su custodia, que lo acompañase hasta su casa y le daría los 12 pesos juntos, con una gratificación, por la molestia.

Joaquín y el sheriff emprendieron la marcha hablando amistosamente; pero al llegar al borde de un jaral, el bandido sacó su puñal, diciendo a Clark que lo había llevado allí para matarlo, y antes que éste pudiera hacer uso de su revolver, le atravesó el corazón de una puñalada.

Clark había llegado a inspirar recelo a la pandilla de Joaquín, a consecuencia de la vigilancia que ejercía sobre sus individuos: varias veces había intentado arrestar a algunos de ellos, y por eso el jefe aprovechó la oportunidad que se le presentaba de desembarazarse de él.

Algunos meses después, Joaquín se estableció cerca de un grupo de tiendas de campaña y de barracas conocidas con el nombre de *campo de los sonorenses,* situado a cuatro ó cinco millas de Marysville.

Muy pronto ya no se hablaba en aquel punto de otra cosa que de los frecuentes y diabólicos asesinatos que tenían lugar.

Desde el 7 hasta el 12 de Noviembre de 1851 fueron asesinadas no menos de once personas, en un país que sólo tendrá unas doce millas de longitud; todos estos crímenes eran cometidos por la banda de Joaquín.

Algunos ciudadanos de Marysville se alarmaron al oír lo que estaba pasando casi a las puertas de aquella ciudad y se organizó inmediatamente una compañía para salir al encuentro de los autores de tan nefandos crímenes, con la esperanza de agarrarlos y entregarlos a la justicia.

La compañía hizo todas las investigaciones que creyó necesarias, y lo único que consiguió fué el descubrimiento de seis cadáveres más, no lejos de Honcut-Creek, los cuales conservaban aún las señales visibles de que la muerte había sido causada por medio de la extrangulación del lazo.

Después de haber recorrido todo el condado de Yuba, sin haber hallado ni siquiera el rastro de los asesinos, sus perseguidores volvieron a Marysville, sintiendo mucho no haber podido cumplir satisfactoriamente su misión.

Al día siguiente se supo que varios individuos habían sido matados y robados cerca de Bidwell's Bar, lo que consternó a todo el pueblo.

El temor era general, y nadie osaba viajar por los caminos públicos.

Finalmente, las sospechas recayeron sobre el campo de los sonorenses, ocupado exclusivamente por los mexicanos, muchos de los cuales poseían valiosos caballos, magníficos sarapes, gran cantidad de alhajas y mucho oro, sin apariencia de que se ocupasen en hacer algo.

Una noche en que la luna resplandecía con toda su belleza, el sheeriff de Yuba, Mr. Buchanan, acompañado de Elke Bowen, se encaminaron al campo sonorense, para reconocer el lugar y arrestar a tres individuos sospechosos que se ocultaban en aquellos contornos.

Al franquear una empalizada, cuatro mexicanos lo atacaron por detrás, y el sheriff fué malamente herido por una bala de revolver que le atravesó el cuerpo de parte a parte.

Los mexicanos huyeron. Buchanan fué conducido a Marysville, donde su vida estuvo en peligro por algún tiempo; después se restableció de su herida.

Ya entonces los bandidos trataron de salir de la vecindad de Marysville, lo más pronto posible.

Retirándose hacia la costa occidental de las montañas de Shasta, manteniéndose por espacio de algunos meses en su actitud salvaje, y no apareciendo en los valles más que una que otra vez y esto solamente para proveerse de guarniciones para sus caballos.

En esta región solitaria, visitada primeramente por algunos mineros, no dejaron de encontrarse algunos esqueletos humanos. Los unos no tenían señal alguna que pudiese indicar de qué manera habían muerto, pero en otros se distinguían perfectamente las huellas de las balas de revolver que los condujeron al otro mundo de un modo misterioso.

III

Viaje a Sonora. — Nuevo casamiento. — Vuelta a la California.
— El cuartel general. —Llegada a Mokelumne Hill.
—Rasgo de audacia en una casa de juego.

En los primeros días de la primavera de 1852, Joaquín y su pandilla bajaron de las montañas, trayendo con ellos cerca de trescientos caballos robados durante el invierno. Los llevaron al Estado de Sonora, atravesando la parte meridional de California, teniendo buen cuidado de viajar solamente de noche; allí los vendieron.

Algunas semanas después, nuestros hombres volvieron a California, estableciendo su cuartel general en un magnífico punto cubierto de forraje y conocido con el nombre de Arroyo Cantova.

Erase un valle de siete a ocho mil acres de extensión, fértil, con agua en abundancia y defendido por una cadena de montañas que no tenía más paso que una pequeña angostura, en la cual pocos hombres decididos podían defenderse contra un ejército colosal.

Este rico y delicioso valle estaba situado entre los pasos del Tejón y de Pacheco, al Este de la gran cadena de montañas y al Oeste del lago de Tulares. Por su posición topográfica este punto es a apropósito para una retirada, tanto más cuanto que no hay ni una sola habitación a cincuenta leguas a la redonda. La caza en él es muy abundante: el oso, el alce, el antílope, la corza, la codorniz, el gallo silvestre y otros muchos animales más pequeños parecen colocados allí expresamente para alimentar al hombre. El lugar, pues, que escogieron Joaquín y su partida para asentar sus reales, no podía ser más a propósito.

En medio de un grupo de espesos robles siempre verdes, fijó su residencia Joaquín.

Más de una vez se veía recostado el jefe de bandidos sobre la menuda yerba de que había adornado la naturaleza aquel ameno valle, teniendo a su lado una hermosa y simpática joven que había conquistado en Sonora, cuando él y su pandilla fueron allí a vender los caballos robados.

Joaquín Murrieta

Clarita,—así se llamaba la agraciada niña—era hija de don Sebastián Valero, grande de España, que después de haber perdido pródigamente su fortuna, se había retirado a México con un pequeño capital y había comprado un pedazo de tierra contiguo al rancho del padre de Joaquín.

La primera vez que se vieron Clarita y Joaquín, aquella sólo contaba diez años y nuestro héroe trece. La primera, sin embargo con su instinto femenino, no dejó pasar inadvertidas las bellas formas y hermoso rostro del joven, ni menos su aire marcial al montar a caballo; así pues, cada vez que se encontraban, Clarita lanzaba al sonorense tiernas y apasionadas miradas; pero el joven Joaquín sólo correspondía a aquellas demostraciones de cariño con la indiferencia. Clarita se hallaba verdaderamente enamorada de nuestro joven y en su imaginación ardiente se forjaba mil ideas románticas, que no se desvanecían al observar el positivismo de Joaquín.

Algunos años después, al salir Joaquín del hogar paterno con la mujer que había elegido por esposa, y cuando dijo adiós a todos sus deudos y allegados, Clarita puso en uno de los dedos del joven una sortija de oro, retirándose en seguida para llorar en silencio y aliviarse del peso que oprimía su corazón.

Joaquín sólo vió en aquel regalo una prueba de simpatía hácia su mujer, y se apresuró a dárselo; pero Carmen vió en él otra idea muy distinta y suplicó a su marido que lo llevase siempre en prueba de su amor. Carmen supuso que la joven española había regalado a su esposo aquel anillo en prueba de su amistad, y que sería ofenderla si violase su deseo. Suponía además que era una especie de talismán que podía serle útil en un momento de peligro; la sencillez de Carmen conservaba aún ciertos resabios de la antigua superstición española.

—No sería extraño, dijo a su marido, que este anillo tuviese algún poder secreto, y tal vez podría hacerte falta en la hora del peligro.

Joaquín se sonrió con ironía; pero desde entonces no dejó de llevar consigo su pretendido talismán, hasta su muerte.

Sólo una vez se olvidó de ponérselo; el día en que fué tratado tan ignominiosamente en el campo de Murphy. El anillo se le había olvidado en su cuarto, en medio de otras alhajas; después no cesó de llevarlo consigo.

Cuando Joaquín regresó a Sonora, Clarita observó que el talismán se hallaba siempre en el mismo lugar: creyóse amada de nuestro héroe y le declaró su pasión.

Durante su permanencia en California, Joaquín había tenido al corriente a su familia de todos los acontecimientos que formaban parte de su historia. Clarita sabía ya que su mujer había muerto, y que él era un célebre bandido; pero a pesar de todo, ella le amaba con ternura y con toda la pasión de las jóvenes mexicanas.

Al principio Joaquín se contentó con admirar la inocencia y candidez que desplegaba la joven para probarle su pasión; pero pronto cedió a la influencia de los bellos ojos de Clarita, y concluyó por arrojarse a sus pies declarándole que su primer amor no había sido más que la fantasía de una alma joven, y que por vez primera se hallaba fascinado por una pasión tan pura como violenta.

De esta manera se hizo pronto dueño de una amiga fiel, y cuando ambos jóvenes vinieron a sentarse bajo el verde follaje, a la sombra de los encinos del arroyo Cantova, ya había sido olvidado el nombre de la pobre Carmen y toda su ternura, fidelidad y amor.

Los bandidos permanecieron algunas semanas en el cuartel general, y después Joaquín los dividió en varios destacamentos. Su pandilla se componía entonces de setenta y cinco individuos. Dió el mando de los destacamentos a Valenzuela, a Luis Guerra y a Jack Tres-Dedos, mandándolos a distintos puntos con orden de ocuparse solamente en el robo de caballos y mulas, pues tenía un plan en espectativa para el cual se necesitaban de mil quinientos a dos mil de esos animales.

Joaquín salió por otro lado, acompañado de Reinaldo, Felix, Juan Cardoza y Pedro González.

Iban con ellos tres mujeres disfrazadas de hombres y armadas hasta los dientes: una de ellas era la querida de Joaquín, las otras dos las mujeres de González y de Felix. Todos los que formaban parte de esta expedición iban muy bien montados, pero únicamente el jefe sabía el objeto de ella.

Al llegar a Mokelumne Hill, condado de Calaveras, se mezclaron con los mexicanos que allí habitaban, y que eran amigos suyos; cuando visitaban las casas de juego ó se paseaban por la ciudad, nadie hubiera sido capaz de distinguirlos de los demás habitantes de su misma raza.

Corría el mes de Abril de 1852.

Las mujeres se habían vuelto a poner los trajes de su sexo, y todos admiraban su modestia y su conducta intachable.

Los hombres salían de cuando en cuando montados en sus caballos, y recorrían un espacio de varias millas, después de lo cual volvían a sus casas, donde eran aguardados con impaciencia por sus fieles compañeras. Joaquín tenía todas las apariencias de un jugador elegante y afortunado y la vida que llevaba confirmaba al público en esa opinión.

Mientras tanto, los otros destacamentos desempeñaban con ardor, cada uno por su lado, la misión que les confiara Joaquín: éste veía cada día en los periódicos que la mayor parte de los ranchos del Sud habían sido despojados de sus caballos y mulas. Los papeles achacaban a Joaquín todos esos robos.

En todos los asesinatos y robos en que había figurado personalmente Joaquín, siempre apareció con un traje distinto; de este modo nadie era capaz de conocerle; y si alguno lo hubiese hallado en un camino y por casualidad lo volviese a ver en algún pueblo, jamás hubiera llegado a imaginarse que era el mismo hombre, tal era el cambio que en él se operaba por medio del disfraz.

Varias veces se había mezclado en los corrillos y escuchado conversaciones que le atañían, riéndose entre sí al oír las suposiciones de que era objeto con respecto a su pandilla y al género de vida que llevaban él y sus compañeros.

Después de haber estado en Mokelumne Hill todo el tiempo que juzgó necesario, se dispuso a partir.

Iba a entrar el 1º de Mayo.

A media noche, todo estaba dispuesto para la partida: antes de salir, Joaquín, para no perder la costumbre, visitó las casas de juego y las cantinas, establecimientos que figuraban en primera línea en la época que ocurrían los sucesos que estamos contando.

Hallábase sentado en una mesa de monte, sobre la cual había amontonado con negligencia una pequeña cantidad de plata con objeto de matar el tiempo, cuando de repente fué distraído del juego por una persona que pronunciaba su nombre, enfrente del mismo lugar donde estaba sentado.

Su vista se fijó sobre cuatro ó cinco americanos que se ocupaban de él con calor, si bien en voz baja.

Uno de ellos, hombre alto y robusto, y que tenía un puñal y un revólver en su cintura, declaró que su mayor deseo era encontrarse frente a frente con Joaquín: que llegado ese caso, lo mataría con la misma presteza que si se tratase de una serpiente.

Al oír estas palabras el audaz bandido se lanzó sobre la mesa de monte, y delante de todo el mundo sacó de su cintura un revólver de seis tiros, y con el pecho descubierto, sin más defensa que su brazo desplegado, dijo a la muchedumbre que lo rodeaba:

—¡Yo soy Joaquín Murrieta! ¡Si alguno de vosotros quiere matarme, se le presenta la oportunidad de hacerlo! ¡Apuesto que no disparáis ni un balazo!

El movimiento del joven había sido tan súbito, tan inesperado, que todos permanecieron en silencio, como petrificados.

Aprovechando la consternación y la confusión de que todos estaban poseídos, Joaquín se embozó en su manta y salió del salón con la rapidez del relámpago, montando a caballo y huyendo a todo escape.

Pocos instantes bastaron para que los jugadores volviesen en sí de su estupor y recobrasen su valor natural: Joaquín oyó silbar las balas de revólver que le enviaban desde el salón, pero afortunadamente ninguna le hizo mella, y los tiradores recibieron en cambio de la pólvora y el plomo gastados, algunas palabras de desprecio y provocación que profirió nuestro héroe por vía de burla al retirarse tranquilamente de la población.

IV

La cita.—*Joaquín se fastidia y vuelve a las andadas.*
—Asesinato de un carretero. —Encuentro con el famoso Bill Miller.
—El capitán Harry Love persigue a Joaquín.
—Éste y los suyos son hechos prisioneros por los indios.
—Se les restituye la libertad después de haber sido despojados y robados.

Cuando Joaquín llegó al arroyo Cantova, punto convenido de antemano para reunirse, encontró de tres a cuatrocientos caballos traídos por sus compañeros; éstos estaban acampados aguardando nuevas órdenes. El jefe despachó unos cuantos con la misión de llevar las bestias a Sonora para más seguridad; al mismo tiempo mandó entregar a uno de sus confidentes secretos, residente en aquel Estado, la cantidad de cinco mil pesos.

A fines de Mayo, empezó a fastidiarse: la inactividad lo corroía. Volvió a emprender sus excursiones por los caminos carreteros, acompañado siempre de González, Felix, Cardoza y las tres mujeres, quienes montadas en magníficos caballos, formaban el más lindo trío de ginetes que joven alguna ha llegado jamás a imaginarse.

En los diez primeros días, sólo encontraron algunos viajeros pobres que se dirigían a las minas a pié: la bolsa de Joaquín, pues, se bailaba ya muy exhausta, por lo cual resolvió caer sobre el primer individuo que encontrase con apariencias de llevar algún dinero.

Al caer la noche apareció un joven llamado Allen Ruddel, que guiaba un convoy de provisiones.

Joaquín dejó a sus amigos atrás, hizo galopar su caballo en dirección a Ruddel, y cortando el llano, lo abordó de frente y le suplicó que le *prestase* todo el dinero que traía consigo.

Engañado tal vez por el rostro juvenil de su interlocutor, el carretero creyó habérselas con un salteador de caminos, novicio en el oficio; así, pues, respondió a su interpelación con una sonrisa burlona, y apretó el paso a sus caballos.

Joaquín se encaminó hacia él, y sacando su revólver, le dijo en tono brusco y perentorio que se parase.

Ruddell comenzó a temblar y obedeció.

—Ahora, amigo, dijo Joaquín con voz más suave, sólo deseo que me *prestéis* vuestro dinero, pues aunque soy ladrón, no me gusta despojar a un pobre trabajador, y os juro por mi nombre de Joaquín, que os devolveré lo que me hayáis prestado.

Ruddel, en vez de responder, hizo un movimiento súbito para sacar su revólver.

Joaquín lo contuvo:

—Vamos, díjole, no hagáis una locura. Yo no me encuentro sin dinero muy a menudo, y podeis contar con mi palabra. No quiero mataros, pero si me amenazais con vuestro revólver, os quitaré la vida irremediablemente.

Ruddel no escuchó el consejo que le daba Joaquín; pero séase efecto del miedo que tenía, ó de que su revólver encontrase algún obstáculo al sacarlo, lo cierto es que no pudo armarse a tiempo.

En aquel instante llegaba al trote Reinaldo Felix para advertir a su jefe que se despachara, pues que dos hombres bien montados se dirigían hacia él.

Joaquín volvió a colocar el revólver que había sacado ya de su bolsa, pronunciando un juramento; luego sacó de su cintura un gran puñal, y dió una puñalada al carretero, que cayó de su silla, cadáver ya.

Ruddel llevaba consigo cuatrocientos pesos.

Joaquín dejó el cadaver en el camino, fué a reunirse con sus compañeros, y volvieron a emprender la marcha.

Hacía apenas cinco minutos del suceso, cuando los dos ginetes anunciados aparecieron en el camino. Entonces dijo Joaquín:

—Vamos a ver a ahora, cuánto dinero traen estos marchantes, y juro que esta vez no se burlarán de mi.

Un pequeño espolazo hizo adelantar su caballo de los demás. Revólver en mano y con la puntería hacia los viajeros, el joven bandido les ordenó que hiciesen alto. Los caballos, detenidos violentamente por la brida, se encabritaron, y uno de los ginetes contestó riéndose:

—¡Qué, Joaquín! ¿ya no me conoces? ¿te has olvidado de Bill Miller?

—¡Diablo! ¡es verdad! dijo Joaquín sonriendo: ahora me acuerdo. Parece que andas muy bien montado.

—¡Oh! sí, bastante bien. Ya sabes que escojo mis bestias en el valle de Sacramento. Actualmente estoy persiguiendo una expedición de ganado lanar en este hermoso país: mis fondos son muy cortos, por lo cual me veo precisado a hacer dinero lo más pronto posible.

—¿De veras, Bill? ¡Bien! Tú eres americano pero para mi has sido siempre un amigo: si un centenar de pesos puede servirte de algo, aquí los tienes, tómalos.

—Gracias, dijo Bill tomando aquella. Cantidad, hé aquí una verdadera fortuna. Ahora te dejo: ¡buena suerte, y hasta la vista!

—Adiós, amigo, respondió Joaquín, y que tengas tan buena suerte como siempre.

Después de eso las dos compañías se dirigieron cada una por su lado.

En aquella época había un capitán llamado Harry Love, que tuvo la idea de organizar, a sus expensas y bajo su propia responsabilidad, una pequeña compañía para seguir al atrevido Joaquín.

Desde joven, el capitán Love había siempre viajado y soportado todo género de fatigas. Había prestado muy buenos servicios en la guerra de México, como portador de los despachos cambiados entre los cuerpos militares, y esto en medio de los lugares más salvajes y más peligrosos del país enemigo. Con una sangre fría a toda prueba en la hora del peligro y una habilidad particular en el manejo del puñal, el revólver ó el rifle, el capitán Love era el hombre más a propósito para encararse con un adversario tan temible como Joaquín.

Después del asesinato de Alle Ruddel, el capitán Harry Love siguió las huellas del bandido, persiguiéndole hasta el rancho de San Luis Gonzaga, que sabía que ordinariamente servía de guarida a la compañía de bandidos.

Llegó allí de noche, é informado por un espía que había apostado en aquel lugar, de que los que buscaba se hallaban en una tienda de campaña al otro lado del rancho, dirigióse cautelosamente de aquel lado, al frente de sus hombres.

Antes de que hubiese llegado al umbral de la puerta, una mujer que habitaba en una cabaña contigua dió la alarma, y más listos que un galgo, Joaquín, Felix, González y Cardoza cortaron la tela de la parte inferior de su tienda y se escaparon, protegidos por la oscuridad de la noche.

Cuando Harry Love llegó allí se encontró delante de cuatro ó cinco mujeres, tres de las cuales eran las queridas de los bandidos: el capitán lo ignoraba, pues de otro modo se hubiera apoderado de ellas, y habría compelido a sus adversarios a dejarse ver.

Harry Love tenía otros negocios a qué atender, de consiguiente no juzgó conveniente continuar la persecución: por una vez más los bandidos escaparon sólo con el susto.

Después de abrirse paso en medio de su cabaña, los salteadores se dirigieron en línea recta hacia el lugar que se llama Orris Timbers, situado a unas ocho millas del rancho de San Luis: allí se robaron cosa de treinta caballos lindísimos, los que llevaron a las montañas vecinas.

La siguiente noche volvieron al lado de sus compañeras, éstas se disfrazaron apresuradamente, y se lanzaron todos al galope hacia los montes, donde hicieron alto hasta el día siguiente; después ese mismo día se dirigieron a los Angeles por el llano de Tulares, arriando delante de ellos las bestias robadas.

Al llegar al país de los indios tejones, los bandidos acamparon en el borde de un riachuelo distante como a cinco millas de las principales barracas de la tribu.

Todas las apariencias demostraban que nada había que temer de aquellas gentes inofensivas: así, pues, dejáronse las armas y se resolvió descansar y divertirse algunos días.

Sin embargo, un indio se había aproximado al campo de los mexicanos, y observando su porte elegante, sus alhajas y los hermosos caballos que pacían a su alrededor, corrió a toda prisa a la capital indiana para dar cuenta al viejo jefe Sappatara.

Excitado por su concupicencia, Sappatara vió en ello un favor del Grande Espíritu, que enviaba aquellas riquezas a su territorio para bien de su tribu, y resolvió apropiárselas.

Una noche, mientras Murrieta, González y Felix reposaban tranquilamente a la sombra de unos robles, al lado de sus queridas, sin imaginarse ni por asomo el peligro que les amenazaba, y en tanto que Cardoza, tendido perezosamente sobre la yerba, vigilaba los caballos que pacían a corta distancia, viéronse rodeados de improviso por un número formidable de indios, que los ataron fuertemente con grandes correas de cuero.

Los indios estaban gozosísimos al pensar en el buen éxito que había coronado su empresa: en efecto, si los bandidos hubiesen opuesto la más débil resistencia, si solamente hubiesen visto los indios un puñal ó un revólver, habrían corrido con la ligereza del antílope. Conducida nuestra gente al lugar que servía de morada al jefe indio, fueron despojados de sus alhajas y de sus vestidos, permitiéndoles solamente, para guardar su modestia, cubrirse con algunos trozos de frazadas que estaban tiradas por el suelo.

Los bandidos dejaron en poder de los ladrones indios, cuatro mil pesos en oro y más de dos mil pesos en alhajas, sin contar el peligro en que se hallaban de perder la vida a cada rato.

Por espacio de ocho días los tuvo prisioneros de guerra el viejo jefe, devanándose los sesos para ver si los hacía fusilar, colgar, ahogar ó quemar: en fin, creyendo que ya habían pagado con creces la temeridad de haber invadido su territorio, el viejo Sappatara les dirigió un largo discurso, en el cual se extendió sobre la enormidad y el número de crímenes que debían de haber cometido para hallarse en posesión de un número tan considerable de oro y alhajas; después los hizo escoltar hasta los confines de sus dominios por un destacamento de indios armados con los puñales y los revólvers robados a los mexicanos, los cuales no tuvieron otro recurso que alejarse de aquellos sitios, completamente derrotados.

V

Joaquín había soportado su cautiverio con la mayor resignación, no habiendo podido menos que reírse de su ridícula posición. Admirábase de que los indios tejones, tan poco guerreros por naturaleza, hubiesen tenido suficiente valor para llevar a cabo con tan buen éxito aquella empresa.

Después de haber andado dos días, la pequeña compañía llegó a la entrada del paso del Tejón, situada a algunas millas del rancho de San Francisco: allí la casualidad les deparó a uno de los suyos llamado Jim Mountain, quien informado por los mismos bandidos de la aventura que les aconteciera, volvió inmediatamente al rancho y pronto trajo los vestidos necesarios para Joaquín y sus compañeros: también les suministró tres caballos. Uno de estos, negro y hermosísimo, y bien guarnecido, fué presentado al jefe, junto con un revólver de Colt y un puñal.

Joaquín, algunos momentos antes fugitivo y sin defensa, se encontró de improviso vestido, calzado, bien montado y mejor armado; en una palabra, transformado en poderoso y temible bandido, merced a los recursos de la asociación formada y dirigida por su genio organizador.

Todo listo, Joaquín, Felix y González montaron a caballo, colocó cada uno a su querida en la grupa, y se lanzaron al galope en dirección a San Gabriel.

Cardoza los seguía a pie.

Cuando llegaron a San Gabriel, estaba ya muy avanzada la noche.

Habiéndose dirigido al lugar en que ordinariamente se reunían, nuestros hombres tuvieron allí el encuentro inesperado de Guerra, Valenzuela y sus pandillas.

Estos habían vuelto de Sonora antes de lo que crían, y no habiendo hallado a su jefe en Arroyo Cantova, prefirieron lanzarse a una expedición de salteo, más bien que estar sin hacer nada.

Después de su regreso, habían cometido numerosas depredaciones en las inmediaciones de San Gabriel; pero habían sido perseguidos por el Gral. Bean, que empleaba todas sus fuerzas para capturarlos: muy a menudo el General había tenido que huir a toda prisa para no ser capturado él mismo por los bandidos, ó enviado al otro mundo de un balazo.

—Es preciso que muera ese hombre, dijo Joaquín. Se ha hecho peligroso para nosotros, y debemos desembarazarnos de él antes de abandonar este punto. Todos apoyaron las palabras de su capitán.

Después, la conversación versó sobre el viaje a la Sonora.

Los bandidos hicieron saber a su jefe que los caballos habían sido puestos en el rancho que él indicó.

La pandilla se hallaba bien provista de comestibles, frazadas, licores y cigarritos; por lo tanto se resolvió permanecer dos ó tres semanas en el campamento. Durante ese tiempo, González y Cardoza, habían sido mandados por su jefe con una comisión particular al rancho de San Buenaventura. Sabido es que en este rancho se refugiaba Joaquín, cuando lo juzgaba necesario.

Algunos días después, el Capitán Harry Love, en aquel entonces diputado sheriff del condado de Los Angeles, que conocía personalmente a González, lo vió con Cardoza en la raya de San Buenaventura, y en seguida trató de tomarlos prisioneros y entregarlos a la justicia.

Después de haber expiado sus pasos con la mayor paciencia, vió[6] que entraban en una pequeña pulpería, situada en un camino que desemboca en las montañas.

El capitán se colocó detrás de una roca y aguardó que saliesen de la tienda.

Habiendo transcurrido veinte minutos, el capitán Love, salió de su escondrijo y se encaminó a la pulpería.

Ya estaba cerca de ella cuando Cardoza salió, pero solo, y tomó el camino de la montaña.

Harry Love se lanzó sobre él.

Pero el atrevido bandido se escapó de sus manos, y echó a correr ligero como una corza.

El capitán le disparó dos pistoletazos: una de las balas le rozó el cráneo, la otra fué a dar contra una roca que ocultó al fugitivo, y desapareció.

El capitán que no deseaba esencialmente prender a Cardoza, sino que más bien prefería apoderarse de González, a quien conocía como un gran pícaro, dirigió toda su atención hacia éste. Entró en la pulpería pistola en mano, aguardando una feroz resistencia, pero su admiración fué grande al encontrar al bandido ébrio como una uva, lo que le permitió desarmarlo a su sabor. Media hora después, los dos se dirigían por el camino de Los Angeles. Cardoza los vió de lejos y corriendo fué a dar parte del arresto a su jefe.

Este, acompañado de Jim Mountain y de la pandilla de Valenzuela, salió apresuradamente con objeto de rodear a Love y salvar la vida a su valiente camarada.

Anduvieron, mejor dicho, corrieron toda la noche, y al amanecer apercibieron al prisionero y a su guardián.

González, viendo el socorro que le llegaba, agitó su pañuelo en el aire.

Love comprendió entonces el peligro que le amenazaba viajando solo con un compañero tan peligroso, y viendo la señal que éste hacía, sacó su revólver y disparó un balazo a su prisionero: la bala fué a perderse en el corazón de González.

Love lanzó una mirada hacia atrás, y vió en medio de una nube de polvo, una partida de ginetes rápidos como el viento, que se dirigían de su lado: juzgó prudente, pues, alejarse a marchas dobles, lo que hizo espoleando el vientre de su caballo algo más de lo regular.

Algunos minutos después, los bandidos se pararon en el lugar donde había caído González, y al ver su cadáver, un grito de rabia y de desesperación se escapó de todos los labios.

Ya no había remedio: el cadáver fué abandonado y la pandilla volvió a San Gabriel, en donde supo Joaquín que Jack Tres-Dedos y su destacamento se hallaban en Los Angeles; también tuvo noticia de que el capitán Wilson, diputado sheriff del condado de Santa Bárbara había estado en San Gabriel la noche anterior con objeto de buscar al jefe superior de bandidos, que había jurado coger muerto ó vivo.

Apurado por ver a Jack Tres-Dedos, Joaquín tomó dos de los hombres más fuertes de su comitiva y se encaminó con ellos a Los Angeles, en donde encontró a su subteniente. Este le hizo saber que a diez millas de San Gabriel, había incendiado una casa, cuyos habitantes habían sido asesinados uno después de otro, al huir para escapar de las llamas.

Joaquín permaneció varios días en Los Angeles, guardando el incógnito.

Una noche había salido a dar una vuelta, cuando supo que el capitán Wilson se hallaba alojado en el primer hotel de la ciudad, y que hablaba abiertamente de su propósito de acabar con el jefe de bandidos, tan famoso en aquella comarca.

La noche siguiente se trabó una disputa en frente del hotel, y la gente se dirigió hacia aquel punto para presenciar un combate a muerte entre dos mineros indios.

Wilson se mezcló entre la demás gente, para ser espectador de una escena tan agradable.

De repente se le presentó un sujeto, montado en regla, y murmuró a su oído:

—¡Yo soy Joaquín Murrieta!

Sorprendido el capitán, levantó la cabeza pero apenas había operado ese movimiento; cuando recibió una bala que le dejó tendido en el suelo.

En seguida el atrevido bandido espoleó su caballo y desapareció.

La pelea de los indios era un pretexto inventado por Jack Tres-Dedos, para que Wilson saliese del hotel y Joaquín pudiese desembarazarse de aquel enemigo.

Después de haber tenido una corta conferencia con sus subtenientes, el joven bandido mandó a Valenzuela y su pandilla, a Jim Mountain y Cardoza, al condado de San Diego.

Llevaban órdenes para apoderarse de todos los caballos que encontrasen y conducirlos al cuartel general de Arroyo Cantova.

Mientras tanto, Joaquín debía volver a San Gabriel con Jack Tres-Dedos y algunos otros.

Una semana después, Luis Guerra, que había sido comisionado para espiar los movimientos del Gral. Bean, vióle salir una noche de su residencia de San Gabriel y dirigirse a caballo hacia una propiedad privada situada a algunas millas de aquel lugar.

Joaquín, Guerra y Jack Tres-Dedos, se lanzaron en persona hacia allí, emboscándose en el camino, a una milla de distancia poco más ó menos de la casa.

Al aparecer el General, los bandidos lo sorprendieron, sin darle tiempo para hacer uso de las armas que llevaba consigo. Guerra y Jack Tres-Dedos, lo arrancaron de la silla de su caballo, mientras que Joaquín le sepultó dos veces un puñal en el corazón, dejándole tendido a sus pies.

Jack Tres-Dedos, quiso además satisfacer sus instintos brutales en el cadáver del malogrado General Bean; sacó su revólver y le disparó tres pistoletazos en la cabeza.

Concluida esta terrible ejecución, Joaquín reunió su pandilla y avanzó hacia el Norte, en el condado de Calaveras, dejando huellas de su paso por medio de un sinnúmero de robos que cometió.

Cuando llegó al pueblo de Jackson, era a fines de Agosto de 1852.

Una noche se paseaba solo por un camino cuando se encontró con un sujeto llamado Joseph Lake, a quien había conocido antes de ser bandido. Trabajaron juntos en las minas del río Stanislaus, y habían vivido por mucho tiempo en la mayor intimidad.

Después de haberle saludado amistosamente, Joaquín tomó la misma dirección, y durante algunos minutos marchó al lado de Lake mudo y silencioso.

A poco rato golpeó ligeramente con su mano el hombro de su compañero, y le dijo con voz algo conmovida:

—Joe, sabéis lo que he sido antes y lo que soy ahora pero lo juro ante el cielo, sólo la injusticia y la tiranía, me han conducido al lugar que ahora ocupo. No os pido por hoy ni vuestro aprecio ni vuestra estimación, pues sois un hombre honrado; pero os exijo un favor, y es que no me traicioneis a los ojos de los que ignoran mi nombre y mi carácter.

—Joaquín, respondió el interpelado, es cierto que en otra época estábamos ligados por los lazos de la amistad, al extremo que cualquiera hubiera creído que éramos hermanos. A la fecha todavía continuaríamos lo mismo, si no os hubiéseis separado del buen camino; pero ahora hay entre nosotros el inmenso abismo del deshonor, y el lazo que nos unía, ha sido roto para siempre.

—Lo que acabais de decir, es justo, Joe, respondió Joaquín, pero no por eso debéis traicionarme. A pesar de que los americanos son mis enemigos, yo *os aprecio,* en recuerdo de lo pasado, y me pesaría mucho tener que mataros: sin embargo, si hablais siquiera una palabra del encuentro que habeis tenido esta noche, no me quedará otro recurso que enviaros al otro mundo.

—Perded cuidado, dijo Lake, nadie sabrá que yo os he visto.

Y después de saludarse cortesmente, ambos se separaron.

Joaquín tomó un camino tortuoso para volver a su cuartel general, y el americano siguió el camino que debía conducirlo al pueblo de Hornitos, en donde habitaba.

Al día siguiente, Lake informó a varios de sus conciudadanos del encuentro que había tenido: díjoles que vió al famoso Joaquín Murrieta y que le habló, y que se hallaba cerca de allí. A corta distancia del americano había un mexicano envuelto en su sarape, fumando un cigarrito sin que se ocupase, al parecer, de lo que pasaba ó se hablaba en torno de sí.

Lake le pidió fuego, y el mexicano se lo dió con toda la gracia particular de un español ó un hispano-americano.

Tres horas después, un ginete, cuyo rostro se ocultaba debajo de una espesa barba negra, se adelantó pausadamente hacia un almacén, enfrente del cual Lake estaba entretenido con algunos de sus amigos. Con la mayor política suplicó el ginete al americano que se le acercase.

—¡Me conocéis, Joe! dijo el de a caballo.

—¡Ah! exclamó Lake retrocediendo uno ó dos pasos; reconozco vuestro acento, sí; sois . . .

—*Yes, sir,* yo soy Joaquín . . . me habeis *traicionado.*

Y al decir estas palabras, Joaquín levantó la tapa de los sesos a Lake de un pistoletazo.

Merced a la ligereza de su caballo, Joaquín salió ileso de la descarga general que le enviaron los amigos del americano: algunos minutos después se hallaba en la cima de una colina acompañado de cuarenta ó cincuenta hombres que marchaban a sus órdenes tranquilamente, al paso de sus caballos.

Asesinato del General Bean.

VI

El campamento.—Jack Tres-Dedos y sus ocho chinos.
—Carnicería general.—Llegada a Arroyo Cantova.—El banquete.
—Nuevos reclutas.—Querella en medio de un festín.

Joaquín inquieto por la suerte de Valenzuela, de Cardoza y de Mountain Jim, y ansioso de saber el resultado de su misión, se encaminó con su pandilla hacia el lugar de reunión general.

La noche siguiente acamparon los bandidos arriba de una quebrada, y después de encender una enorne hoguera, comenzaron a refrigerarse con sardinas de Nantes y *crackers* (galletitas) que traían siempre consigo. A la mitad de la cena, Jack Tres-Dedos llamó la atención de sus camaradas hacia un rayo de luz que parecía salir del fondo de la quebrada.

—Es probablemente el resplandor de la hoguera del campamento de algunos indios holgazanes, digo Joaquín lanzando una mirada indiferente hacia el lugar de donde provenía la luz.

Luego, dirigiéndose a Jack Tres-Dedos, le dijo sonriendo:

—Puesto que tú eres el descubridor, Jack, y como puede ser que haya allí algo mejor que lo que se acostumbra encontrar en las cabañas de los mineros, te suplico que vayas a la descubierta hacia aquel punto.

—Con mil amores, capitán, replicó el otro y en seguida se puso en pié.

Después de haberse limpiado los labios con la manga de su camisa, añadió:

—¡Siempre estoy listo para esta clase de empresas!

—Está bueno, dijo Joaquín; pero acaba tu cena.

—No por cierto; voy allá en seguida: no hay peligro de que las sardinas se enfríen.

Y Jack Tres-Dedos, después de haber colocado a su cintura un puñal y un revólver, se encaminó con lijereza al punto que se le indicara.

—Jack es un valiente compañero, observó Felix; desgraciadamente es demasiado sanguinario.

—¡Oh! mucho menos todavía que el viejo padre Jarauta, repuso Guerra, que fué jefe de varios de nosotros en México.

—¡Es verdad! ¡es verdad! contestaron en coro media docena de bandidos.

—¡Aquel sí que era un verdadero demonio! añadió Guerra. ¡Qué mónstruo! Si lo hubiérais visto una noche que sorprendió una compañía de . . . Pero no hablemos de eso . . . Mi corazón destila sangre y me encuentro malo, cuando me acuerdo de aquellos buenos tiempos.

En aquel instante apareció Jack Tres-Dedos, haciendo marchar delante de él a ocho chinos que temblaban como unos azogados.

Cuando se vieron en presencia de tantos hombres armados, cayeron de rodillas y empezaron a implorar perdón del modo más lastimero.

Sus lúgubres súplicas, sus miradas suplicantes y sus gestos y ademanes, excitaron la hilaridad de los bandidos, que no podían contener la risa al presenciar aquella escena.

Jack ordenó a sus desdichados prisioneros, mitad con palabras y la otra mitad por medio de signos, que cambiasen de posturas y se sentasen al borde de una roca que había a corta distancia de la hoguera.

Esta orden fué ejecutada con la mayor prontitud; después de lo cual Jack blandió su puñal sobre las cabezas de los chinos, advirtiéndoles que si se movían se las cortaba a todos.

Después volvió a comenzar de nuevo, con muy buen apetito, la interrumpida cena de las sardinas y galletas.

—¡Eh! amigo Jack, le preguntó Joaquín, ¿qué significa esa sangre fresca aún, que veo en la hoja de tu puñal?

—Significa, repuso el sanguinario bandido, que me he visto compelido a matar a uno de esos animales para poder amansar a los demás. Cuando vieron a su camarada tendido, uno de ellos, más razonable que los otros, se colocó a su frente, y los restantes le siguieron como un rebaño de ovejas. Así es como he logrado traerlos conmigo.

—Y ahora que los tienes aquí ¿qué quieres hacer con ellos? preguntó Antonio.

—Por vida de . . . me gusta la pregunta: ¡sangrarlos como si fueran carneros!

—Entonces, más valía, haberlo hecho en el acto, repuso Felix. ¡Están medio muertos de miedo!

—¡Ah! pueden estar tranquilos, contestó Jack, mirando de una manera feroz a sus prisioneros. Los he traído aquí para distraer un poco a nuestra gente; pero es justo que acabe de cenar antes de comenzar la función, ¡cosa extraña! yo he adoptado la máxima americana: *¡Los negocios antes que los placeres!*

Un cuarto de hora después, durante el que Jack no cesó de comer, mientras los otros bandidos fumaban, aquel se dirigió hacia donde se hallaban los chinos, y después de haber atado por la cola a siete de ellos, condujo al octavo cerca del fuego.

Los asistentes se habían separado a fin de dejarle libre el campo.

—¡Detente, detente, Jack! exclamó Guerra. Espero que no vas a quemarlos. Sólo a un estómago lleno de sardinas pueden ocurrírsele semejantes cosas.

—No. Los he conducido cerca del fuego para que podais presenciar la escena con más claridad.

Jack sacó entonces su puñal y lo sepultó hasta el mango en el corazón del desdichado chino, que temblaba muerto de miedo.

El asesino sacó su arma teñida en sangre, y levantó en sus brazos el cadáver de su víctima.

Un chorro de sangre salió de la herida y por poco apaga el fuego.

—¡*Caramba!* dijo uno de los perdona-vidas; me has salpicado por todas partes.

Y el fuego . . . dijo otro, no hay para qué apagarlo.

—Vamos, Jack, ven acá, replicó Joaquín con impaciencia. ¡Acabemos ese espectáculo! Tal crueldad no se puede soportar. Concluye con ellos de una vez y que no se hable más de este negocio.

—Muy bien, capitán, se hará como lo deseáis. Yo creía que la compañía necesitaba distraerse; pero ahora voy a divertirme yo solo.

Y esto diciendo, tomó el cadáver y lo echó a un lado negligentemente; luego se encaminó hacia los demás prisioneros, y sin dar oídos a sus gritos, súplicas y sollozos, comenzó a cortarles el pescuezo y a apuñalarlos con la mayor sangre fría.

Antes de la ejecución del primer chino, las tres mujeres se habían cubierto el rostro con sus sarapes para no presenciar aquel acto salvaje: las infelices temblaban horrorizadas al pensar que involuntariamente eran cómplices de aquellos crímenes cometidos contra individuos inofensivos.

Clarita, que se hallaba sentada al lado del jefe, había oído la orden que éste diera de acabar de una vez con los prisioneros: compadecida de la suerte que les aguardaba, trató de emplear su influjo para conseguir el perdón de aquellos desdichados.

Ireneo Paz

Sin descubrirse el rostro dejó caer su cabeza sobre el hombro de su amante, y le dijo con acento tierno y conmovido.

—¡Ah, Joaquín! ¿Por qué no impides esta horrible carnicería, la destrucción estéril de tantos seres humanos? ¡Compadécete de sus lamentos de desesperación, de sus vanas súplicas! Tú que tienes poder para ello, ¿no detendrás el brazo del asesino?

—¡Ay! querida mía, nada puedo hacer. García es violento, cruel; solo se ha juntado con nosotros para satisfacer su insaciable sed de sangre, pero es valiente y no conoce el peligro. Si se separase de mí, sería una desdicha.

—¿Entonces están condenados irrevocablemente? murmuró Clarita.

—¡Ay, sí! y lo siento en el fondo del alma. ¡Escucha! . . . Ya no se oye más que dos voces . . . ahora no más que una . . . Ya se extingue . . . La obra fatal está cumplida: ya no padecerán más.

—¡Ah! Murrieta, exclamó Jack Tres-Dedos sentándose cerca del fuego. ¡Por vida de todos los santos! ¡hé aquí una noche agradable para mí! ¡Qué momentos tan deliciosos he pasado con estos miserables! ¡No han opuesto la menor resistencia, por San Miguel! ¡Qué regalo de sangre!

Al amanecer del día siguiente, los bandidos volvieron a emprender la marcha. No obstante la tragedia de la noche precedente, todos estaban muy alegres, alimentándose con la idea de permanecer tranquilamente en el cuartel general por algún tiempo.

Las mujeres sobre todo se hallaban muy contentas a pesar de lo que las había impresionado la terrible escena que habían presenciado la noche anterior. Cabalgaban tranquilamente al lado de Joaquín y de Félix, algo adelantadas del resto de la compañía, hablaban con animación sobre asuntos de puro pasatiempo.

De vez en cuando se escapaba una carcajada de los labios mujeriles, que daba nueva expresión a la simpática fisonomía de las jóvenes, cuyos ojos brillaban con el mayor resplandor.

Después de varias estancias llegó por fin la pandilla a Arroyo Cantova.

¡Cuán grande fué la sorpresa y la alegría del joven bandido a presencia del espectáculo que se ofreció a su vista al entrar en el inmenso valle!

Había allí más de mil caballos que pacían tranquilamente, describiendo graciosos círculos por la llanura. Después la vista se extasiaba sobre un grupo de tiendas de campaña, blancas como la nieve, levantadas en medio de un bosque de robles siempre verdes, lo cual indicaba que después de haber cumplido fielmente su misión, los bandidos habían venido a aguardar de nuevo las órdenes de su jefe.

Joaquín Murrieta

Joaquín lanzó el grito que debía darlo a conocer de los suyos como a un amigo, y todos se dirigieron al trote hacia las tiendas de campaña.

Al llegar allí se apearon de sus caballos.

Inmediatamente los rodearon Valenzuela, Cardoza y algunos individuos pertenecientes a sus cuadrillas. Los demás habían salido a cazar.

Después de haberse dirigido mutuamente varios cumplimientos; después de haber cambiado por uno y otro lado muchas felicitaciones, se aligeró a los caballos de sus sillas y demás arreos y se les dejó en libertad para que paciasen con los otros. Por lo que toca a los ginetes, se tendieron indolentemente encima del follaje para reposar de las fatigas del viaje, que bien lo habían menester.

Haría cosa de cinco horas que estaban durmiendo, cuando fueron despertados para cenar.

Los cazadores habían vuelto al anochecer, cargados de caza: se encendió una enorme hoguera, y ya se dejaba sentir el sabroso olor de los conejos y liebres asadas, y también de la carne de oso y otros animales que habían matado los cazadores.

Las codornices y los gallos silvestres, suspendidos por medio de ramas de árboles clavadas en el suelo, revoloteaban en medio de las llamas: al borde de la inmensa hoguera se hallaban colocados varios tarros de hierro llenos de café, cuyo aroma invitaba a probarlo; un poco más lejos y encima de un centenar ó tal vez más de esteritas indias, había algunos platos de hojalata llenos de frijoles y tortillas, ó bien otras en conserva y calamares, frutas y gelatinas.

Al lado de cada esterita había un vaso de hojalata, una cajetilla de cigarros y una botella de vino.

El todo formaba un banquete deliciosísimo, al par que abundante, que tal vez habría seducido a más de un discípulo de Epicuro.

A una seña de los cocineros, los bandidos se sentaron sobre el follaje, cada cual delante de su estera, y se prepararon a satisfacer su apetito.

El lugar principal había sido ocupado por Joaquín y Clarita; a la derecha del jefe se hallaban sentados Reinaldo Felix y su querida, la preciosa Margarita, y a la izquierda Juan Cardoza y la linda Mariquita.

Esta última había vestido mucho tiempo de luto por la muerte de su primer amante, González, que fué matado por el capitán Harry Love, según ya saben nuestros lectores. Después, Mariquita había entablado relaciones amorosas con Juan Cardoza.

A cada rato se oía una alegre carcajada que servía de contestación a las amorosas frases y galantes atenciones con que Cardoza obsequiaba a su querida.

La cena fué concluida y ya la conversación comenzaba a animarse, cuando se oyó el grito de reconocimiento.

Una compañía de veinte hombres se acercaba al trote, viniendo al frente de ellos Mountain Jim.

El círculo se agrandó; los cocineros volvieron a sus faenas y los recién llegados empezaron a comer, mientras recibían las mayores felicitaciones por parte de sus camaradas.

Estos nuevos reclutas eran indígenas de Chile, el Perú y la Sonora: los había reunido uno de los mayores amigos de Joaquín, llamado Fernando Fuentes, quién los acompañó hasta el cuartel general.

Traían consigo como tributo de su bienvenida, setenta y cinco caballos, y Mountain Jim hizo saber a Joaquín que dentro de algunos días llegarían doscientos caballos más, que habían dejado en el rancho de San Francisco.

La conversación, interrumpida por algunos momentos, tomó su curso habitual; cada uno de los bandidos antiguos trató de relacionarse con alguno de los que acababan de llegar; contáronse mil historietas, un sin número de hechos increíbles y quién sabe cuántas cosas más. De vez en cuando, alguna de las jóvenes entonaba una melodía, balada ó leyenda, que causaba grande alborozo entre aquellos hombres de corazón de hierro.

De repente el festín fué turbado por una querella muy violenta que surgió entre Jack Tres-Dedos y Mountain Jim. La cosa, según se verá en el capítulo siguiente, era grave.

VII

La querella.—Desenlace fatal.—Viaje de Joaquín a San Luis Obispo.
—Lo que le sucedió en el camino.—Captura y suplicio de Reinaldo Félix en Los
Angeles.—Su querida se suicida.—De qué modo fué colgado Mountain Jim en
San Diego.—Asesinato de cuatro mineros a orillas de la Merced.

—Jamás sufriré, declaró formalmente Jack Tres-Dedos, que uno de estos condenados americanos ponga ni siquiera sus piés en el cuartel general, ó que sea iniciado en los secretos de la compañía.

Y de esta declaración había provenido la querella entre Jack Tres-Dedos y Mountain Jim.

Este último, que por sí solo representaba en la pandilla el elemento americano, replicó agriamente: que aunque yankee de nacimiento, era mexicano en el fondo de su corazón, y el interés que manifestaba en todas ocasiones por la seguridad de la pandilla, era tanto más sincero, cuanto que no había entrado a formar parte de ella solamente para satisfacer sus deseos de sangre, sino que tenía miras más elevadas.

—Si es a mí a quien se dirige esta observación, vociteró García, el que acaba de hablar ha mentido y digo que es un cobarde.

Al mismo tiempo el bandido sacó su revólver. Al ver chispear sus ojos de tigre y fruncir el ceño, y al ver sobre todo aquella cara de demonio protegida por miembros de gigante, el hombre más valiente habría titubeado antes de declararse su enemigo.

A la palabra *cobarde* Mountain Jim también había sacado su pistola. Iba a descargarla, cuando Joaquín se levantó de improviso, y con tono muy grave é imperioso, ordenó a los dos adversarios que bajasen las armas y terminasen la contienda.

—Con mil amores, dijo el montañés: obedezco la orden de mi jefe.

—Un momento, vociferó Jack; no es así como yo entiendo la cosa . . .

Al mismo tiempo se oyó un tiro y uno de los recién llegados, que estaba sentado al lado de Joaquín, cayó tendido al suelo, mortalmente herido.

En seguida no resonó más que un grito de indignación. Toda la pandilla se puso en pié; todos los revólvers fueron dirigidos hácia el asesino, y los bandidos sólo aguardaban la orden de su jefe para descargarlos.

—No, dijo Joaquín extendiendo su mano. ¡Abajo las armas! ¡abajo las armas!

La orden fué ejecutada al instante y todas las miradas se dirigieron hacia García, quien, de pié y revólver en mano, miraba al jefe con aire de indiferencia, Joaquín sacó entonces su pistola, cuyas guarniciones de plata brillaban al resplandor de la lumbre cual oro pulido, y apuntando con ella a Jack Tres-Dedos, le dijo con un acento en que se pintaba la mayor cólera:

—Jack, has desobedecido a tu jefe: no solamente has cometido un acto de rebelión, sino que asesinaste a uno de tus camaradas. Y el que acabas de matar, no es el enemigo con quien te querellabas, y sí un hombre que sólo habías visto esta noche, y con el cual jamás habías tenido la menor disputa. Jack, has merecido la muerte, y voy a probarte que tengo tan buena puntería como tú.

—Joaquín, dijo García tirando su revólver y desabrochándose la camiseta de lana que cubría su pecho; no temo la muerte . . . Puedes tirarme, estoy pronto . . . ¡Fuego!

Al concluir estas palabras una linda mano se apoyó sobre el hombro de Joaquín, y la dulce voz de Clarita murmuró temblorosa a su oído:

—¡Perdónale, Joaquín! yo te lo suplico.

Murrieta estuvo indeciso por algunos segundos, y al fin bajó su revólver, diciendo:

—Jack, no podría matarte: eres demasiado valiente para morir de esta manera, y a pesar de que tu valor impulsa a la barbarie y a la más salvaje crueldad, te lo perdono, porque en tí es innato ese defecto, y no eres dueño de reprimir tus feroces instintos.

—Sí, sí es natural suyo.—¡Perdón, perdón! exclamaron a la vez algunos bandidos que, admirados de la sangre fría de Jack, habían ya olvidado su crimen.

El cadaver de la víctima fué sacado del campamento; se proclamó la paz y volvió a principiar la fiesta con más alegría y animación que nunca.

Después de una noche de placeres campestres, Joaquín despachó a Antonio y a Guerra—este último a la cabeza de su cuadrilla—al Estado de Sonora con quince caballos. El salió para San Luis Obispo con Valenzuela, Félix, Cardoza, Mountain Jim, Jack Tres-Dedos y las tres jóvenes.

Al día siguiente, viajando a lo largo de un sendero escarpado, apercibieron a dos mineros franceses que se habían refugiado en una de las cabidades de las rocas, para almorzar sin ser molestados por el sol de medio día.

—Sería conveniente, insinúo Jack sacando su puñal, que supiésemos si esos *amigos* traen dinero.

—Corriente, dijo Joaquín; pero acuérdate que no se derrame sangre.

Apenas había transcurrido un minuto, cuando Jack se hallaba ya delante de los individuos mencionados; y con voz de trueno les ordenó «que vaciasen sus bolsillos, si no querían ser hechos trizas.» Los ojos sanguinarios del bandido en su actitud feroz daban a conocer bien claramente que la amenaza sería seguida de la ejecución; así pues, los pobres franceses se apresuraron a sacar sus bolsas y a entregárselas a Jack, quien las vació; pero apenas hubo contado su contenido, desesperado porque sólo había cuarenta pesos, se avalanzó sobre los mineros y les cortó el pescuezo, dejándolos bañados en su propia sangre. Joaquín había presenciado desde lejos toda aquella escena, pero se contentó con murmurar algunas palabras, é hizo la vista gorda.

Al ponerse el sol, la pequeña compañía acababa de ganar una estrecha quebrada, en el borde de la cual estaban tendidos tres chinos, víctimas sin duda del odio de los americanos. Atravesados de parte a parte por medio de estacas puntiagudas, dos eran ya cadáveres: el tercero si bien su herida no era mortal, habría ciertamente sucumbido pocos días después, privado como estaba de toda asistencia médica. Al ver pasar a los bandidos montados en sus caballos, el infeliz levantó la cabeza y con voz suplicante y una mirada digna de compasión, trató de articular algunas palabras que equivalían a una súplica.

—Es inútil que nos detengamos, dijo Joaquín: en el estado en que se halla este hombre, no hay socorro humano que pueda salvarle.

Pocos instantes después, al mirar Joaquín hacia atrás, apercibió a Jack que inclinado sobre el desdichado chino, le reventaba los ojos con la misma estaca que acababa de arrancarle de sus hombros.

—¡García! ¡García! gritó Joaquín.

Jack, viendo que su jefe le miraba, y adivinando su intención, se apresuró a sacar su puñal y clavarlo en el corazón de su víctima. Luego montó a caballo y se dirigió al galope hacia donde estaba Joaquín.

—García, le dijo el joven bandido, eres demasiado cruel; este hombre habría vivido aún dos ó tres días.

—Entonces, contestó Jack mientras limpiaba su puñal ensangrentado con las crines de su caballo, ¿qué mal he hecho al matarlo? Mi único deseo fué abreviar sus sufrimientos.

—¿Torturándole hasta morir, eh? ¡Ah, Jack! Ni una palabra más. Tu alma, hasta en sus más recónditos lugares, es tan negra como la de Satanás.

Cuando estuvieron en la misión de San Luis Obispo, Joaquín mandó a Reinaldo Félix a los Angeles, y a Mountain Jim y Jack Tres-Dedos—que ya eran los mejores amigos del mundo—a San Diego, con órdenes expresas para robar cuanta caballada pudiesen, y tratar de indagar lo que se decía sobre los asesinatos del capitán Wilson y del general Bean.

Apenas había transcurrido una semana desde la salida de los tres compañeros, cuando llegó al campamento Texas Jack, otro miembro de la compañía, con la noticia de que Félix había sido ahorcado por los habitantes de Los Angeles. Mientras estaba descansando en una casa de baile, fué reconocido por un americano a quien había robado en compañía de otros bandidos, cerca de Mokelumne Hill. Arrestado de improviso, fué acusado de complicidad en el asesinato del general Bean; y aunque no había suficiente evidencia para complicarlo en ese negocio, se hizo valer como prueba de su culpabilidad su calidad de ladrón y de miembro de la banda de Joaquín. Algunos minutos bastaron para ponerle una cuerda en el pescuezo, y apenas hubo besado el crucifijo que acercó un cura a sus labios, cuando bajó la plataforma fatal. Este fué el fin de Reinaldo Félix.

Su querida, la joven y bella Margarita, no quiso al principio creer esta terrible noticia; pero Valenzuela fué a Los Angeles, y pocos días después la confirmó oficialmente. Apenas estuvo persuadida Margarita de que la fatal nueva era cierta, sacó de su cintura un verduguillo que llevaba siempre consigo, y se lo sepultó en el seno, antes de que nadie hubiese podido impedírselo. La desdichada murió pronunciando el nombre de su amante.

Aun no estaba olvidado este desgraciado suceso, cuando Jack Tres-Dedos llegó a su turno trayendo la noticia de la muerte de Mountain Jim.

Jack y su camarada entraron en una taberna, situada en el camino, a algunas millas de distancia de San Diego, y mientras estaban bebiendo dos ó tres vasos de mal licor, una partida de americanos se presentó de improviso, los cuales comenzaron a examinarlos de un modo tan sospechoso, que Jack confió sus temores a su compañero, suplicándole que se alejase cuanto antes.

Jim, que se hallaba bajo la influencia del licor que acababa de absorver, se rió del consejo de Jack y lejos de observarlo, se adelantó hacia el mostrador para pedir otro vaso de licor. Algunos instantes después llegaba otra compañía de americanos. Apenas los vió Jack Tres-Dedos saltó sobre su caballo é hizo seña a Jim que hiciese otro tanto. Jim sólo contestó con un juramento de borracho y permaneció cerca del mostrador. Los americanos invadieron la taberna, y sacando sus revólvers, intimaron a Mountain Jim para que se rindiese. Se trabó una lucha.

Jack, muy al corriente de lo que iba a suceder y sabiendo perfectamente que era inútil hacer resistencia ante una fuerza tan superior, se contentó con enviar dos balas en medio del grupo, y espoleando su corsel, se alejó rápido como el viento. Algunos de los americanos se lanzaron en su persecución; pero con el caballo que traía Jack, no temía a nadie: así pues, se burlaba de todos los americanos juntos: en efecto, era lo mismo que si hubiesen querido alcanzar una locomotora a todo vapor.

Les costó mucho menos trabajo apoderarse de Mountain Jim, que fué transladado a San Diego, y ahorcado sin más dilación que el tiempo estrictamente necesario para hacer un nudo al extremo de un cordel.

Un mes después de esas desastrosas pérdidas, Joaquín, que ya no contaba más que con cinco compañeros, inclusas las dos mujeres, emprendió un viaje de recreo al condado de Tuolumne: su único objeto era distraer un poco a su querida Clarita, la cual había caído en la más profunda melancolía desde la muerte de su amiga Margarita. Los bandidos viajaban despacio, de un modo agradable y al cabo de dos semanas habían llegado al rio de la Merced. En la orilla del río y a la sombra de algunos árboles frondosos, instaló su tienda el jefe de bandidos, con el propósito de permanecer algún tiempo en pacífico lugar, cuya calma nadie parecía turbar. Sin embargo, ¡así son las cosas! este proyecto fué muy pronto destruido.

Al día siguiente por la mañana, Joaquín fué despertado por Jack Tres-Dedos, quien le anunció que avanzaba un grupo de cuatro mineros, por el lado opuesto del río.

—Si no nos buscan a nosotros, dijo el jefe, dejadlos pasar.

Y mientras hablaba, dirigió una mirada hacia el río, por la estrecha abertura de la cabaña.

—¡Ah! pero no, ¡por vida de todos los santos! replicó en seguida, desencajado el rostro de la cólera. ¡Ven, Jack! ¡Cardoza, Valenzuela, levantaos y seguidme!

Y en seguida, sin escuchar las súplicas ni inquietarse de las lágrimas que derramaban las mujeres, tomó su revólver y se lanzó fuera de la cabaña, seguido de sus tres compañeros.

Los viajeros ya no estaban más que a algunos metros de distancia, andando tranquilamente, sin pensar que su exIstencia peligrase, cuando se oyó una descarga, y tres de entre ellos cayeron en tierra moribundos, en medio del camino. El cuarto, que sólo había recibido una leve herida, levantó la vista para ver con qué clase de enemigos tenía que habérselas.

—¡Ah! condenado yankee, exclamó el jefe, ¿me reconoces ahora? Yo soy Joaquín.

Y en seguida hizo fuego tres veces sobre el americano, y al verlo caer muerto al lado de sus compañeros, el bandido lanzó un grito de alegría, —Jack, dijo señalando los cadáveres, por esta vez no solamente te doy el permiso, sino que te mando que ejerzas tus sanguinarios instintos. Algunos de estos hombres tal vez no estén aún bien muertos, acábalos de matar.

A las primeras palabras del jefe, Jack se había lanzado dentro del río, y con agua hasta los hombros luchaba contra la corriente. En dos minutos ganó la orilla y en seguida puso manos a la obra. ¡Con qué infernal alegría se apercibió el bandido de que dos de los infelices mineros no estaban muertos todavía, pero que se hallaban incapacitados de escapársele! Aturdido por sus gritos y para acabar de una vez toda resistencia, aquel demonio en forma humana les sacó las entrañas, y terminó aquella escena abominable arrancándoles el corazón.

Cuando Jack llegó a la tienda de Joaquín, después de desempeñada su horrible comisión, quiso saber los motivos de odio y la venganza de su jefe hacia aquellos hombres.

—Jack, respondió Murrieta, tres de ellos pertenecían a la banda de asesinos que mató a Carmen, los cuales me echaron de la casa que yo tenía en las minas. Por lo que toca al cuarto no lo conozco; pero merecía la misma suerte que los demás, por encontrarse en tan mala compañía.

—¡Miserables! vociferó Jack, haciendo un gesto atroz. Y bien, capitán; creo que tendremos la dicha todavía de encontrar a nuestro paso algunos de esos *caballeros*.

—Si eso sucede, puedes estar seguro de que tu cuchillo no enmohecerá falto de sangre. Pero vámonos de este lugar, esta noche acampemos en alguna otra parte.

Media hora después, Joaquín y su pandilla marchaban con dirección a Mariposa. El jefe había resuelto descansar no lejos de allí, en el rancho de uno de sus amigos.

Asesinato de cuatro mineros a orillas de la Merced.

VIII

Llegada de la pandilla al condado de Tuolumne.
—Robo y asesinato cerca de Columbia.—Huida atrevida de Joaquín.
—Se citan para Stockton.

Después de haber permanecido cosa de treinta días en la vecindad de Mariposa, empleados por el insaciable Jack Tres-Dedos en la perpetración de una docena de robos y un número casi igual de asesinatos, la cuadrilla se puso en marcha.

Los bandidos atravesaron la Merced, vadeando el río en un punto en que no era muy profundo, y continuaron su viaje algunas veces en medio de los bosques, otras subiendo cuestas y montañas, hasta que encontraron un camino que les condujo a la dirección del condado Tuolumne.

Después de algún tiempo de marcha, llegaron a un lugar llamado Shaw's Flat.

Por todas partes resonaba el ruido de los picos, palas y todos los instrumentos que usan los mineros para separar el oro de la tierra. Un gran número de chinos habían instalado sus cabañas en diversos puntos vecinos, y reunidos en compañías, trabajaban asiduamente realizando beneficios razonables en los *claims* que los americanos habían abandonado como demasiado pobres para ellos. En toda la extensión de este lugar, animado por el trabajo asiduo, se respiraba paz, prosperidad y contento.

Los trabajadores se apercibieron muy bien de Joaquín y su cuadrilla, pero a nadie le vino la idea de desconfiar de ellos. Tampoco había para qué: es muy común entre los carreteros, los traficantes en ganado, los vaqueros, los cazadores y toda clase de viajeros, acampar días y aún semanas enteras, unas veces al borde de un manantial de agua cristalina, otras a la sombra de un árbol en un lugar solitario. Por otro lado, las armas que cargaban los bandidos no causaban a los mineros la menor inquietud; pues la costumbre que había en aquella época de andar todos armados, favorecía a Joaquín y a los suyos hasta tanto que tuviesen a bien descubrir lo que realmente eran, por medio de alguna de sus fechorías.

Joaquín Murrieta

Como Joaquín tenía en aquella época algún dinero, fué decidido que se descansaría cerca de Shaw's Flat durante algunas semanas: la intención del jefe de bandidos era, mientras tomaba algún reposo y se daba buena vida, hacer circular algunos centenares de pesos en las casas de juego, los restaurantes y los fandangos de los pueblos y aldeas circunvecinas. La casualidad favoreció sus planes: encontró algunos mineros, que próximos a partir para su país natal, le vendieron la cabaña en que vivían, con todos los utensilios que contenía. Situada sobre un terreno seco y árido, que los mineros habían trabajado una y mil veces hasta extraer la última partícula de oro que contenía, esta cabaña tenía doble valor para los bandidos, con motivo de su posición solitaria y de estar libre a la mirada de los buscadores de oro, que no osaban aventurarse en un lugar tan desierto como aquel.

Todas las noches, Joaquín, acompañado de Cardoza y de las dos mujeres, iba hasta los pueblecillos y campos contiguos, con el objeto de divertirse. Durante su ausencia, el cuartel general estaba al cuidado de Valenzuela y García: éste último había recibido la orden formal de mantenerse tranquilo y no comprometer, bajo ningún pretexto, cometiendo algún robo ó asesinato, la retirada de toda la pandilla. Jack Tres-Dedos, por la primera vez en su vida, parecía no tener gusto alguno en la sangre derramada y por espacio de tres semanas se estuvo tranquilo en el domicilio de los bandidos, dividiendo su tiempo entre los naipes y la bebida. Pero al fin y al cabo, su instinto venció su recogimiento. Una noche, mientras Valenzuela estaba en Sonora con Joaquín y los demás, el miserable afiló su cuchillo y se lanzó en busca de una víctima.

Algunos chinos, agrupados enfrente de sus cabañas, se ocupaban de examinar el producto del trabajo del día: al verlos el feroz Jack, sus ojos brillaron de alegría, pero con un brillo salvaje: hubiérase dicho que era un cazador qie acababa de apercibir su animal de caza favorito. Pero como los americanos tenían instaladas sus cabañas alrededor de las de los chinos, y como por otra parte el bandido solo tenía intención de cortar la cabeza a dos ó tres individuos, pero sin ruido, continuó su camino hacia Sonora, con la esperanza de encontrar un lugar más a propósito ó menos peligroso para ejercitarse en su tarea favorita. Varias veces encontró en el camino compañías de mineros armados hasta los dientes; y un poco más lejos, la casualidad le deparó un chino solitario, pero como los prímores estaban siempre a la vista, se contuvo y permaneció prudentemente envuelto en su zarape.

En el punto en que el camino de Sonora se ahorquilla y forma un codo, se dirigió por el lado de Columbia, y al acercarse a la ciudad, se sentó tranquilamente en el borde del camino, con objeto de fumar un cigarrito.

La noche era hermosísima; el cielo estaba cubierto de estrellas. Jack Tres-Dedos resolvió no ir más lejos por entonces, reposándose hasta las dos ó tres de la mañana, envuelto en el humo del cigarro. Después, decíase él, al volver a la cabaña de Joaquín, podré caer sobre algunos chinos embrutecidos por el opio, y matar media docena con la mejor comodidad del mundo.

Mientras saboreaba con anticipación el placer que le ofrecía aquella terrible carnicería, fué turbado en sus reflexiones por el ruido de pasos que se acercaban, mezclados con el sonido de una voz humana que se ensayaba para cantar algunos fragmentos melodiosos a la usanza de los negros de Africa. Cualquiera al oír las entonaciones del cantante, comprendía perfectamente que su canto era el resultado de numerosas libaciones. Multiplicada la fuerza de sus pulmones con la energía de la bebida, el viajero después de haber entonado *Jim Crow,* saltó sin pararse al *Possum Up a Gum Tree;* después cantó el *Coal-black Rose.* Luego ensayóse silbando el *Yankee Doodle* y la famosa tonada *Auld Lang Syne:* pero no pudiendo entonarse, se libró con energía a una música compuesta de canto, gritos, chillidos prolongados y agudos silbidos.

Esta melodía de un género nuevo, aunque intraducible en ningún idioma, puede sin embargo indicarse de otra manera (las combinaciones se dejan a la voluntad imaginaria más ó menos fantástica del lector):

¡Oh! Su (hic) *¡sanah! dont you cry (hic) for me I'm goin to Cal (hic) fornia with—horoo!—I don't care a cuss for nothing—¡Ki yi! ¡yow! Hoo—raw for Jackson—¡hoop hey!*

—¡Hola! ¡viejo camarada! añadió el viajero parándose de repente, ó mejor dicho, *ensayando* a pararse delante del mexicano. ¡Hola, hola! ¿Qué haces aquí, eh? Ven a tomar un trago.— ¿Qué? ¿qué significa esto? ¿No quieres?—Entonces vete al infierno.

Y ahullando de tal modo que debió oírse a cinco millas a la redonda, siguió su marcha describiendo curvas que era un contento, y volviendo a entonar su interrumpida canción. Hallábase a algunos metros de distancia de donde estaba Jack, cuando éste se lanzó sobre él de improviso y antes de que pudiese pronunciar una palabra le dió varios puñetazos en la garganta que, dislocándole la nuca lo dejaron muerto en el acto. El asesino entonces empezó a registrar apresuradamente el cadaver de su víctima. Después de apoderarse de un cinto de cuero cuyo contenido en oro en polvo y monedas de plata, serían unos tres mil pesos, Jack Tres-Dedos tomó más que de prisa el camino del cuartel general. Lo primero que hizo al llegar fué echarse sobre su cama, «a fin de dormir, ó tal vez de pensar en alguna nueva fechoría.»

Cuatro ó cinco horas después, Joaquín y Valenzuela entraron, más bien dicho, se lanzaron
en su cabaña. En seguida el primero se avalanzó hacia Jack, y sacudiéndolo violentamente le despertó.

—¿Qué hay de nuevo? dijo medio soñoliento poniéndose en pié.

—El cadaver de un hombre acaba de ser encontrado en el camino, dijo Joaquín, y según la naturaleza de sus heridas, he sacado en limpio que únicamente vos debeis ser el asesino.

—¿Estáis seguro de ello?

—¡Oh! muy seguro. Es escusado que nos lo neguéis ¿Pero sabéis a quién habéis matado?

—No por cierto, respondió García de una manera muy humilde; y confieso que no me he inquietado para indagarlo. He pensado que podríais necesitar algún dinero, y salí en busca de esa caza. Tengo el honor de presentaros el producto de ella; tomad lo que querais.

—Bien, Jack, dijo el jefe sopesando el cinto de cuero que le presentaba García: es verdad que hay aquí una linda suma y que llega muy a tiempo, pues la falta de dinero comenzaba a dejarse sentir. La desgracia es que el propietario de ella, según pienso, no era otro que uno de los dos mineros a quien hemos comprado esta cabaña, y como su socio está actualmete en Sonora, podría muy bien suceder que este último contase los detalles de la adquisición de esta casucha é hiciese recaer las sospechas sobre nosotros.

—En tal caso ¿qué es lo que pensáis hacer? dijo Jack.

—Permanecer en estos contornos uno ó dos días cuando más, mientras que vos y Valenzuela os dirigís apresuradamente a Stockton. Clarita y Mariquita han salido ya con Cardoza, y probablemente vosotros las encontraréis antes de que hayan llegado a la ciudad.

—Lo mejor que hay que hacer, dijo Valenzuela, es salir todos juntos. ¡En marcha, pues!

En pocos minutos estuvieron ensillados los caballos. Jack Tres-Dedos y Valenzuela se lanzaron a galope en dirección a Stockton; Joaquín se encaminó lentamente hacia Sonora.

Iba a despuntar la aurora, y todavía las casas de juego estaban llenas de mineros y jugadores de profesión: todos hablaban acaloradamente sobre el último asesinato, mostrando su firme determinación de *linchar* al asesino, en seguida que fuese encontrado.

Joaquín bajó de su caballo y entró tranquilamente en una casa de juego, con la capa echada al hombro, al estilo mexicano. Primero saludó con una ligera inclinación de cabeza a algunos de sus compatriotas, y luego tomó una silla y fué a sentarse en una esquina de la sala, cerca de la puerta.

Se hablaba mucho entre los grupos de la brutalidad del asesino del borracho, que se había complacido en inferir un sin número de heridas a su víctima, cuando una sola habría bastado para acabarlo. Bajo esta forma se repetían los juramentos, protestando que el asesino no escaparía a la venganza popular.

—No me sorprendería en lo más mínimo, dijo de repente un hombre de fisonomía salvaje, golpeando con su gruesa y robusta mano el mostrador, que esos mexicanos tuvieran parte en el asesinato de nuestro camarada.

—¿Qué mexicanos? dijo uno de los jugadores.

—¡Vaya una pregunta! ¡Los que compraron el *claim* a la orilla del agua! ¿Por qué lo han comprado? Lo ignoro, y no tengo interés en saberlo. Pero lo cierto es, que nunca han trabajado, ni siquiera una hora. Han pasado el tiempo, desde que allí viven, paseándose a caballo alrededor de la ciudad, jugando al monte, cantando y riendo, con los bolsillos siempre bien provistos de oro.

—¡Que el diablo me lleve! es muy cierto, dijo un tercer interlocutor, cuya flaquedad y pequeñez formaban contraste con la estatura y lo grueso del otro. Es muy cierto, sí, muy cierto. Y no hay modo de saber dónde pescan tanto oro esos mexicanos de Satanás. Pero el hecho es que sus bolsillos jamás están vacíos.

—¡Voto al chápiro! exclamó el primero que había hablado; mirad por aquel lado, John . . . Quiero que me ahorquen si aquel que está allí enfrente no es uno de ellos.

Y señalaba con el dedo a Joaquín.

—Sí lo es: es tan seguro eso como que vos estáis aquí. Os juro que si él entendiese *yankee,* ya le habrían entrado calosfríos. Me parece que su piel me pertenece, y por lo mismo pienso ahorcarlo.

Joaquín no había perdido ni una sola palabra de esta conversación, pero se mantuvo tranquilo é impasible hasta el final de ella, y cuando el americano se lanzó sobre él y con su pesada mano lo tomó, de la espalda diciéndole:

—¡Creo que te tengo bien, mi camarada!

Joaquín Murrieta

Joaquín se contentó con sonreírse, y se levantó, en apariencia con la mejor voluntad del mundo. Antes que la sonrisa se hubiera apagado de sus labios, ya había dado un violento golpe al americano con el mango de su revólver, que lo dejó tendido en el suelo.

De un salto Joaquín se puso fuera del salón, y un segundo después huía rápidamente hacia Stockton, montado en su caballo.

IX

Un día bastó a Joaquín para juntarse con sus compañeros, a quienes encontró instalados en una taberna situada a seis millas de Stockton. En pocas palabras les contó lo que le acababa de pasar, después de lo cual toda la compañía se puso en marcha. Al cabo de una hora llegaron al término de su viaje.

Al día siguiente, cuando ya el sol entraba en su ocaso, Joaquín, Valenzuela y Jack Tres-Dedos apercibieron de lejos tres mineros americanos, vestidos de verde, que se paseaban a lo largo del camino, sin otro objeto ostensible, en apariencia, que enseñar sus vestidos nuevos, cuya elegancia se hallaba realzada con los adornos de pepitas de oro en forma de alfileres, recogidas en las mimas.

—Hé aquí unos sujetos, dijo Joaquín, que parecen muy pagados de su persona.

—Sí, respondió Valenzuela, y su vanidad se funda en lo que valen, deben ser poseedores de una fuerte cantidad de oro.

—Esta es mi opinión, afirmó Jack echando mano a su puñal, seria bueno que tratásemos de indagar este asunto.

Apenas acababa de pronunciar estas palabras cuando los mineros entraron en un restaurant. Viendo Joaquín que habían desaparecido, se lanzó en su persecución recomendando a sus compañeros que lo aguardasen. Entró en el restaurant y se sentó en una mesa, no lejos de la que ocupaban los americanos. En menos de diez minutos, mientras tomaba una taza de café, recogió todos los informes que había menester; luego fué a unirse con sus camaradas, y todos tomaron el camino de la casa a donde habían parado

momentaneamente, en la parte mexicana de la ciudad. Después de ensillados los caballos, nuestros hombres emprendieron la marcha para San
Andrés.

A cuatro millas de Stockton hicieron alto; los caballos fueron escondidos detrás de los matorrales, y aun los mismos hombres se internaron en
ellos a corta distancia del camino.

—Nuestros hombres estarán aquí dentro de un rato, dijo Joaquín, listos
para volver a su país con la fortuna que han amontonado en California y
piensan embarcarse para San Francisco: otro compañero debe reunírseles
en Stockton hoy a eso de las tres. Viendo que no llega, irán a buscarlo a San
Andrés.

—Es un golpe de fortuna para nosotros, añadió Valenzuela, y que faci-
lita el negocio de una manera extraordinaria.

—Creo que los oigo, murmuró Jack Tres-Dedos, tendiendo la vista otra
vez entre los matorrales.

Los tres individuos se aproximaban, galopando tranquilamente, sin
temor ninguno. Hablaban abiertamente de su país, de sus proyectos de casamiento: cada cual contaba a los demás el éxito que había obtenido en las
minas, mientras que todos reían y se chanceaban con respecto a la envidia
que habría causado a sus camaradas su partida repentina.

Apenas llegaron enfrente del lugar donde estaban escondidos los bandidos, cuando éstos salieron de improviso de sus escondrijos, agarraron la
brida de los caballos, y antes de que los desdichados mineros hubiesen
vuelto en sí de su sorpresa, les saltaron la tapa de los sesos con sus revólvers y los echaron de sus sillas. Los cadáveres fueron registrados
cuidadosamente y arrastrados a alguna distancia: los tres americanos llevaban consigo cerca de ocho mil pesos de oro en polvo.

Valenzuela y Cardoza fueron a Stockton con las dos mujeres, mientras
que Joaquín y su cuadrilla atravesaron una parte del condado de Sacramento, y fueron a acampar a la orilla Sur del río Americano.

Algunos días después se les unió Fernando Fuentes con su compañía;
uno de sus hombres había visto a Joaquín y sus compañeros, y corrió apresuradamente a avisar a su jefe. Fuentes había sido comisionado para reunir
todos los caballos que pudiera robar y ya habíanse llevado al cuartel general cerca de cuatrocientos, sacados de diferentes condados. Fuentes informó
al jefe que Antonio y Guerra habían vuelto de Sonora al Arroyo, trayendo
cada cual una querida.

Joaquín quedó muy contento de todas estas noticias. Por un momento tuvo la tentación de partir con todos sus hombres hacia el cuartel general; tal era su impaciencia por conocer los detalles del viaje de sus subtenientes a Sonora, y ver las nuevas señoritas qúe habían venido con ellos; pero negocios particulares de la más alta importancia le decidieron a diferir por algunos días el placer que de antemano se prometía con aquella reunión. Sin embargo, aprovechando la ocasión que se le presentaba, mandó al Arroyo a Clarita, y a Mariquita, confiándolas a Cardoza, a Fernando y a dos mexicanos más. De esta manera podían reposarse en el camino, y estaban menos expuestas a los peligros que les amenazaban hasta el momento de entrar en el cuartel general.

Apenas habían dejado el campo las dos muchachas con sus compañeros, cuando se armó una disputa entre Mariquita y su querido. La mexicana pretendía que éste se hallaba muy lejos de ser tan amable como González, su primer amante, y declaró que ya no quería vivir más con él. Cardoza creyó que todo aquello eran palabras supérfluas, arrancó una varita de zarzal, y se sirvió de ella para dar a la rebelde lo que él llamaba un saludable correctivo. Mariquita se sometió al castigo, en apariencia, con la mayor resignación, pero en el fondo de su corazón juró vengarse de su amante de una manera sangrienta.

Al día siguiente, ambos trepaban lentamente por un sendero que se perdía en las escabrosidades de una montaña rodeada de precipicios. Al borde de uno de ellos, cuya profundidad sería de ciento veinte pies, se hallaba Cardoza, cuando la vengativa Margarita sacó de repente de su cintura un puñal muy bien afilado, y lo sepultó en el pecho de su amante. Cardoza lanzó un gemido y trató de volverse hacia su querida; pero con el movimiento que hizo, su caballo se encabritó y ambos fueron rodando a las profundidades del abismo.

Mariquita ejecutó con tanta presteza su siniestro proyecto, que nadie pudo ser testigo de él. Cuando sus compañeros se juntaron con ella, ya había vuelto a colocar el puñal en su cintura, y nadie hubiera pensado que acababa de cometer un crimen.

Derramó abundantes lágrimas y muy amargas en apariencia, por la pérdida del ginete y del caballo. ¿Eran tal vez sus gritos y gemidos obra del remordimiento? En tal caso, su pesar no duró mucho tiempo. Apenas la pandilla hubo llegado al cuartel general, donde todo era alegría, cuando la loca muchacha aceptó las ofertas de un bandido joven y atrevido, llamado Manuel Sevalio, que tomó el título de su tercer marido.

Dos días después supo Joaquín la catástrofe que le privaba de uno de

Asesinato de Juan Cardoza.

sus hombres, habiendo Fernando destacado en seguida uno de los suyos para que llevase la noticia al jefe. La cosa pareció muy extraña a Joaquín. En efecto, Cardoza era uno de los mejores ginetes de la cuadrilla, y no podía comprender cómo había podido dejar a su caballo que se aproximase tanto al precipicio: el accidente debía provenir de otra causa y no una falta de precaución del ginete. Pensando así Joaquín tomó una docena de sus bandidos, y todos se encaminaron hacia el lugar en que ocurrió el accidente, con el objeto de amortajar el cadaver de su desdichado compañero.

Los bandidos tomaron un camino distinto del que había seguido Cardoza, pero al fin llegaron al lugar en donde yacían juntos el hombre y el caballo. El cadáver de Cardoza fué examinado atentamente; pero se había destrozado de tal modo contra las rocas en su caída, que era imposible distinguir la puñalada que le dió Mariquita. Los bandidos, después de haber despojado el cuerpo de las armas y el dinero que estaba entre sus vestidos, lo enterraron en la arena, volviéndose muy tristes al cuartel general.

Una semana después, Joaquín, Jack Tres-Dedos, Valenzuela y la compañía de Fernando, que hacían un total de veintiseis hombres, se pusieron en marcha para volver a comenzar sus depredaciones en el condado de El Dorado y en el vecino de Calaveras.

No lejos de Mud Springs descubrieron una cabaña solitaria sobre la pendiente de una colina. Creyéndola desocupada, y pensando que sería un lugar excelente para pasar la noche, Jack espoleó su caballo, y algunos instantes después se halló enfrente de ella; abrió la puerta y entró. Al revés de lo que los bandidos habían pensado, resultó que la cabaña estaba ocupada. Vivía en ella un alemán: una enfermedad grave lo tenía sujeto en su habitación, y daba al exterior de ella aquella apariencia de abandono, de soledad, que había engañado a los hombres de Joaquín.

Los salteadores llegaron enfrente de la cabaña: entonces Joaquín hizo un signo a Jack Tres-Dedos, quien sacó su puñal y acercándose a la cama, cortó la garganta al pobre enfermo: después ayudado por dos ó tres de sus camaradas, transportaron el cadaver afuera de la cabaña, y lo echaron en una quebrada que estaba al pié de la colina. Entoces la compañía tomó posesión de la casa, en la que había provisiones de todas clases, frazadas, instrumentos y útiles mineros, pipas y tabaco. Una cantidad de tabaco fué empleada en la fabricación de cigarritos; los bandidos fumaron durante dos horas, y después cada cual extenió su sarape en el suelo, se envolvió en él del mejor modo que pudo y se durmió.

Al rayar el alba, el jefe despachó tres hombres al campo de Mud

Springs, con la comisión de traer café, mantequilla, en una palabra, todo lo necesario para satisfacer el apetito de los hombres que formaban la cuadrilla. Dos horas después uno de los emisarios volvió, pero solo, con las manos vacías y muy desencajado el rostro.

—¿A dónde están tus compañeros? preguntole Joaquín.

—¡Están muertos! respondió aquel hombre.

—¡Cómo muertos!

—¡Ay! Sí, capitán. ¡Colgados del pezcuezo como perros! Apenas llegaron al campo, entraron en un almacén para hacer la provisión, mientras yo me hallaba en una cantina tomando un vaso de brandy. Estaba hablando con el propietario de la casa, que es mexicano, cuando oí ruido afuera. Miro hacia el campo y veo que mis camaradas se encontraban rodeados de cinco ó seis americanos, que les hacían guardar respeto. Uno de ellos afirmaba que conocía a Sebastián por un ladrón de caballos, que en 1850 le había robado a él mismo una partida de ellos, en el valle de Sacramento, y que habiendo sido preso, se escapó de la carcel; y en fin, que su compañero también debía ser ladrón, de otro modo no habrían viajado juntos. Esto fué suficiente para amotinar a la gente: nuestros dos camaradas fueron arrastrados hacia un árbol y colgados sin ceremonia, mientras que yo, ayudado por el mexicano de la cantina, escalaba una ventana y huía a toda prisa.

—Hé aquí una historia bien fea, dijo Joaquín; es preciso que nos vayamos de aquí inmediatamente. Si no fuera porque tengo necesidad de reunir a mi alrededor a todos los hombres que conozco para poner en ejecución un proyecto importante, habríamos llegado hasta ese campito miserable y no hubiéramos dejado ni un americano con cabeza. Pero pueden quedar tranquilos: algún día obtendrán su recompesa. Vámonos, amigos, a caballo y en marcha.

En un abrir y cerrar de ojos todos estuvieron montados y partieron a marchas forzadas. Los bandidos tuvieron buen cuidado de no seguir la línea recta. Después de haber dado vueltas y más vueltas y parándose en diversos lugares, ya para despojar a algún viajero, ya para refrescar el paladar de los ginetes y apagar la sed de los caballos, la cuadrilla llegó a una altura, de aspecto triste y sombrió, situada a cosa de una milla de Salmon-Falls. Joaquín mandó hacer alto para pasar allí la noche.

Este lugar parecía estar dispuesto expresamente por la naturaleza para el uso a que servía momentaneamente. Rodeado de enormes rocas, cubierto de maleza por todos lados, presentaba en el centro un espacio que tendría veinte pies de diámetro, siendo lo más apropósito para efectuar una retira-

X

Campamento en Salmon-Falls.—En donde relata Joaquín de la manera que se escapó de ser preso por el oficial Leary, de Columbia.—Los bandidos vuelven a emprender la marcha.—Una compañía de mineros.—Jim Boyce. —Joaquín es reconocido.—Lo que se sigue de esto.

Después de haber puesto los caballos en un lugar seguro, los bandidos atacaron las provisiones que habían juntado aquel día y luego tomó su lugar el cigarrito.

—Paisanos, dijo Valenzuela, aquí no se oye hablar de otra cosa que de ahorcados: esto fatiga. Los americanos son unos miserables que no deben morir en el aire, desde el momento que podamos aniquilarlos al estilo mexicano.

—Es verdad, dijo Carrillo: la colgada no satisface. Pero es la manía de los americanos: se les inculca este principio en la cuna. Es preciso que cuelguen a alguien ó que ellos sean colgados: está en su sangre. Este pueblo tiene esta manía, y nadie es capaz de reformarlo.

—Sea, dijo Jack Tres-Dedos; pero ya que no podemos impedir que ahorquen a nuestros camaradas, a lo menos podemos pagarles en la misma moneda, ahorcando nosotros a todos los americanos que caigan en nuestras manos. ¡Pero no! este es un mal sistema. Cuando yo mato a alguno, me es indispensable que vea de qué color tiene la sangre. Así, pues, ¡caramba! dejémoslos que cuelguen si es su gusto, y en cambio nosotros los trataremos con el puñal y el revólver.

—Camaradas, repuso Joaquín a su turno, yo he sufrido más que cualquiera de vosotros de esa rabia que anima a los americanos para la colgada, pues he visto extrangular ante mis ojos a mi pobre hermano, que no les había hecho ningún daño y en un momento que me era imposible salvarle ó castigar a los asesinos; pero después he tomado y tomo todavía la revancha. Dejemos a un lado ese triste tema de la conversación y permitidme que os relate una aventura que me pasó, hace algún tiempo, en el condado de Tuolumne.

—¡Bravo! ¡bravo! Está bueno, dijeron muchas voces a la vez.

Joaquín Murrieta

—Escuchemos, añadieron otras.

—Estaba empezando la carrera, dijo el jefe, en que me acompañáis ahora vosotros. Acababa de entrar en el condado de Tuolumne con mis compañeros, en número de siete solamente, y encontré en el pequeño campamento de San Diego, a cosa de media milla de Columbia, un cuartel general que nos convenía bajo todos conceptos. Entonces pusimos manos a la obra, comenzando por despojar y matar a los mineros, durante el día, ya si los encontrábamos solos en las montañas, ó bien en compañía, en busca de *placeres,* ó que estuviesen trabajando en lugares solitarios. Llegada la noche, íbamos a depositar en las casas de juego parte del oro que habíamos adquirido de esa manera.

Para visitar las mesas de monte, tenía buen cuidado, como podeis imaginaros, de disfrazarme, a fin de que los que me habían visto en otra parte, no me reconociesen y me tomasen por un extraño. Entre los que me habían visto muchas veces para que mi fisonomía y porte no le fuesen desconocidos, contábase un condestable llamado Leary, cuya presencia me molestaba y trataba de evitar cuanto era posible, por medio de que no me conociese bajo mi disfraz y me obligara a ponerme en guardia. A más de esto, era el único hombre en todo el Estado que me hubiera causado pena si algún día tenía que usar mi revólver contra él, pues siempre me había tratado con la mayor cortesía y amistad. Sabía que estaba al corriente de todas mis aventuras y no dudaba que, oficial civil y hombre de honor ante todo, se vería obligado a emplear todos los medios para procurar mi arresto, y por este motivo yo trataba de evitar su presencia.

Sin embargo, una noche olvidé una parte del disfraz que tenía costumbre de ponerme; mi barba postiza me pareció superflua, y creí que sería suficiente con que me cubriese parte del rostro con mi capa. En efecto, tuve buen cuidado de embozarme bien con ella al salir de la casa de juego, a cosa de media noche. Al salir yo fuera, entraba Leary, quien me dirigió una mirada muy penetrante. Yo hice como si no lo hubiera visto, y cuando estuve en la calle, me fuí por los lugares más obscuros, dirigiéndome a toda prisa al cuartel general.

Apenas comenzaba a despuntar el alba al otro día, cuando vi aparecer un cierto número de hombres que, guiados por Leary, se encaminaban hacia nuestra cabaña. Desperté a mis compañeros que todavía dormían, y comprendiendo todos que no nos quedaba más recurso que huir, lo hicimos con la mayor rapidez. Varios tiros nos fueron disparados, y el enemigo logró apoderarse de tres de nuestros hombres. Al principio, debo confesarlo, creí que estaban perdidos; pero eran muy atrevidos nuestros camaradas. Después de una lucha desesperada, recobraron la libertad. Solamente yo fui herido en la espalda por Leary, mientras los otros se escapaban.

Ni los que nos perseguían ni nosotros íbamos montados, lo cual favorecía en gran parte nuestra huída, pues estábamos más acostumbrados que los americanos a viajar por las montañas, y podíamos franquear con más rapidez que ellos los senderos estrechos, las escarpadas rocas y cuantas dificultades se ofrecieran a nuestro paso. Así, pues, muy pronto dejamos bien atrás a la compañía de Leary, y encontramos un lugar que nos ponía al abrigo de nuestros perseguidores. Era la primera vez que me veía perseguido, expulsado, por decirlo así, por los americanos; pero si hubiese tenido la dicha de contar con algunos hombres más, ¡por Cristo que no les hubiera cedido ni una pulgada de terreno!

—¡Bravo! ¡Bravo! exclamaron a una voz todos los bandidos, brindando en seguida a la salud de su jefe.

Al día siguiente, Joaquín y sus hombres encontraron a uno de sus compatriotas que arriaba cuarenta ó cincuenta mulas, cargadas de fardos llenos de provisiones. Joaquín le compró una gran cantidad de harina, café, azúcar, frijoles, etc.; después los bandidos marcharon hasta llegar a la extremidad de una pradera desierta, pero tan fértil, que decidieron acampar a la sombra de un árbol. Se convino en que permanecerían allí una semana, hasta diez días si fuese necesario, para que las bestias tuviesen campo de restaurarse, y los hombres pudiesen reposar y recrearse un poco.

En el lugar donde empieza una de las ramas de la orilla meridional del río Mokelumne, región muy desierta, y no lejos de la linea que sirve de frontera a los condados de Calaveras y de El Dorado, se había establecido una compañía de mineros compuesta de veinticinco hombres. Un día salieron bien armados en busca de placeres y al llegar a ese punto, se encontraron con incomparables riquezas. En seguida clavaron sus tiendas en aquel lugar, que no tenía otro inconveniente que estar separado de toda habitación.

Una mañana, los mineros almorzaban tranquilamente enfrente de sus cabañas, armados con sus revólvers, según la costumbre, cuando un joven ginete, de ojos y cabello negro como el azabache, avanzó hacia ellos y los saludó. El joven hablaba muy bien inglés, de manera que fué imposible a los mineros adivinar si era un mexicano ó bien un americano. Lo invitaron a que les acompañase a comer, pero rehusó políticamente. Lo que hizo fué cruzar una pierna sobre su caballo, y hallándose a sus anchas en esa postura, comenzó a hablar ligeramente con los mineros sobre diversos objetos, hasta que apareció uno de la compañía llamado Jim Boyce, el cual se había ausentado para ir a traer agua de un manantial que había allí cerca.

A la primera mirada que lanzó el minero al ginete, este tomó su postura natural, se afirmó en su silla y espoleó a su caballo.

Boyce estaba rabiando.

—¡Camaradas! ¡este hombre no es otro que Joaquín! Descargad vuestras pistolas sobre él; pronto, descargadlas.

Y mientras así gritaba, tiró un pistoletazo a Joaquín. Todo fué en vano.

El joven jefe había lanzado su caballo a la aventura, cuando de repente viose cortado el paso por algunas rocas escarpadas. No le quedaba otro camino que un estrecho sendero que se extendía a lo largo de una montaña inmensa, hasta el borde de una cadena de rocas que tendría unas cien yardas de longitud. Estas rocas, situadas encima del río, se encontraban en línea recta con la colina en que los mineros tenían instaladas sus tiendas, y solo estaban a treinta yardas de distancia de ellas. Aventurarse por aquel camino, era muy peligroso para cualquier hombre que se hallase en la posición de Joaquín. No solamente había el peligro de caer de una altura de más de cien pies, sino que también era preciso seguir una linea de más de doscientas yardas al alcance de las balas del enemigo. Joaquín veía a todos los mineros, que le aguardaban revólver en mano.

Joaquín, cual si estuviese montado en un caballo fantasma, se lanzó hacia el peligroso sendero, diciendo al pasar estas palabras a sus enemigos:

—¡Yo soy Joaquín Murrieta! matadme si podéis.

En aquel instante se oyeron veinticinco detonaciones, y las balas, pasando por encima de la cabeza de Joaquín, fueron a aplastarse contra las rocas vecinas. En esta primera descarga, una bala le llevó el sombrero dejando flotantes sus largos cabellos negros.

Los momentos eran demasiado preciosos para que pensase hacer uso de su revólver; no ignoraba que su único medio de salvación era la ligereza de su caballo. Así pues, se contentó, con sacar un puñal de su cintura, el cual levantó sobre su cabeza con desdén.

Algunos minutos después se oyó un chillido prolongado en medio del bosque, a la distancia de un cuarto de milla: el atrevido ginete estaba en salvo.

Joaquín conocía muy bien el carácter de Jim Boyce para adormecerse siendo perseguido por él. Además, era muy probable que el minero hubiese oído hablar de las diversas recompensas ofrecidas al que aprehendiese ó matase al jefe mexicano: era pues muy probable que se reunieran todos los mineros de aquellas inmediaciones y los atacaran en regla. Por lo visto, había mucho peligro en permanecer allí por más tiempo, pues el campamento de los bandidos estaba a sólo tres millas de las chozas de los mineros. Sin embargo, sus enemigos no podían reunir los caballos necesarios para el ataque, ni las armas y municiones que habían menester, antes del amanecer: Joaquín concibió el plan más brillante y más ingenioso que jamás haya salido de humano cerebro; un plan que destruía todos los proyectos de los americanos y permitía al joven mexicano el posesionarse de todas las riquezas que hubiesen podido juntar los mineros.

Sabiendo que podía establecerse una pista perfectamente de noche, pero que no era posible seguirla hasta el día, ordenó a sus hombres que montasen a caballo y se aprestasen para una correría. Todos obedecieron al momento, sin preguntar siquiera al jefe: a poco rato estuvieron listos para marchar. Joaquín se puso al frente de ellos, y silenciosos se internaron por entre las grandes hileras de pinos. Toda la noche anduvieron por caminos casi intransitables, y se encontraron con que habían andado veinte millas. Joaquín quiso alejarse algo más del campamento que acababan de abandonar: solamente un poco más tarde dió orden de hacer alto.

Se juntaron algunas ramas secas, a las cuales se puso fuego; los caballos fueron atados cerca de la hoguera, y luego los bandidos extendieron sus sarapes en el suelo y se entregaron al reposo. Los centinelas encargados de velar por la seguridad del campamento, eran relevados cada media hora durante toda la noche. Al rayar el alba, toda la cuadrilla se puso en pié y algunos instantes después se volvió a emprender la marcha: los bandidos sólo habían dormido cinco horas. Hasta el medio día nuestros hombres anduvieron con la misma rapidez que en la noche anterior. Luego se hallaron en medio de un hermoso valle, cubierto de vegetación, fertilizado por un arroyuelo que atravesaba una hilera de corpulentos robles. Este lugar se hallaba distante unas veinte millas del punto en que habían vivaqueado los bandidos la noche anterior: allí permanecieron dos horas para que sus caballos pudiesen pacer a sus anchas, en tanto que ellos tomaban algún refrigerio. No se pusieron en marcha hasta haber dejado indicios que hiciesen creer a los americanos que los bandidos habían pasado la noche en aquel lugar: luego galopando hasta la caída de la tarde, salvaron otra jornada de veinte millas entre ellos y sus enemigos. Tomaron algunos instantes de reposo, encendieron una hoguera como en la noche anterior, cenaron apresuradamente y después volvieron a montar a caballo y describieron en su correría un círculo de cinco millas tomando de improviso la dirección Oeste, y a eso de las tres de la madrugada, acamparon a un día de camino del último campamento.

Algunos días después de todo ese tragín, marchas y paradas consecutivas, la cuadrilla se encontró precisamente en un lugar donde ya había estado antes.

Jim Boyce y los mineros americanos habían salido en persecución de los bandidos, el día siguiente al en que la casualidad les había deparado a Joaquín. Cada noche hacían alto en el lugar que acababan de abandonar los bandidos y esperaban, con sobrada razón, que al fin se encontrarían cara a cara con los mexicanos, aunque fuese al otro confín del mundo.

Una sonrisa de satisfacción se escapó de los labios de Joaquín, al apercibirse, por señales infalibles, que Jim Boyce, aquel a quien él consideraba como su más peligroso enemigo, lo perseguía tan de cerca.

Había llegado la noche. Después de haber marchado todo el día por los montes y los llanos, Jim Boyce y los suyos, sentados tranquilamente alrededor de una de las hogueras que últimamente había abandonado Joaquín, y que ellos habían vuelto a encender, fumaban y reían muy a gusto, sin el menor presentimiento de algún mal, cuando de repente rasgó el aire la detonación de veinte revólvers descargados a un tiempo: el fuego resplandeció con mayor brillo, y los americanos que habían sido respetados por las balas, vieron en torno de sí veinte de sus camaradas tendidos, y oyeron al mismo tiempo otra descarga parecida a la primera, dirigida contra ellos.

Horrorizados, temblorosos, locos, los dos únicos americanos que la segunda descarga había dejado en pié, uno de los cuales no era otro que Jim Boyce, se lanzaron en la obscuridad y sin pensar en el camino que tomaban, huyeron lejos de aquella escena terrible. Pocos momentos después, Joaquín visitaba tranquilamente el campamento de los americanos, a fin de saber si entre los muertos se encontraba Jim Boyce. Por lo que toca a Jack Tres-Dedos, satisfacía su apetito sanguinario en aquellos de los americanos que le parecía que todavía respiraban, acabándolos a puñaladas.

Es sabido que la muerte producida por una bala esparce sobre el rostro de la víctima una palidez extrema y repentina. Los cadáveres que se hallaban tendidos en el suelo presentaban a la luz de la hoguera, tal aspecto repugnante, que el mismo Joaquín se horrorizó.

—Vamos, dijo, abandonemos este lugar. Podemos acampar hasta mañana en un lugar más agradable.

Pocos momentos después, Joaquín visitaba tranquilamente el campamento.

XI

Llegada a Yacki-Creek.—Carrillo es preso y colgado.—Phoenix Quartz Mill.
—Los chinos de la montaña del Oso.—Dos americanos, a más cuatro alemanes.
—Joaquín se ve en la necesidad de matar a uno de sus hombres.
—Cinco chinos entregados a Jack Tres-Dedos.

Dos ó tres días después, la cuadrilla fué a visitar las cabañas de sus víctimas. Después de apoderarse de los caballos y mulas que allí había, los bandidos comenzaron a buscar los metales preciosos, *y* en oro en polvo fueron encontrados cerca de catorce mil pesos. Joaquín tomó posesión de esta suma, y luego se dirigieron a Yaqui Camp, situado a corta distancia de San Andrés, en donde el jefe tenía una cita.

El día siguiente del en que llegó a aquel lugar, mandó a seis de sus hombres a Arroyo Cantova, guiados por Valenzuela, con todas las bestias que no eran útiles a la cuadrilla en aquel momento y parte del dinero encontrado en el domicilio de los americanos.

El jefe comenzó desde luego, con los hombres que le quedaban, una serie de expediciones contra sus comunes enemigos, matando y robando cuanto le venía a la mano.

Por varias millas a la redonda de San Andrés, Calaveritas y Yaqui Camp, no se oía hablar de otra cosa que de robos atrevidos, y nadie sabía de qué manera habían sido cometidos ni a dónde pasaban los objetos robados. Varios individuos habían sido degollados sin que se supiera quién era el asesino. Todo lo que sabían los mineros era, que algunos ladrones y asesinos, cual otros tantos fantasmas, se paseaban en medio de ellos, sin que pudiesen ser reconocidos. Así pues, solo se veían rostros compungidos y ojos extraviados, pues cada cual temía ser asaltado en su camino.

El capitan Ellis, diputado-sheriff del condado, logró organizar una compañía entre los ciudadanos más atrevidos de San Andrés, y en seguida comenzaron a perseguir a los bandidos. Habiendo sabido por un espía que Joaquín se hallaba en Yaqui Camp, y que uno de sus hombres frecuentaba las mesas de monte muy a menudo, se dirigió sin pérdida de tiempo al lugar indicado, reconoció al hombre, cuyas señas se le habían dado y se apoderó de él.

Carrillo, pues no era otro que él, fué condenado a ser colgado, *incontinenti,* por ladrón y asesino; pero se le ofreció el perdón si revelaba el domicilio de sus compañeros. El bandido rehusó la oferta desdeñosamente: sin embargo, suplicó que no lo matasen, y se comprometió a ayudar a los americanos en su empresa, pero de un modo que no excitase las sospechas de la pandilla de Joaquín. Viendo que no era atendida su proposición, cambió de tono y dijo con bravura:

—¡Pues manos a la obra!

Luego añadió:

—Si os pasa por la mente visitar nuestros escondrijos, encontrareis en mi baúl un puñal, cuya hoja está todavía manchada con la sangre de un americano. Con aquel puñal he matado lo menos veinte de vuestros compatriotas, mientras que vosotros solamente podéis matarme una vez.

Este discurso, como deben suponer nuestros lectores, fué recibido del modo que merecía: el bandido, sin más fórmula de proceso, fué arrastrado hacia un árbol y colgado de una de sus ramas.

Los compañeros del capitán Ellis, no dando oídos más que a su venganza, continuaron la obra comenzada, destruyendo é incendiando todos los lugares que suponían pudiesen servir de refugio a los bandidos: las llamas alumbraron todas las montañas vecinas, por algunas millas a la redonda.

Joaquín, que se hallaba con sus hombres en una colina, poco distante de aquel lugar, vió y oyó todo lo que pasaba.

—Creo yo, dijo el jefe riendo muy a gusto, que si actualmente nos tuvieran en su poder, les tentaría el deseo de asarnos. ¡Pobre Carrillo! Lo han colgado; sin duda habrá ido a únirse con su antiguo amigo el padre Jarauta; pero ¡caramba! juro que los primeros veinte americanos que yo encuentre, le seguirán en el camino del infierno, y no sin que yo haya antes satisfecho mis deseos sobre ellos.

Convencido nuestro héroe de que la compañía del capitán Ellis recorrería todo el país en busca de su cuadrilla, se internó en las montañas, bien dispuesto a llegar lo más pronto posible al cuartel general, en donde presentaría batalla a todos los que osasen perseguirle.

Al pasar cerca del molino de la compañía Phoenix, algunos individuos parapetados en aquel edificio, les hicieron una descarga, la cual sólo tuvo efecto en dos ó tres de ellos que fueron heridos ligeramente.

En seguida Joaquín hizo pasar a su gente y contestó el fuego, pero como el enemigo no se presentaba, penetró en aquel lugar con cinco ó seis de sus hombres, incluso Jack Tres-Dedos.

Solo había allí dos hombres que tuvieron la temeridad de defenderse cuerpo a cuerpo con los bandidos: como puede comprenderse facilmente, un minuto bastó para aniquilarlos y mandarlos al otro mundo. Después de lo cual, Jack Tres-Dedos los arrastró hacia afuera, mutilándolos horriblemente a puñaladas. Mientras tanto, Joaquín y sus compañeros descargaban algunos pistoletazos dentro del molino, y luego todos volvieron a emprender la marcha, interrumpida por el episodio que acabamos de relatar.

Al otro lado de la montaña del Oso, a cuyo punto llegaron nuestros hombres por un camino que sigue la cadena de Santo Domingo Creek, los mexicanos encontraron un campo chino, del cual sacaron de quinientos a seiscientos pesos: era cuanto poseían aquellos hijos del Celeste Imperio. Jack Tres-Dedos no pudo menos que manifestar su ansiedad al verlos tan débiles y miserables: él hubiera querido cortarles tan triste existencia, pero Joaquín le mandó que no hiciese alarde de su fuerza é instintos sanguinarios hasta que encontrase algunos americanos. Jack se conformó con la decisión de su jefe, pero no de muy buena gana: nuestro hombre era antichino por excelencia, y para él no había diversión más buena que la de desollar unos cuantos de esos seres inofensivos: no obstante, comprendiendo sus obligaciones, obedeció sin réplica la orden de Joaquín.

Nuestros hombres pasaron el río en Forman's Ranch; después siguieron el gran camino que costea los bosques hasta llegar al que conduce a San Andrés. A cosa de una milla del pueblo, comenzaron a subir una montaña situada en la vecindad de Greaservill. En el camino encontraron a dos americanos que viajaban a pie: se hizo una descarga sobre ellos, y una vez muertos, fueron entregados a la saña de Jack Tres-Dedos, pero en tal estado, que ese miserable no halló otro medio de satisfacer su apetito sanguinario, que cortándoles el pescuezo y acabando de desfigurar su rostro a puntapiés.

Cerca del campo del Angel, los bandidos encontraron una cabaña en que dormían cuatro alemanes; los despertaron y luego les pusieron su puñal en la garganta, obligándolos a entregar todo el dinero que tenían, que apenas ascendería a unos doscientos pesos.

Jack Tres-Dedos dejó partir a sus camaradas; cuando se hallaron un poco lejos, se volvió hacia los pobres alemanes que estaban todavía estupefactos, y con un juramento de muy mal agüero les dijo que iba a cortarles la cabeza por estar pobres. La acción iba a seguir a la amenaza, si no hubiese llegado Joaquín en aquel momento, quien se interpuso, haciendo notar a Jack que aquellos hombres no eran americanos sino alemanes. El mónstruo Tres-Dedos renunció por aquel entonces al placer que le esperaba; más de una vez, en el camino, trató de abandonar a sus camaradas para ir a cumplir su amenaza; pero Joaquín, que no lo perdía de vista, supo impedírselo.

Algunos días después, uno de los hombres de la pandilla, llamado Florencio, declaró a Joaquín que no podía acompañarle más, pues tenía que volver a Jacqui para arreglar un asunto particular.

— ¿Cuál es este asunto? Preguntóle el jefe.

—¡Ah! dijo el otro con un tono que parecía muy natural. Es un pequeño negocio que solo a mi me concierne.

—No lo dudo, replicó Joaquín, pero en este momento te necesito. Mi intención es reunir a todos los miembros de la compañía en el cuartel general, y a no ser que me des una razón plausible, no puedo concederte lo que solicitas.

—Pero yo no solicito, dijo el bandido, lo que hago es pedir.

—Entonces, señor Florencio, lo que pides es inoportuno.

Estas palabras fueron acompañadas de una ligera sonrisa de menosprecio, que se desprendió rápidamente de los labios de Joaquín.

—Todos los momentos me parecen buenos, replicó Florencio basta que yo los halle oportunos. Supuesto que parece que hoy os encontráis de mal humor, nada más tengo que añadir, pero haré lo que se me antoje.

Y esto diciendo, el bandido hizo dar una vuelta a su caballo y se disponía a partir, cuando Joaquín sacó su revólver y le ordenó que hiciese alto.

—¡Y bien! dijo el rebelde sujetando el caballo por la brida; ¿qué se ofrece?

—Yo creo, dijo Joaquín furioso al ver que era tratado de aquel modo por uno de sus subalternos y delante de su compañía, algunos de cuyos miembros eran novicios, creo y repito, que sois un traidor; sin duda quereis ir a dar razón del camino que seguimos, y descubrir nuestro cuartel general.

—Pensad de mí lo que mejor os cuadre, contestó el miserable sacando al mismo tiempo su revólver y lanzando una mirada amenazadora é insolente hacia el jefe.

—¡Ah! exclamó Joaquín lleno de cólera; ¡por Cristo que vais a morir, siquiera no fuese más que por vuestra insolencia!

Casi al mismo tiempo se oyeron dos tiros de pistola, y Florencio, mortalmente herido, cayó de su silla. Su caballo, aligerado del peso del ginete, se unió a la compañía, que partió a galope. Todos los bandidos censuraron la loca insubordinación de Florencio, y felicitaron a su jefe por haberlo castigado tan a tiempo.

—Me pedía algún tiempo, dijo Joaquín, y yo le he dado la eternidad.

Dos horas después, los bandidos marchaban por un camino que se sepultaba en las gargantas de las montañas, cuando se encontraron de repente enfrente de un campo ocupado por cinco chinos. A pesar de que cada uno de ellos estaba armado con un revólver y un puñal, no opusieron la menor resistencia a nuestros hombres, pidiéndoles de rodillas que les dejasen la vida.

La rebeldía de Florencio había puesto a Joaquín de mal humor; hizo seña a Jack Tres-Dedos, quien se lanzó sobre los infelices chinos y a uno después de otro les sepultó su puñal en el pecho. Sus ojos resplandecían de gozo al ejecutar aquella operación, pareciendo más bien una bestia feroz que se satisfacía con la sagre de sus víctimas, que un ser dotado de razón.

XII

El cuartel general.—Joaquín y Clarita.—Se hace un reconocimiento en la montaña—Arkansaw.—En presencia del enemigo.

Cuando llegaron a Arroyo Cantova, Joaquín se convenció de que sus merodeadores no habían estado sin hacer nada: algunos centenares de caballos se paseaban tranquilamente en la llanura, muchos de ellos broncos todavía. En el campo se levantaban hermosas tiendas de campaña que, todas juntas, se asemejaban a un pueblecillo: sentados a su alrededor los bandidos mataban tranquilamente el tiempo, unos jugando monte, otros fumando su cigarrito. A corta distancia, sentadas sobre la menuda yerba, se hallaban ocho jóvenes de ojos negros con sus queridos, las cuales hablaban, reían ó cantaban con toda la alegría y natural viveza que acompañaba a su sexo y edad.

Apenas hubo avanzado Joaquín hacia sus camaradas, cuando recibió felicitaciones y cumplimientos de todos lados. Al mismo tiempo dos magníficos brazos rodearon su cuello y los lindos ojos de Clarita le dieron una amorosa bienvenida: era tal la emoción de la joven en aquel momento, que en vano hubiera querido hablar.

Después de haber dado las gracias a sus compañeros por la recepción que le hacían, Joaquín se retiró con su querida, dirigiéndose hacia un árbol predilecto que él había escogido para pasar bajo su sombra, los ratos de ocio. Cuando estuvieron sentados y libres de las miradas y oídos importunos dijo Clarita:

—Joaquín, ¡has estado ausente mucho tiempo! sí, ¡mucho tiempo! Y yo no he dejado de estar triste con tu ausencia, pues me hallaba sola en medio de tanta gente.

—¿Es posible, Clarita? ¿Sola y triste entre esas jóvenes tan alegres, tan dichosas?

—¡Ah! Justamente por esta razón es que me hallaba triste.

—¿Es cierto? Explícate pues, querida mía. Quiero saber la causa de ese cambio tan repentino. ¡Cómo! ¿lloras? ¿Es tan seria la cosa?

—Sí, Joaquín, lloro, dijo la joven apoyando su linda cabeza en el seno de su amante; lloro, porque no puedo, no, no puedo contener mis lágrimas; siento que mi corazón está próximo a desgarrarse. ¿Te acuerdas de lo que me prometiste? ¡Oh! ¿cuándo abandonarás esta peligrosa y desagradable existencia, para irnos a nuestro país, tan hermoso y tan apasible?

—¡Nuestro país! ¡Ojalá no lo hubiese abandonado jamás! De este modo no sería lo que hoy en día soy. Pero ven, Clarita mía, no te desanimes. Algunos meses más, y volveremos a ver el hermoso cielo que nos vió nacer, donde pasó nuestra niñez, y todas las penalidades y sufrimientos pasados serán olvidados, ante la dicha de que disfrutaremos.

En el rostro de la joven se pintaba el placer que le causaban los recuerdos que evocaba Joaquín; pero a pesar de la existencia que éste llevaba, Clarita lo amaba con pasión. Hubiera dado gustosa la existencia por él; conocía todos sus secretos y leía en sus ojos sus penas, sus tormentos, su placer, su dicha, en fin; con una mirada escudriñaba los secretos más recónditos de su corazón. Joaquín le había dicho que la carrera en que se había lanzado acabaría el día que concluyese su venganza y hubiese reunido una suma equivalente a la que le habían quitado los americanos. Añadió también que se retirarían al Estado de Sonora y construirían una casa, no ocupándose de otra cosa que de su amor. Ella le escuchaba con la mayor confianza, pues eran sinceras sus intenciones, y bien pronto la inquietaban los díceres de la gente, porque tal como era Joaquín, Clarita lo amaba y lo consideraba el más noble, generoso y gallardo de todos los mortales.

—¿Está próxima nuestra partida? dijo Clarita con un acento de ternura en que se retrataba todo su amor.

—Si, vida mía; mi venganza ya está casi completa, y por lo que hace a mi fortuna, con algunos miles de pesos más que tenga, me bastará.

Apenas acababa de pronunciar estas palabras, cuando el joven jefe fué interrumpido de improviso en su amorosa plática por uno de los centinelas que venía al trote, a darle algunos informes. A cosa de una milla, abajo de Cantova Creek, el centinela había descubierto hacía un rato, una pista que se perdía entre la menuda yerba; y, según todas las apariencias, se podía afirmar, que había no lejos de allí una partida de doce ó quince hombres. Era muy importante que se vigilase bien el campamento y no se dejase salir del valle a ningún americano que pudiese revelar el secreto en donde la cuadrilla de Joaquín tenía establecido su cuartel general. Un suceso de esa naturaleza hubiera podido destruir completamente los proyectos del jefe mexicano, obligándolo al mismo tiempo a buscar otro lugar donde refugiarse.

Así, pues, tomó sin demora uno de sus mejores caballos y se lanzó fuera del valle, acompañado de veinte de sus mejores hombres, entre los cuales se contaban sus edecanes Jack Tres-Dedos y Valenzuela y los no menos valientes y fieles Guerra, Antonio y Fernando.

La pequeña compañía siguió la pista indicada por el centinela y al cabo de dos horas de marcha precipitada, apercibieron ante ellos catorce americanos que los aguardaban de frente.

Cuando los bandidos se hallaron a unos cuantos pasos de distancia de los yankees, Joaquín ordenó que se hiciese alto. Había observado con sorpresa el mexicano, que el jefe de esos intrusos no era otro que el grandote y robusto individuo que había tratado de arrestarlo en una casa de baile en Sonora.

—¿Qué habéis venido a buscar en este valle? les dijo Joaquín haciendo avanzar a su caballo algunos pasos, a fin de ver más de cerca el rostro del individuo en cuestión, para asegurarse de que no se había equivocado.

El yankee titubeó.

Irritado por el chasco que le había pegado Joaquín en la casa de juego, obligado a soportar las chazonetas de sus conocidos los americanos, que cada vez que le encontraban le pedían noticias de Joaquín, el individuo en cuestión había resuelto organizar una compañía y salir en persecución del bandido, para traerlo a Sonora muerto ó vivo, y dar fin de este modo a la crítica de que era víctima. Para tan laudable fin encontró fácilmente una docena de hombres avezados en aquel género de fatigas, los cuales emprendieron el negocio con el mayor ánimo. Debemos advertir que cuando el americano se decidió a perseguir al jefe de los bandidos, suponía que la cuadrilla de éste la componían hombres de poco valor, y por este motivo creía muy fácil su empresa: él no ignoraba que Joaquín era valiente, pero no siendo secundado por sus compañeros, muy pronto tendría que rendirse.

La repentina aparición de Joaquín a la cabeza de veinte hombres bien equipados, bien montados, bien armados, bien fornidos y con un aspecto nada agradable, sorprendió a Arkansaw, ese era el nombre con que era conocido en California el americano, al extremo que, en aquel instante, se sintió incapaz para contestar a Joaquín.

Arkansaw no estaba falto ni de decisión ni de valor, pero poseía una fuerte dósis de amor propio, de vanidad y circunspección. Al verse enfrente de una pandilla de hombres superiores a la suya en número y calidad de las armas, comprendió que nada ganaría si se batía con ellos, que solo le produciría el negocio algunos balazos ó puñaladas, sin esperanzas de conseguir el objeto que se propuso. El americano, pues, permanecía callado y perplejo, cuando Joaquín impacientado le dijo con un tono más agrio que al principio:

—¿Me habéis comprendido ó es preciso que me explique con más claridad?

—Poco más ó menos, respondió Arkansaw llevando a su boca una enorme cantidad de tabaco que acababa de sacar de su bolsillo, mientras que con una mirada trataba de indagar el parecer de sus compañeros.

—Entonces, ¿qué tenéis que responder? ¡Hablad pronto! ¿Quién sois y qué habéis venido hacer a este valle?

—¡No os incomodéis! Facilmente se adivina que sois extranjero: nuestras costumbres os son desconocidas. Apenas dais tiempo para que os conteste! Yo nunca me apuro, ni aun cuando mi sopa está en la mesa ó alguna liebre ó perdíz a pocos pasos de mi escopeta. El moverme me cuesta mucho; ya lo veis, me parezco a un buque equipado para hacer a la vela, pero me da mucho trabajo el virar. En fin, para abreviar palabras os diré que nuestra presencia en estos lugares se reduce a este objeto: nosotros formamos una sociedad de cazadores y actualmente andamos en busca de osos grises y otros animales salvajes. Así como vosotros no tenéis ningún motivo para buscarnos disputas, tampoco lo tenemos nosotros para incomodarnos. He aquí la verdad lisa y llana.

A estas palabras, la sorpresa y el desprecio aparecieron retratados en el semblante de los demás americanos que acompañaban a Arkansaw.

Algunos dejaron escapar sordos murmullos de descontento. Entonces uno de ellos se adelantó hacia Joaquín, y le dijo con acento muy firme:

—Estoy persuadido de que os conozco: ¡vos sois Joaquín Murrieta!

XIII

Gran combate.—Derrota de los americanos.—Jack Tres-Dedos pelea con Arkansaw.—Valor de este último.—Se escapa de las manos de los mexicanos. —Joaquín se ve en la necesidad de abandonar Arroyo Cantova.

Apenas el americano había acabado de pronunciar el nombre de Joaquín, cuando todos sacaron su revólver. Comenzó el fuego por ambos lados con gran confusión. Cinco de los hombres de Joaquín habían caído de su caballo, y dos de los americanos habían pasado a mejor vida, cuando a una señal de su jefe, los bandidos se lanzaron sobre el enemigo y trabaron un combate cuerpo a cuerpo, en el cual el valor y la fuerza debían salir vencedores. En medio de los gritos, las imprecaciones y los gemidos, se oía la voz de los jefes que animaban y excitaban a sus hombres, al mismo tiempo que combatían con la ferocidad del tigre.

Herido, ensangrentado, pero siempre valiente y jamás abatido, Murrieta corría de un lado para otro en medio del tumulto y en todas partes se le veía, y cuando alguno de sus hombres empezaba a desanimarse, él lo animaba y conseguía que saliese victorioso de su rival.

Sin embargo, los americanos peleaban de un modo desesperado. Por un momento tuvieron ventaja sobre sus adversarios; y tal vez hubiesen obtenido la victoria, si el genio invisible que por todas partes acompañaba al jefe mexicano, no hubiese acudido a su socorro y diseminado a los americanos, que cayeron sobre el suelo húmedo de sangre.

Después de haber descargado sobre el enemigo el contenido de su revólver, Jack Tres-Dedos había tirado el arma a un lado y había comenzado a hacer uso del puñal, con su ferocidad acostumbrada. Daba golpes a troche y moche, y algunas veces, ciego por aquella escena de sangre que se ofrecía a su vista, ni veía a donde dirigía el golpe, hiriendo a alguno de sus camaradas ó a los caballos que montaban.

Cuando Joaquín, después de haberse desembarazado de uno de los americanos más obstinados, pudo contemplar con calma el campo de batalla, vió que nueve de los suyos habían encontrado la muerte en el combate.

De los enemigos, sólo uno quedaba con vida y era el gigantesco y robusto Arkansaw, que luchaba desesperadamente contra Jack Tres-Dedos. El yankee, que era hombre muy fornido, daba más golpes que recibía, lo que contribuía a aumentar la rabia feroz de Jack.

Joaquín y el resto de su cuadrilla, heridos y cubiertos de sangre, y también rendidos de fatiga, permanecieron tranquilos espectadores de la lucha, confiando grandemente en la fuerza y destreza de su camarada.

Yendo de un lado a otro con sus caballos cubiertos de espuma, los dos combatientes trataban de acabar la lucha por medio de un golpe mortal; se veía que estaban resueltos a no abandonar el campo de batalla, hasta que uno de los dos quedase tendido en él.

De repente, Arkansaw, enfurecido por el dolor que le causaba una terrible herida que acababa de recibir en una pierna, se lanzó con su caballo hacia la izquierda de su adversario, y blandiendo su puñal le dió tal cortada en la mejilla, que el mexicano tembló sobre su silla. Sus compañeros, espantados, acudieron a socorrer a su camarada; pero Jack, volviendo en sí de improviso, con grandes imprecaciones les ordenó que se retiraran. Sin embargo, no lo escucharon, pues estaban decididos a impedir un sacrificio inútil, y pensaban acabar con el americano. Este comprendió que, con todo y su valor, no podría resistir por mucho tiempo a enemigos más fuertes que él: así, pues, hizo dar una vuelta a su caballo y lanzándolo en el camino, huyó rápido como un relámpago, seguido a alguna distancia por su salvaje enemigo, a quien se le había unido Joaquín.

Por espacio de cinco millas los dos mexicanos persiguieron al yankee: Joaquín se quedó algo atrás, pero Jack casi llegó a alcanzar al fugitivo. Convencido de que era materialmente imposible alcanzar a Arkansaw llamó a Jack, y cuando estuvieron juntos, hicieron dar vuelta a sus caballos y se encaminaron hacia el cuartel general.

Los mexicanos que habían sido heridos durante el combate, se hallaban allí también. Algunos de sus camaradas, los más experimentados, se ocupaban en curarlos del mejor modo que podían. Fernando y otro individuo habían recibido heridas tan graves, que murieron el día siguiente, lo que aumentaba la pérdida total de los bandidos hasta once.

Por su parte Joaquín, si bien no había sido herido gravemente, en cambio había perdido mucha sangre, lo que le obligó a permanecer en cama por algunos días: durante todo ese tiempo, Clarita no cesó de prodigarle los cuidados más atentos. Antonio y Guerra, no menos dichosos que su jefe, encontraban un alivio a sus males con la asistencia que recibían de sus queridas: así fué como los tres sanaron de sus heridas antes de que los otros bandidos, menos favorecidos por la suerte, entrasen en convalecencia.

Joaquín sentía cierta inquietud al acordarse del intrépido americano Arkansaw, el único que había sobrevivido de los yankees que tomaron parte en el combate: reprochábase el haberle dejado escapar, cuando hubiera podido matarlo fácilmente de un pistoletazo durante su lucha con Jack Tres-Dedos. Habían transcurrido quince días desde aquella sangrienta batalla, y si el yankee no había sucumbido a sus heridas, era de temerse que hubiese levantado otra compañía de aventureros que nunca faltaban para una empresa parecida ¿Quién le impedía reunir las diversas compañías que había organizadas en el país para castigar a los bandidos, y una vez todos juntos, dirigirse a la caza de nuestros hombres?

Temiendo una eventualidad parecida, Joaquín resolvió abandonar, a lo menos por algún tiempo, el lugar que había escogido para su cuartel general. Por medio de esta estratagema, decía para si el jefe, engañaré a mis perseguidores, quienes encontrando desierto el valle, creerán que hemos vuelto a nuestro país, ó bien seguirán buscándonos dividiéndose en cuadrillas, y exparciéndose en varias direcciones, lo que habría permitido a Joaquín de llevarlas hacia las montañas y allí aniquilarlas una a una sin exponerse a perder su gente. Bajo ese cálculo, los bandidos se dispusieron a salir del valle. Los caballos, de los cuales había algunos centenares, fueron reunidos en partidas y enviados a México custodiados por cuatro de los hombres más inteligentes y valientes de la banda de nuestro héroe. Las tiendas de campaña fueron plegadas y colocadas sobre las bestias de carga como igualmente todo lo que había en el campamento que les pudiese ser útil. Las mujeres se vistieron de viaje, preparándose alegremente a atravesar las montañas, los llanos, los senderos y las profundas gargantas; iba a comenzar para ellas una série de fatigas, en que no solo habría privaciones y cansancio, sino que tal vez tendrían que defenderse a menudo contra los osos pardos y los leones de California.

Los heridos que aún no habían recobrado bien sus fuerzas, fueron montados en los caballos más mansos, los cuales de ordinario eran montados por las mujeres.

Concluidos que fueron los preparativos toda la cuadrilla salió poco a poco del valle, componiéndose en aquella época de ciento seis hombres y nueve mujeres. Todos abandonaron con pena aquel lugar, que quedaba tan triste, pero que muy a menudo había estado animadísimo durante la estancia de los bandidos en él.

Joaquín Murrieta

Al frente de su columna marchaba Joaquín, rodeado de sus principales subtenientes. Las facciones tan hermosas del jefe habían tomado una expresión de tristeza y gravedad, mientras explicaba a sus hombres los motivos que le habían determinado a abandonar el Arroyo Cantova.

XIV

El viaje no distrajo en nada a Joaquín de sus constantes preocupaciones. El recuerdo de su último encuentro con los americanos torturaba su espíritu: apesar de que los había derrotado completamente pagó bien cara su victoria, y se veía en la necesidad de reconocer la impotencia de sus hombres cuando se encontraran enfrente de un enemigo fuerte y decidido. Sentía infinito que su cuadrilla no estuviese compuesta de hombres tan hábiles, tan intrépidos como Jack Tres-Dedos, Valenzuela, Antonio y Guerra. Contrariado de haber dejado escapar a Arkansaw, era necesario que reconociese támbién que Jack Tres-Dedos no alcanzaba siempre la victoria ni tampoco era invencible: y no obstante, era el más fuerte de toda la pandilla, el más astuto, el más cruel, el más resuelto de todos los perdonavidas: había sido anteriormente el favorito, el brazo derecho del padre Jarauta, el jefe más famoso de guerrilla. Además, aumentaban su hoja de servicios las numerosas heridas que había recibido durante su carrera, de algunas de las cuales se distinguían todavía las señales, y esto lo elevaba a los ojos de Joaquín. Si ese gran campeón se vió en grandes apuros para escaparse de las garras del intrépido Arkansaw, era más que probable que cualquiera de los otros bandidos que hubiesen figurado en aquel lance, se habría visto tan apurado como él.

Joaquín comprendió desde luego que tenía interés en evitar cualquier encuentro formal con los americanos. Un combate semejante, aunque saliese victorioso en él, podía privarle de un gran número de hombres, que difícilmente serían reemplazados, lo cual estorbaría grandemente el objeto que se había propuesto al empezar su carrera de crímenes.

Estas reflexiones y otras semejantes tenían mohino y taciturno a Joaquín Murrieta: era la primera vez que sentía un vivo y sincero deseo de renunciar lo más pronto posible a aquella existencia criminal y retirarse al seno de su patria con su muy querida Clarita.

La joven marchaba detrás de la cuadrilla, acompañada de sus amigas, que estaban muy lejos de encontrarse tristes. Clarita no sentía entonces las mismas impresiones que su amante, antes bien, se hallaba de muy distinto humor. Esforzábase por distraer y alegrar a sus lindas compañeras, que tenían más ganas de divertirse que de otra cosa. Al oír las carcajadas y canciones amorosas que se desprendían de los labios de las jóvenes mexicanas, las cuales eran repetidas por el eco de las montañas, hubiérase dicho que en aquellos alrededores se celebraba un festín, tal era la algazara que tenían.

Después de haber atravesado los ricos valles que se extienden al Norte del lago Tulares, los mexicanos franquearon el río de San Joaquín, a cosa de doce millas de distancia del fuerte Miller y siguiendo avanzando en dirección Norte, hasta llegar a las cascadas de Yohamite. Allí volvieron a pasar el río y treparon la Sierra Nevada, atravesando los deliciosos valles que se encuentran al otro lado; y finalmente, llegaron a la cumbre de las montañas al Este del lago Mono.

Entre los senderos de estas montañas, cuando Joaquín empezó su carrera, había hallado refugio contra algunos americanos que los persiguieron a él y a su cuadrilla desde Hangtown hasta Castle Peck, a alguna distancia del paso de Sonora: desde aquella época consideraba aquel lugar como el mejor y más seguro escondite que había en todo el Estado.

El joven jefe se internó en un desfiladero que casi nadie hubiera podido dar con él, de tal modo estaba desconocido por medio de rocas y vegetación; y cuando llegaron a su fin se encontraron en uno de los lugares más pintorescos y más retirados que imaginarse pueden. Es un simple paraje situado a veinticinco millas al Sudeste del lago Mono, que está colocado entre dos escarpadas montañas, coronadas de rocas que parecen próximas a desplomarse, y en medio de las cuales un hombre puede fácilmente evadirse a todas las pesquisas. Si se sale de allí para trepar las montañas vecinas, de un golpe de vista se domina todo el país a varias millas a la redonda.

En este lugar solitario y salvaje, a algunas millas del cual tienen su guarida los lobos, las hienas, los más temibles osos pardos, y toda clase de fieras, los bandidos clavaron sus tiendas de campaña. Ya las sombras de la noche se esparcían poco a poco sobre la tierra; la naturaleza parecía convidar al reposo y a la tranquilidad a esos atrevidos aventureros, que tantas preocupaciones los traían atareados. Extendieron en tierra sus grandes frazadas, y después de cubrirse con ellas comodamente, se entregaron al reposo. Durmieron hasta el amanecer, no menos tranquilos, al parecer, que cualquiera que jamás hubiese teñido en sangre sus manos, ó que no tuviese remordimientos en su conciencia.

Al día siguiente, Joaquín reunió en torno de si a todos sus camaradas, y les expuso sus ideas y sus planes para lo futuro.

—Ya sabéis, dijo el mexicano, que tenemos actualmente cien hombres en servicio activo. Nuestros espías, nuestros amigos, nuestros socios, esparcidos en casi todas las ciudades y campos del Estado, se elevan a cuatrocientos. Estos aliados sólo pueden ayudarnos verdaderamente, es decir, por medio de los informes que nos suministran; no podrían prestarnos ninguna cooperación activa, por razones que es inútil os explique en este momento. En un punto seguro tengo una suma considerable de dinero, y mi intención es levantar en Sonora y la Baja California, cierto número de auxiliadores que elevarán hasta trecientos el efectivo de nuestros miembros militantes. Yo equiparé a esos nuevos reclutas, los armaré, y podré entonces limpiar todos los condados del Sud. Destruiré a los americanos por mayor, y todo esto tan rápidamente, que no tendrán lugar para organizarse en compañías y oponer resistencia: apenas ellos conocerán mis proyectos, cuando yo habré concluido mi tarea y retirádome a las montañas de la Sonora. Cuando llegue a ese punto, abandonaré la vida de aventuras que hemos sobrellevado juntos hasta la fecha. Entonces, amigos míos, estaremos completamente vengados del mal que nos han hecho personalmente los americanos, y de los que han acarreado a nuestra patria con la guerra que le llevaron. Dividiremos las ganancias adquiridas en nuestras expediciones, é iremos a disfrutar en paz el resto de nuestros días.

El discurso del jefe fué acogido con prolongados aplausos. El entusiasmo brillaba en los ojos de todos los bandidos: el magnifico cuadro que Joaquín acababa de desenvolver ante sus ojos, les parecía tan brillante, la revelación era tan inesperada, que apenas si podían contener su gozo. A pesar de que siempre habían amado y admirado a su jefe, en las diversas fases de su carrera peligrosa, jamás habían supuesto en él tanto talento. Sus palabras les dieron nuevo brío, y más que nunca estaban decididos a seguirlo, a obedecerlo a toda costa, cualquiera que fuese la suerte que la veleidosa fortuna tuviese reservada a sus empresas.

Aquel mismo día, Joaquín mandaba a ocho compañías compuesta cada una de diez hombres, a diversos puntos del Estado—al Este, al Sud, el extremo Norte, con la órden expresa de hacer todo lo posible para procurar dinero y caballos.

El se quedó en el cuartel general con veinticinco hombres, cuya única ocupación era cazar, cuidar los caballos y tener las armas en buen estado.

Hacía ya diez días que las ocho compañías habían salido del cuartel general: en este intervalo, los hombres heridos en la última batalla habían acabado de restablecerse completamente.

Viendo Joaquín que estaban listos para comenzar su servicio, salió con Valenzuela y Jack Tres-Dedos, y se puso en campaña, a ver si se le presentaba la oportunidad de dar un buen golpe. Antonio, Guerra y los demás debían velar por la seguridad de las mujeres y protejer el campamento contra las incursiones de los animales feroces, que no cesaban de pasearse por allí cerca, apesar de la caza continua que se les hacía.

A su llegada a Fiddletown Joaquín encontró al capitán de una de sus compañías, quien le entregó un saco lleno de monedas de oro, y le notició que sus hombres, divididos en parejas, operaban en aquel momento con mucho éxito en la vecindad de Jackson. El capitán había venido a Fiddletown para un negocio importante, para el cual tenía una cita en aquel lugar. La conversación entre Joaquín y su subteniente se prolongó por algunos instantes más, después de lo cual ambos se despidieron. El jefe mexicano llamó a Jack Tres-Dedos, que se paseaba con calma enfrente de una cabaña de chinos a los cuales examinaba con una expresión particular de codicia: el sanguinario Jack abandonó aquel lugar con una marcada expresión de disgusto, y luego los bandidos tomaron el camino que conduce a Indiancreek.

XV

Diamond Springs.—La mala de Hangtown.—En busca.—El golpe de mano.—En donde se ve que los resultados no correspondieron al fin que se propuso Murrieta.—Regreso a Diamond Springs.—Partida.

Al llegar a Diamond Springs algunos días después, Joaquín supo por uno de sus socios que tenía una casa de baile en aquel lugar, que el día siguiente, la mala que hace el servicio entre Hangtown y Sacramento, llevaría muy pocos pasajeros y aún gran cantidad de oro en polvo destinado a los Estados del Este.

En los primeros meses de su carrera, se había presentado a Murrieta la oportunidad de asaltar una diligencia que venía ó iba a Mokelumne Hill pero lo miserable del resultado que obtuvo le hizo tomar aversión a aquel género de empresas: así, pues, trató de procurarse dinero de un modo menos expuesto. No obstante, juzgó prudente no desechar el negocio que se le ofrecía y resolvió apoderarse a toda costa de lo que pudiese contener la mala de Hangtown. En efecto, cuarenta mil pesos no eran de despreciar: era cuanto necesitaba para irse a México, alistar los hombres que necesitaba y poner en acción el plan que tenía proyectado de desolar los condados del Sud.

Joaquín tuvo una entrevista secreta con Valenzuela y Jack Tres-Dedos, y les participó el proyecto que tenía de apoderarse de la mala: su adhesión fué pronta y enérgica. Aquella misma noche fueron a examinar el camino, a fin de escoger un lugar donde emboscarse.

Después de haber andado casi toda la noche, los tres mexicanos hicieron alto en un lugar solitario, cubierto de maleza y rodeado de árboles, situado a la mitad del camino entre Mississippi-Bar y White Rock House.

Joaquín hizo colocar a sus dos camaradas a la izquierda del camino, detrás de un matorral, pero muy cerca del lugar donde debía pasar la diligencia; después él se colocó a la derecha en una posición parecida.

Nuestros hombres permanecieron emboscados dos horas consecutivas, devorados por la ansiedad: el alba comenzaba a despuntar y la diligencia todavía no parecía. Joaquín sabía por conducto seguro que la mala saldría de Hangtown entre la una y las dos de la madrugada; eran ya las seis y media. El jefe comenzó a dudar: ¿lo habrían engañado sus socios? Se encaminó hacia el lugar donde estaban apostados García y Valenzuela, casi decidido a volverse a Diamond Springs, y a correr la suerte de encontrar la diligencia en cualquier otro punto menos a propósito que áquel en que se hallaban.

Los dos bandidos, colocados lo más cómodamente posible en las sillas de sus caballos, aguardaban la diligencia con toda la cachaza imaginable, saboreando el delicioso humo de sus inseparables cigarritos. Al verlos Murrieta tan bien dispuestos, resolvió esperar una hora más. Quince minutos después, Jack Tres-Dedos sacó su revólver diciendo:

—¡Ya llega la mala!

—¡Ay! sí, dijo Joaquín: oigo el ruido que hacen las ruedas. Algunas palabras antes de que llegue. Me hallaba tan preocupado por otros negocios de muy distinta esfera, que ni siquiera había pensado deciros lo que tenéis que hacer.

—¡Cómo es eso! dijo García. ¡Vive Dios! No sabía yo que hubiese dos modos de llevar a cabo ese negocio.

—¡Silencio! replicó Joaquín. Escuchad: a la primera señal os lanzareis en el camino y os colocareis uno a cada lado del coche, mientras yo detengo los caballos. No quiero que se dispare ni un sólo tiro sin que yo lo ordene: ¡no lo olvideis, Jack! Y ahora, amigos, ¿me habeis entendido bien?

—Perfectamente, señor, respondió Valenzuela saludando cortesamente al jefe.

—Bien, muy bien, murmuró Jack; pero debo confesaros que no me gusta ese plan.

—¡Atención! replicó Joaquín, ni una palabra más y acordaos de mis órdenes.

Y luego, como el ruido de las ruedas se aproximaba cada vez más, el jefe se apresuró a volverse a su escondite.

Cinco minutos depués la mala apareció a la vuelta del camino; estaba tirada por cuatro briosos caballos que galopaban de una manera extraordinaria, animados por la brisa matutina. En un abrir y cerrar de ojos estuvo en frente del lugar en que estaban escondidos nuestros hombres.

De repente se oyó un grito aterrador. Joaquín se precipitó delante de los caballos, y pistola en mano, con voz de trueno y el semblante amenazador, ordenó al postillón que se detuviese. Al mismo tiempo, Valenzuela y Jack

Tres-Dedos se habían lanzado a las portezuelas. Jack había colocado su pistola tan al alcance de los infelices viajeros, y con tales ademanes y gritos les intimaba para que les entregasen todo el oro y valores que consigo llevasen, que los desdichados estaban mas muertos que vivos.

Al ver a Murrieta, el postillón se había echado atrás y sujetó las riendas de los caballos con todas sus fuerzas: comprendió perfectamente desde luego que era inútil el intentar escaparse, pues se veía pintada en el rostro de Joaquín la firme resolución de morir antes que ceder.

Cuando el postillón hubo logrado contener los caballos, Joaquín cedió su lugar a Valenzuela para atender por él mismo a la parte más delicada de la operación.

—Ahora, caballeros, dijo el jefe dirigiéndose a los viajeros que estaban muy asombrados, pasadnos el cofre precioso, y que sea pronto, porque no tengo tiempo que perder. Vaya, despachémonos.

—¡Vamos, caramba! despachémonos, replicó Jack. Pasad el cofre, ó de lo contrario peligran vuestras cabezas.

—¡Ola! ¡ola! señores salteadores de caminos . . . señores mexicanos, quiero decir . . . no os apresuréis tanto, balbuceó un inglés hercúleo que se hallaba sentado en los asientos de atrás, y que trataba de evadirse del revólver que Jack Tres-Dedos le tenía apuntado cerca de una oreja. Os juro por mi alma, que no hay ningún cofre aquí; si lo hubiese, habría sido entregado en seguida.

—No, aquí no hay ningún cofre, ninguna clase de cofre, afirmaron los demás viajeros apretándose unos contra otros como arenques en barril, a fin de precaverse de la peligrosa vecindad de los revólvers.

—Postillón, gritó furioso Joaquín, ¿en dónde está el oro que lleváis a Sacramento?

—Aquí no hay oro, señor . . . no lo hay, yo os lo aseguro. Ayer traímos . . . un gran cofre de hierro, todo lleno, el cual dejamos en Sacramento; pero hoy, no traemos nada.

—Está muy bien, dijo el jefe; vamos a asegurarnos por nosotros mismos de lo que decís.

Y abriendo una portezuela, mientras que Jack efectuaba la misma operación por el otro lado del coche, añadió:

—Si me habeis engañado, pagareis el engaño con vuestras cabezas . . .Vamos, ¡salid uno detrás de otro!

Como pueden imaginarse nuestros lectores, la orden fué obedecida inmediatamente. Dos de los viajeros que estaban sentados al lado de la puerta que tenía abierta Jack, se apresuraron a salir por la otra portezuela; pero el bandido los agarró por el pescuezo, declarándoles que si le hacían perder su tiempo, trataría de hacérselo encontrar más largo de lo que ellos quisieran.

En medio de esta escena, Joaquín advirtió sentada en uno de los rincones de la diligencia, a una mujer que parecía mexicana, y que hasta entonces había escapado a sus miradas. La mujer, al entrar Joaquín dentro del coche, se destapó su chal y sacó de debajo un crucifijo de oro guarnecido de piedras preciosas, el cual fué entregado al bandido. Este lo tomó, examinólo, y volvió a entregarlo a su propietaria, a la cual dirigió una mirada muy expresiva, murmurando algunas palabras que probablemente ni la mujer oyó.

Después de haber registrado minuciosamente todas las banquetas, sin que nada fuese encontrado, Joaquín se lanzó fuera del coche y examinó el puesto del postillón, pero también fueron vanas sus pesquisas: después de lo cual, maldiciendo Murrieta su mala suerte, ordenó a los viajeros que volviesen a tomar sus asientos, y al postillón que continuase su camino.

Cuando Jack Tres-Dedos oyó la orden de su jefe y el ruido de los caballos que partían a todo escape, estimulados por el látigo del postillón, no pudo reprimir un movimiento de disgusto, y sacando su revólver, tiró dos balazos al conductor, los cuales afortunadamente no hicieron mella al americano. A la primera descarga, Joaquín se había lanzado sobre su intratable subteniente, Con una mirada colérica le mandó que en el acto volviese a colocar su revólver en la cintura, bajo pena de muerte. El mexicano obedeció de mala gana y murmurando. Los tres bandidos volvieron a Diamond Springs a marchas forzadas. El jefe se fué en seguida a ver a su amigo, que era al mismo tiempo su socio, le contó los detalles de la expedición y le gratificó con una de las bolsas bien repletas que habían sido robadas a los viajeros.

Los bandidos estuvieron escondidos por espacio de una semana en la casa de su cómplice, y cuando se había ya olvidado el asunto del asalto de la mala, sacaron sus caballos del lugar en que los habían dejado y se dirigieron de nuevo hacia el paso de Sonora.

XVI

Robo y asesinato de cinco franceses.—Los americanos persiguen a los bandidos.—Asesinato de varios chinos.—El cuartel general en las montañas. —¿A dónde están ellas?—Combate entre Jack Tres-Dedos y un oso pardo. —¡Salvadas!—Vuelta de la caza.

Poco tiempo después de su salida de Diamond Springs, el jefe y sus compañeros establecieron su campamento provisional en el brazo septentrional del río Stanislaus. Aquel lugar les pareció, de noche, que estaba lejos de toda habitación; pero cuando despertaron al rayar el alba, fueron desagradablemente sorprendidos al apercibirse de que a corta distancia había un campo ocupado evidentemente por franceses.

Estos, según parecía, no habían observado la proximidad del peligro que les amenazaba; ignoraban completamente la casta de vecinos con quienes tendrían que habérselas. Cuando los bandidos se presentaron a su campo y les preguntaron por qué vivían en un lugar tan deshabitado, los franceses respondieron, sin la más leve sospecha ni temor, que eran mineros y que buscaban oro.

—Nosotros también somos mineros, dijo Joaquín, y quisiéramos hacer una buena provisión de oro en polvo, si posible fuese.

—¡Oh! es muy posible, replicó el que parecía jefe de la compañía. El lugar es excelente y el oro abundante. Pero, dijo el minero con un acento inglés en que se notaba su procedencia gala, vosotros no tenéis herramientas para trabajar.

—Sí, sí; tenemos todo lo necesario. ¿Estáis seguros de que el trabajo es bueno?

—Perfectamente. ¿Pensáis acaso que cuatro ó cinco hombres se entretendrían en trabajar por nada? No, no. Nosotros hemos encontrado lo que puede llamarse un buen *claim, y* estamos decididos a permanecer cuanto podamos en esta gran República.

—Vivireis en ella menos tiempo del que os imaginais, dijo de repente Joaquín sacando su revólver, mientras que sus compañeros se preparaban a la misma obra que el jefe, a menos que no nos entreguéis inmediatamente hasta la última partícula de oro que tengáis.

Los cinco franceses, al ver la actitud amenazadora, y la firme resolución de los mexicanos, no se formaron ilusiones sobre el peligro que corrían. Cuatro de ellos se lanzaron dentro de su tienda y volvieron a aparecer armados de pistolas de un tiro.

Pero antes de que hubiesen tenido tiempo de tomar la puntería, Jack Tres-Dedos y Valenzuela les habían levantado la tapa de los sesos. El quinto minero suplicó que se le perdonase la vida; pero cuando hubo entregado a los bandidos varias libras de oro en polvo, fruto de un largo y penoso trabajo, fué asesinado sin piedad, como lo habían sido sus compañeros. Concluido lo cual, los tres mexicanos comenzaron a comer tranquilamente el almuerzo que tenían preparado sus víctimas.

Mientras se hallaban ocupados de esta suerte, fueron de repente interrumpidos por una grande exclamación. Al levantar la vista vieron delante de ellos, al otro lado del Arroyo, diez americanos perfectamente montados, armados de rifles y revólvers, hallándose al frente de ellos el intrépido Arkansaw.

—¡Todavía ese yankee! dijo Joaquín levantándose. ¡Vamos, pronto, pronto, a caballo!

Ya las balas que los americanos les habían enviado del otro lado del arroyo, habían pasado silbando sobre sus cabezas: los bandidos avanzaron, maldiciendo de todo corazón a los americanos en general y a Arkansaw en particular.

—¡Caramba! vociferó Jack Tres-Dedos, he aquí el momento de echarse sobre esos condenados americanos y atacarlos de frente.

—¡Vaya! Cuando son tres contra uno y están más bien armados que nosotros. No, no: demasiado conozco la clase de rifles que traen. Seremos dichosos si podemos escapar de sus mortíferos tiros.

—¡Silencio! Ya atraviesan el arroyo, dijo Valenzuela; ya llegan; ¡atención!

Al mismo tiempo espoleó su caballo y fué a colocarse al lado de su jefe, mientras que García que se había quedado algunos pasos atrás, rabiaba y se mordía los puños de cólera a la sola idea de que iban a abandonar el campo sin pelear.

Apenas llegaron los bandidos a la cumbre de las montañas próximas, cuando apercibieron a dos chinos que llevaban sobre sus espaldas las herramientas de minero, sin otra arma defensiva que un sable en forma de media luna, muy parecido a una cimitarra turca. Jack Tres-Dedos se lanzó sobre ellos, los apuñaleó sin pérdida de tiempo, y cortándoles las cabezas, las tiró en la dirección que se hallaban los americanos. Cinco millas más lejos se renovó la escena: esta vez fueron inmoladas siete victimas, sin que los yankees, espectadores del drama, pudieran impedirlo.

Durante cuatro días, los mexicanos siguieron huyendo al Oeste del paso de Sonora, y el quinto por la mañana llegaron a inmediaciones de su cuartel general.

Bajaron de sus caballos sin anunciar su vuelta con la señal acostumbrada, y mientras Jack Tres-Dedos conducía los caballos al lago vecino para darles de beber, Joaquín y Valenzuela avanzaron hacia el campamento. Al llegar a la primera tienda de campaña, vieron a tres hombres de la cuadrilla ocupados en jugar a los naipes; estaban tan atentos al juego, que ni siquiera se apercibieron de que tenían delante de si a sus jefes.

—Hé aquí un juego, dijo Joaquín con voz severa, en el que unos cuantos yankees os ganarían muy pronto.

Inmediatamente los jugadores, como si despertasen de un sueño, se levantaron y sacaron sus revólvers, pero viendo que los que los habían interrogado eran camaradas suyos, se contentaron con reír a carcajadas y dar la bienvenida a Joaquín.

—¡Caramba! dijo uno de los hombres; el diablo me lleve si no he creído que los americanos habían invadido nuestro campamento.

—Lo hubieran podido hacer sin la menor dificultad y con toda comodidad, dijo Joaquín paseando su mirada por el campamento, el cual estaba completamente desierto. ¿A dónde están nuestros camaradas?

—¡En la caza del oso pardo!

—¿Y las mujeres? ¿También han ido a cazar?

—No, capitán: sin duda están en un lugar vecino, que durante nuestra ausencia han descubierto, y en el cual pueden solazarse tranquilamente a la sombra del verde follage que allí crece. A menos que, a causa del calor que hace, hayan ido a bañarse en las frescas aguas del río.

—Está bien, dijo Joaquín, voy a buscarlas. Quedaos aquí, Valenzuela, y si llegan los hombres antes de que yo haya vuelto, colocad algunos centinelas en los puestos que os parezca que deben ser guardados. Estos malditos yankees son tan maliciosos, que serían capaces de venir a turbar nuestro reposo hasta este lugar.

—En efecto, señor, es una eventualidad que debemos temer, dijo Valenzuela, lo cual es preciso precaver, sobre todo a causa de las mujeres: vuestras órdenes serán extrictamente ejecutadas. En caso de que el resto de la compañía no estuviese de vuelta dentro de una hora, colocaré los tres hombres presentes en el punto más occidental de la montaña, y yo me quedaré afuera, cerca de la entrada del paso.

Joaquín aprobó estas disposiciones, y confiado en su subteniente, se alejó para ver donde estaban las jóvenes. Llegó cerca del lago, y se escondió detrás de un espeso matorral: desde allí las vió que se bañaban tranquilamente, sin la más leve sospecha de que las estuviesen observando. El mexicano estaba pensando en la sorpresa que iba a causarles al aparecer de repente ante ellas, cuando un grito agudo, seguido de otros muchos, lo sacó de su meditación. Apenas oyó el primer grito, que había sido lanzado indudablemente por su querida, cuando se lanzó al borde del lago, pero ya había acabado el peligro; solo vió a Jack Tres-Dedos que clavaba su puñal en el vientre de un magnífico oso pardo.

Jack había ido a descansar encima del follage, cerca del lago en que se bañaban las mujeres. Algo más reposado nuestro hombre que de costumbre, rendido por el calor sofocante que hacía aquel día, hallábase meditabundo y medio distraído, pensando en los felices días de su juventud y en una mujer a quien amar con toda su alma. De repente fué distraído de su dulce meditación, por un grito sonoro y prolongado lanzado allí cerca.

Salió del lugar en que se hallaba a toda prisa, y llegó al borde del lago a tiempo para salvar a la querida de su jefe de las garras de un oso pardo. Su primer movimiento, al percibir al feroz animal, fué echarle su sarape sobre la cabeza y dejar que se debatiera con él, mientras Jack le sepultaba su puñal en las entrañas varias veces consecutivas: cuando le daba el golpe de gracia, llegó Joaquín.

Clarita seguía a sus compañeras, que huían a escape del lugar de aquella terrible escena, pero al ver a su amante, se paró, y temblado todavía, fué a echarse en sus brazos. En pocas palabras le contó lo que le acababa de suceder. Joaquín, sin ni siquiera acordarse de preguntar a Jack cómo fué que había llegado tan a tiempo al borde del lago, le dió un fuerte apretón de manos y le expresó toda su gratitud por la hazaña que acababa de acometer.

—García, dijo el jefe, acabáis de salvar la vida a mi querida Clarita: con este acto me habéis hecho contraer una deuda sagrada para con vos; desde hoy tenéis en mí un amigo desinteresado.

Por la primera vez desde muchos años, una sonrisa esclareció la fisonomía impasible y siempre feroz de Jack Tres-Dedos, ese bandido que para vengar la muerte de su querida, había cometido tantos y tan horribles crí-

Combate entre Jack Tres-Dedos y un oso pardo.

menes.

—¡Gran cosa es, dijo Jack, matar a un oso! ¿Qué vale eso? Además, que si he salvado la vida a una de mis compatriotas, es porque en aquel momento pensaba en otra mujer.

—¡Cómo! exclamó Joaquín.

—¡Palabra de honor! ¿Que diríais si os dijese que mi presencia en este lugar es debido a un pensamiento amoroso?

Apenas había acabado de pronunciar estas palabras, cuando de un modo nada galante volvió las espaldas a Joaquín y a Clarita y desapareció.

—¡García enamorado! exclamó involuntariamente Joaquín. En verdad que si no me acabase de prestar un servicio tan importante, me darían tentaciones de ponerlo en ridículo delante de toda la cuadrilla.

—¿No podría ser que sus palabras tuviesen un sentido que nosotros no podemos comprender? dijo Clarita. Sin duda ha querido aludir a algún recuerdo de los tiempos pasados; acuérdate que nos ha dicho que pensaba en una mujer.

—En tal caso, añadió Joaquín, hay en eso algo de particular. Pero vámonos: es preciso volver al campamento. A no ser que tú quieras visitar cierto árbol . . .

—¿Un árbol, Joaquín?

—Sí, querida Clarita. ¡Ah! ¿crees tú que no he visto el lindo lugar que habías escogido para solazarte durante mi ausencia? Conozco muy bien aquel lugar, vida mía, pues no hacía aún veinte minutos que había llegado, cuando ya lo había inspeccionado todo.

—Entonces ya no hay que pensar en la sorpresa que te tenía preparada, dijo la joven. Pero todavía no lo has visitado. ¡Oh! Jesús, ¿qué es esto?

Un ruido sordo, parecido al de un hombre que saltase sobre un matorral, se había oído muy cerca de Clarita. Un instante después, otro oso más pequeño que el primero, pasó por el lado de Joaquín y de Clarita, y fué a refugiarse en bosquesillo que había servido de abrigo a Jack Tres-Dedos. Algunos minutos después aparecieron media docena de bandidos, cada uno con su revólver y puñal, y guiados por Manuel Guerra.

—¡Deteneos! gritó el jefe desde que los vió.

Los bandidos obedecieron y llenos de admiración y alegría, fueron a agruparse en derredor de Joaquín y le dieron la bienvenida más cordial.

—Muy pronto habéis dado cuenta de nuestra caza, capitán, dijo Guerra señalando con una mirada el cadaver del oso que estaba tendido al suelo.

—No, no, respondió Joaquín: este oso no tiene nada de común con el vuestro; es el producto de la caza de Jack Tres-Dedos.

—¡Caramba! exclamó el subteniente: ¡entonces el nuestro se ha escapado! Y es preciso que sus funerales tengan lugar hoy.

En aquel instante veinte ó treinta disparos hicieron temblar las montañas vecinas. Joaquín y los hombres que lo habían oído se dirigieron hacia el campamento; en menos de cinco minutos toda la compañía se hallaba reunida en el cuartel general. No fué poca la sorpresa de Guerra al ver a sus camaradas colocados en derredor del segundo oso pardo, que acababan de matar en el acto, que de un brinco había invadido el campamento de Murrieta.

XVII

Vuelta de varias compañías de merodeadores.—Una orgía en medio de la noche.—La canción de Antonio.—Llegada de Sevalio.—De qué modo se escapó el subteniente de ser ahorcado.—Donde Sevalio cuenta sus impresiones de viaje comenzando por el final.

Hacia la noche de ese día tan memorable por la muerte de los dos osos, Valenzuela y los tres hombres que le habían acompañado en la guardia del campo, entraron en el cuartel general. Detrás de ellos venían cincuenta de sus camaradas pertenecientes a las compañías de merodeadores, que Joaquín había distribuido en diversos puntos del Estado. El capitán de cada compañía entregó al jefe el producto de su expedición; el monto de todo lo pillado se elevaba a cerca de mil onzas en oro. Mientras los recién llegados contaban a sus camaradas las aventuras del viaje, algunos de los que habían llegado primero, hacían los preparativos necesarios para el festín que debía tener lugar y el cual terminaría con un fandango general.

Una hoguera fué encendida en medio del campamento, y en ella fueron sacados los dos osos que tan a propósito habían sido matados durante el día. Este asado inesperado debía servir de pieza de resistencia a los bandidos hambrientos: éste y el gran número de provisiones que habían traído los merodeadores, eran las delicias del festín. A poco rato los cocineros de la cuadrilla anunciaron que la cena estaba lista; cesaron las conversaciones y cada cual se sentó en su lugar en rededor de la inmensa hoguera que estaba ardiendo. La comida no duró mucho, pues las emociones de aquel día habían quitado el apetito a muchos de nuestros hombres. Después de comer se fumó y se bebieron los licores favoritos de los mexicanos, y en seguida empezaron a contarse mil historietas, relatando cada uno sus aventuras, en especial aquellas que se referían al amor.

Cuando todos los asuntos interesantes para la asamblea hubieron tocado a su fin, Joaquín dirigió la palabra a Antonio, que desde el principio de la cena había permanecido callado, y le suplicó que contase algo.

—En verdad, amigos míos, dijo Antonio tirando la ceniza de su cigarro, que me encuentro hoy incapaz de contaros mis memorias, porque tengo el espíritu lleno de visiones. Mi cabeza se halla habitada en este momento por una legión de osos pardos que se revuelven en ella de un modo extraordinario. Os confesaré que en medio de mi meditacion acabo de soñar con uno de esos osos, que me torturaba y me quebrabra los huesos. Sin embargo, si una canción puede reemplazar la narración que me pedís, tendré mucho gusto en complaceros, tanto más cuanto que tal vez cantando se disipen mis ideas locas.

—Sí, sí, una canción, respondieron todos a la vez.

—Vamos; ¿que queréis que cante? dijo Antonio. *¿El castillo de Santa Ana? ¿la serenata de Monte Sierra?* . . . O tal vez . . .

—Canta *nuestro país es México,* respondió Valenzuela.

—Sí, sí, repitieron en coro los demás bandidos, *nuestro país es México,* eso es. Canta esa, Antonio, cántala.

—Con mucho gusto; sin embargo, tendréis buen cuidado en acompañarme todos en el estribillo. Es una linda canción que el padre Jarauta prefería a todas las demás: pero no vale nada si el coro no acompaña bien.

—Bien, paisano, empieza.

Después de algunos *hums hums* preliminares para preparar su voz, Antonio cantó la canción de *nuestro país es México,* con la tonada de *la linda niña de Monterrey.*

Concluido que fué el canto, dijo el cantor:

—Sí, sí, nuestro país es México, y es el único punto en el mundo, mis antiguos camaradas, con la excepción de la España y la Italia, donde uno puede disfrutar de todas las comodidades de la vida.

—¿Has tú estado en España? le preguntó Valenzuela.

—Ciertamente, respondió Antonio, y la prueba es que he nacido en Madrid. Tocante a Italia, puedo envanecerme de haber servido allí a las inmediatas órdenes del famoso Carlotti.

—¡Cómo! exclamó Guerra, ¿tú has conocido a Giovanni Carlotti?

—El mismo: Giovanni Carlotti, ¡nieto del que había sido subteniente del célebre Massaroni! Compañeros: un día de estos os contaré mi historia, por ahora no lo hago porque tengo seco el paladar.

—Toma, toma, Antonio, dijo Joaquín sirviéndole el contenido de una botella que tenía delante de sí: toma dos dedos de este vino para refrescarte el paladar. Llenad vuestros vasos, amigos, y bebamos a la memoria del valiente Massaroni.

En seguida Joaquín cantó una estrofa que solía entonar a menudo el capitán Massaroni, la cual fué recibida con grandes aclamaciones por toda la cuadrilla; luego todos brindaron alegremente y se propuso un brindis a la memoria del inolvidable Massaroni.

—¡Silencio! dijo de repente Joaquín. Me parece haber oído una señal.

—Sí, sí, contestó Valenzuela. Son algunos camaradas que están de vuelta, y, si no me engaño, es la señal de Sevalio. ¿No es cierto, Margarita? Antes de 10 minutos vuestro amante os estrechará en sus brazos.

—Mi palabra de honor si lo sé, dijo la mexicana. Creo que conocéis mejor que yo su señal.

Joaquín sacó de su pecho un magnífico pito de plata que aplicó a sus labios; un silbido prolongado hizo vibrar las montañas, y, algunos minutos después apareció Sevalio seguido de dos bandidos más que conducían a sus caballos por las riendas. Los tres personajes estaban tan extenuados por el cansacio, que cualquiera los hubiera tomado por enfermos escapados de un hospital.

Joaquín se encaminó hacia ellos con Antonio y Valenzuela, mientras que toda la cuadrilla se levantaba para cumplimentarlos y hacerles un lugar cerca del fuego.

—¿Qué noticias traes, Sevalio? le dijo Joaquín cuando el subteniente y sus hombres estuvieron sentados.

—Aguardad, capitán, aguardad. Y vosotros camaradas, dadnos pronto un poco de vino, pues estamos medio muertos.

Cinco ó seis botellas fueron colocadas en frente de los recién llegados, pero debemos confesar que sólo bebieron algunos tragos.

—Ahora, dijo Sevalio, rodeando con sus brazos el talle de su querida que acababa de sentarse a su lado, ahora, capitán estoy pronto para contestaros; pero antes debo anunciaros que las noticias son muy malas. Me parece aún que sería mejor aguardar hasta mañana para no desanimar con mi relato la alegría que reina en este festín.

—No, no, contestó el jefe, es preciso que lo sepamos todo esta noche: la incertidumbre es un sufrimiento muy cruel. Cuéntanos lo que os ha pasado. Veo que sólo traes dos hombres de toda tu compañía, y cuando saliste llevabas nueve. ¿Los demás han muerto, no es esto?

—¡Ay! sí. Están muertos y enterrados.

—¿De qué modo perecieron?

—Dos fueron matados en un combate . . . los otros . . .

—Y bien, los otros . . . ¿los otros cinco?

—Colgados, estrangulados hasta que llegó la muerte. Colgados en los árboles del camino. ¡Camaradas, pasadme otra botella! Quiero ahogar el recuerdo de esta terrible escena. Me parece que todavía tengo la soga alrededor de mi pescuezo.

—¡Cómo es eso! exclamó Joaquín, ¿alrededor de vuestro pescuezo?

—¡Sí, sí! ya tenía la soga en mi pescuezo, el nudo corredizo estaba hecho, y era conducido hacia el árbol fatal, cuando haciendo un esfuerzo supremo rompí la soga y me lancé, en medio del fuego de los revólvers de mis perseguidores, adentro en un matorral en que me esperaban dos de mis compañeros, y en seguida los tres echamos a correr a toda prisa ¡Caramba! los americanos son más feroces que los apaches; no conviene irritarlos. Dadme más vino, amigos míos. Empiezo ahora a fortalecerme, por Santa Cruz. ¡Estos diablos americanos siempre hacen las cosas a medias! Y también sucede que siempre las hacen diferentemente de los demás. Si cuelgan a algún hombre, lo cuelgan a una altura mayor que ningún otro pueblo sobre la tierra. Sin embargo, ¡no podrán envanecerse de haberme ahorcado a mi! Soy muy malicioso para ellos: yo quedo para vengar a mis camaradas asesinados sin piedad.

—¿A dónde habéis tenido este percance? le preguntó Guerra.

—En el brazo del río de las Plumas; exactamente a quince millas abajo del Pico Español. Allí hay una compañía de mineros, compuesta de ochenta a cien hombres, que creo son los americanos más robustos y salvajes que hay en todo el Estado. ¡Caramba, y cómo están armados! Cada hombre tiene dos ó tres revólvers, un puñal y un rifle.

—Bien, bien, dijo Antonio; pero ya que nos has contado de la manera que acabó el negocio, desearíamos saber cómo comenzó.

—Con mil amores, dijo Sevalio, hé aquí la cosa.

XVIII

Aventuras de Sevalio en las minas del Norte.
—De Red Bluffs Downieville, por Shasta y Oroville.—Una alarma
—Emboscada.—Encuentro con Arkansaw. —Venganza de Sevalio.
—Descontento de Jack Tres-Dedos.—Captura de Arkansaw.

—Pocos días después de haber salido de Red Bluffs, dijo Sevalio que acababa de apurar su cuarta botella, llegamos a Shasta, y tuvimos la fortuna de encontrar un convoy de mulas cargadas de oro. Paramos el tren a cosa de dos millas del pueblo, nos apoderamos del Tesoro y luego volvimos a Red Bluffs. Cada uno de nosotros traía doce libras de oro. Como podéis imaginaros, estábamos ansiosos de llegar al cuartel general: los individuos que habíamos despojado eran mineros, y de consiguiente debíamos esperar que seríamos perseguidos muy luego. Acabábamos de cenar en el restaurant de Pedro y nos preparábamos para partir, cuando Pedro nos advirtió que éramos vigilados y que si no nos apresurábamos para salir sin ser vistos, corríamos el riesgo de ser ahorcados, aunque no fuese más que por sospechas. Ya ven ustedes que esa perspectiva no tenía nada de halagüeño, así pues, nos aprestamos para huir, pero separadamente y en diversas direcciones, conviniendo sin embargo en juntarnos en Oroville. Una numerosa compañía de alemanes, franceses y americanos nos seguían los pasos, pero nos perdieron de vista cerca de Downieville. Nosotros también perseguimos a cuatro americanos hasta el valle del lago Honey, y habiéndonos apoderado de ellos en ese lugar, les perdonamos la vida en cambio del oro que traían. Al volver del lago Honey fuimos atacados por los mineros del río de las Plumas. Dos de nuestros hombres fueron matados en el combate: el enemigo tuvo cinco de los suyos heridos mortalmente. Los dos camaradas que han venido conmigo pudieron llegar a un matorral en que se habían atrincherado. Permanecimos tres días escondidos entre la maleza, sin comer ni beber, y al fin nos aventuramos a salir para atravesar el paso de Sonora. A dos millas de Downieville enterramos nuestro oro, nos apoderamos de tres caballos y . . . hénos aquí.

—Esta descripción no es nada alhagadora, dijo Joaquín, pero debemos estar persuadidos que accidentes parecidos nos han de suceder de vez en cuando. Vamos, camaradas, que circulen las botellas; tratemos de alegrar la vida, mientras se puede.

—Sí, sí, tenéis razón, capitán, dijo Sevalio, y estamos completamente de acuerdo. López, amigo mío, pasa por acá una ó dos botellas, pues juro por todos los santos y por santa Margarita, que aún no estoy bien fortalecido. La corrida que hemos dado en medio de precipicios y quebradas me ha magullado completamente.

—¿Cómo es eso? ¿habéis recorrido los precipicios? dijo Antonio. Entonces os perdisteis en el camino.

—No por cierto; pero tomamos el peor camino para escaparnos de la caza que nos daba el enemigo.

—¡Ah! ¿con qué érais perseguidos? Vamos, Sevalio, explícate, ¡qué diablos!

—¡Cómo! ¿no os lo había dicho? Los americanos estaban persiguiéndonos cuando franqueamos el paso que conduce al lago Mono, y hasta en las montañas no nos perdieron de vista. Cuando los dejamos, sólo se hallaban a cinco millas de distancia.

—¡Diablo! dijo el jefe poniéndose en pié de un brinco; la cosa está tomando un aspecto muy serio. Si no os separaban más que cinco millas cuando los dejásteis, pueden llegar facilmente aquí, guiados por el resplandor de nuestras hogueras.

—¡Silencio! exclamó de repente Valenzuela, me parece que he oído ruido de espuelas en el camino pedregoso que hay abajo de nuestro campamento.

—¡Yo también! ¡por Cristo! añadió Murrieta sacando su revólver. ¡Vamos, camaradas, levantaos! ¡que cada cual tenga sus armas en la mano! Tú, Antonio, toma contigo treinta ó cuarenta hombres y vete a colocar sobre las rocas que dominan el paso por el lado izquierdo. Yo iré a apostarme en el lado derecho con el resto de la compañía. Sobre todo, paisanos, marchad despacio, pues es necesario que ninguno de estos condenados americanos pueda envanecerse de haber penetrado hasta aquí.

Los bandidos, fieles a la recomendación que acababa de hacérseles, siguieron a sus jefes y treparon a las rocas que dominaban la entrada del campamento. Cada uno se escondió lo mejor que pudo, unos detrás de las rocas y otros en las sinuosidades de la montaña.

El ruido de los pasos que se acercaban hacia el campamento, se distinguía cada vez más; de cuando en cuando se oía lanzar alguna imprecación salvaje, que se escapaba de los labios de los sitiadores,—pues era aquello un verdadero sitio—que trepaban con gran dificultad por entre las rocas. A pesar de esto, el enemigo se aproximaba gradualmente y muy pronto se dejó ver, a veinte pies abajo del lugar en que se hallaba Joaquín, la alta y robusta estatura de Arkansaw, que avanzaba al frente de cuarenta americanos todos muy bien armados.

—El diablo me lleve, murmuró Arkansaw, si me gusta para nada ese feo lugar.

Apenas había acabado de pronunciar estas palabras, cuando vomitaron las rocas sesenta ó setenta balas, que causaron gran carnicería entre los americanos. Una bala se llevó el sombrero de Arkansaw, y veinticinco ó treinta de sus hombres quedaron muertos en el campo.

—¡Escalemos las rocas, muchachos! vociferó el intrépido Arkansaw. ¡Hardy, las manos y los dientes! ¡es el único recurso que nos queda!

A estas palabras cada uno de los americanos comenzó a escalar la muralla que protegía a los bandidos; pero ¡ay! ¡vana y estéril tentativa! Una segunda descarga, no menos mortífera que la primera, hizo temblar la montaña y los asaltantes cayeron, agonizantes, destrozados, al pie de las rocas.

Algunos de los bandidos fueron al campamento y volvieron con antorchas. La escena apareció entonces con todos sus horrores: nada más terrible que uno de aquellos semblantes lívidos, alumbrados con el resplandor de una tea resinosa. El mismo Joaquín no pudo permanecer mucho tiempo delante de aquel espectáculo; así es que se alejó lo más pronto posible de aquel lugar. Los que nada sentían ni temían, se apoderaron del dinero y de las armas de aquellos desdichados, teniendo buen cuidado de concluir con los que les quedaba un suplo de existencia.

El más desesperado de todos era el vengativo Sevalio, que parecía querer rivalizar con su camarada Jack Tres-Dedos. Sin embargo, García no le perdía de vista; su mirada penetrante, que parecía más siniestra a causa de la maligna sonrisa que salía de sus labios, espiaba, seguía todos los movimientos del bandido; hubiérase dicho que el feroz Jack se complacía al ver cortar a su camarada las cabezas de los cadáveres y sepultar su puñal en el pecho de los moribundos.

—Por el alma de Jarauta, exclamó García, que esta noche me habéis quitado la mitad de mi mayor diversión, Sr. Sevalio; pero no importa, con tal de que no lleguéis a ser un rival poderoso. Si las cosas llegasen a ese extremo, ya comprendéis que sería preciso que nos entendiésemos.

Y levantando al aire su antorcha, cuya luz reflejó en el rostro de los dos bandidos, lanzó una mirada a Sevalio, mitad sardónica, mitad siniestra: después empezó a examinar los cadáveres de los americanos, como si buscase algún conocido.

Los otros bandidos habían regresado al campamento, de manera que García se hallaba solo en el campo de batalla. Con la antorcha en una mano, y en la otra un gran puñal, que jamás lo abandonaba, Jack continuaba su minucioso examen, bajando de cuando en cuando la luz para ver mejor las facciones de las víctimas, cuando Sevalio apareció de nuevo en el lugar del combate.

—¡Ah! ¿sois vos? murmuró Jack. Creí al principio que era un oso pardo.

—¿A quién buscais? preguntóle Sevalio con una sonrisa que más bien parecía una mueca.

—A alguno que no puedo hallar, respondió el otro. Si se ha escapado esta vez, es preciso que sea el diablo en persona.

—Si os referís al jefe de estos condenados americanos, os diré que está en el campamento, prisionero, con uno de sus hombres.

—¡Caramba! ¿quién ha sido tan atrevido para prenderlo?

—Murrieta; y he venido para deciros que desea veros en seguida.

—Vamos, vamos pues. Estoy impaciente por saber qué es lo que quiere, y también de ver otra vez a ese valiente americano.

Cuando entraron en el campamento, encontraron a todos los hombres de la cuadrilla sentados alrededor de las hogueras que habían alentado con algunas ramas secas, festejando la victoria que tan fácil habían obtenido contra los yankees. El vino circulaba con profusión y los bebedores parecían mucho más animados que antes del combate. Los dos prisioneros atados con las fajas de seda de algunos de los bandidos, estaban tendidos en el suelo, y parecían muy mortificados por la tardanza que se empleaba para su suplicio.

—Gracias, amigo mío, dijo Joaquín en seguida que Jack se hubo sentado junto al fuego; quiero que vos y Sevalio, echéis suertes para saber quién de los dos tendrá el placer de matar a uno de estos hombres.

—¿Cuál? dijo Jack. ¿El jefe?

—No, el otro. Quiero conservar la vida a Arkansaw, por algunos días.

—Pero ¡puede escapársenos! objetó Jack. Valdría más que me dejáseis acabar con él.

Y mientras así hablaba, sacó su puñal y fijó la vista en su enemigo.

—No, no, respondió el jefe; tengo mis razones para conservarle la vida desde ahora; es preciso, pues, que aguardéis.

—¡Ah! muy bien, no pido más. Que Sevalio se entienda con el otro, cuando le parezca bién. En cuanto a mí, por ahora, no me siento con apetito para ello.

En aquel instante, se oyó un quejido lastimero. Sevalio acababa de degollar friamente al compañero de Arkansaw.

—¡Un negocio bien sencillo! dijo el asesino volviendo a sentarse cerca de García y vaciando en seguida un vaso de vino.

—¡Bien sencillo en efecto! añadio Valenzuela: no puede ser más sencillo; pero ha sido ejecutado con una energía que no puede dejar de apreciar nuestro camarada Jack Tres-Dedos.

—Vamos, paisanos, exclamó de repente Antonio, otra canción. ¡De otro modo vamos a parecer estúpidos! Parece que todos estáis durmiendo.

La súplica del subteniente quedó sin respuesta. El vino había hecho su efecto en todas las cabezas, y las cuatro quintas partes de los bandidos dormían profundamente.

Los restantes no tardaron en hacer lo mismo, terminando la fiesta con un coro de ronquidos sonoros y acentuados.

XIX

Joaquín y su pandilla abandonan las montañas del lago Mono.
—Por qué Arkansaw no está más con los bandidos.—Asesinato cerca de
Snellings.—Mariposa.—Cuatro mineros rusos matados y robados.—Vuelta a
Arroyo Cantova.—Joaquín en Hangtown.—Se burla otra vez de los yankees.

No eran más que las diez de la noche, cuando Joaquín despertó a sus hombres y les ordenó que plegasen sus tiendas y levantasen el campo. Aunque sorprendidos de esta súbita resolución, todos obedecieron sin replicar, y antes de que el sol hubiese aparecido en el horizonte, la cuadrilla había salido del lago Mono, dirigiéndose hacia el paso de Sonora.

Arkansaw no estaba ya con los bandidos. Una hora antes de la salida, Jack Tres-Dedos, que no quería dejar escapar tan buena ocasión de vengarse, había matado, sin decirlo a nadie, al hombre que casi le había vencido en un singular combate.

Joaquín no había dejado de ver el nuevo crimen cometido por su subteniente, pero ¿qué hacer con una naturaleza de aquella clase? El jefe había preferido no decir nada sobre el particular, haciendo el propósito de no pensar más en Arkansaw. No obstante, en su interior, sólo estaba enfadado a medias de lo que acababa de pasar; Joaquín reservaba al yankee un suplicio particular.

Cuando llegaron al brazo Sud del río Tolumne, Murrieta formó su gente en dos compañías de doce y de quince hombres, que debían dirigirse en seguida por distintos caminos a Arroyo Cantova. Joaquín dejó a las mujeres al cuidado de Antonio y Guerra, y tomando quince hombres resueltos, se dirigió con ellos hacia el Sud Oeste por el lado de Coulterville.

En el camino que conduce de Don Pedro's Bar a Snellings, encontró tres franceses, dos alemanes y dos americanos, que conducían algunas mulas cargadas de provisiones, de frasadas é implementos a la usanza de las minas.

Joaquín no titubeó en pararlos, y mientras que sus hombres se colocaban al lado de la comitiva, dispuestos a descargar sus revólveres a la primera señal, él avanzó hacia uno de los franceses, que no osaba servirse de su revólver, lo agarró del pescuezo y lo intimó para que indicase dónde estaba el saco que contenía el oro.

El francés se entretuvo a fin de dar tiempo a sus compafleros para la defensa del tesoro; pero los bandidos eran demasiado hábiles y no se dejaban sorprender de esta manera; en pocos segundos, tres de los mineros rodaron por el suelo bañados en su propia sangre.

Joaquín, irritado con la resistencia que se le oponía, levantó su puñal y amenazó con cortar la garganta a los cuatro hombres que quedaban, si no entregaban en el acto el dinero que tuviesen a mano.

Los mineros tuvieron que resiguarse, y sacando de debajo de las frazadas un pequeño saco de lona, lo presentaron a Joaquín, asegurándole que era toda la fortuna que poseía la compañía. El saco contenía cuatro mil pesos.

Murrieta continuó su camino, a pesar de las súplicas de Jack Tres-Dedos que quería acabar con los alemanes y los franceses, y ordenó a éstos que se pusiesen en marcha cuanto antes.

Los cuatro mineros no se lo hicieron repetir dos veces. Si Joaquín se hubiese entregado a un examen más minucioso de su bagaje, habría encontrado seis sacos parecidos al primero, conteniendo cerca de veinticinco mil pesos de oro en polvo.

Después de este nuevo robo, los bandidos atravesaron la Merced por el lado de Snellings, dirigiéndose hacia el Este para regresar a Mariposa.

A dos millas del monte Ophir, Joaquín se vió obligado a emplear su mediación para impedir que Jack Tres-Dedos matase a un chino llamado Chung-Vo, que daba lástima el verlo, tanta era su flaqueza y debilidad.

Algunas horas después llegaron a Mariposa. Joaquín y sus hombres se vieron obligados a separarse y a entrar de dos en dos en el pueblo, para no excitar las sospechas de los vecinos. Permanecieron ocho días en aquel lugar, comiendo y jugando el dinero que habían robado a los alemanes y a los franceses. Al cabo de una semana salieron de la ciudad, cruzaron el río Mariposa, el Chowchilla y el Frezus.

A diez ó doce millas de Coarse-Gold-Gulch, cuatro mineros rusos fueron matados y robados. Varios indios, testigos de estos asesinatos, se aproximaron después de la partida de los asesinos y despojaron a los cadáveres de sus vestidos. Algún tiempo después estos vestidos fueron encontrados en poder de los indios, y habiendo sido señalados los salvajes a otros rusos amigos de los primeros, fueron perseguidos y expiaron los crímenes cometidos por Murrieta y sus hombres.

Ireneo Paz

Estos habían cruzado ya el río San Joaquín a cosa de veinticinco millas arriba del fuerte Miller; después de haber permanecido dos ó tres días en un pueblo indio, para descansar, continuaron su marcha, y en la mañana del tercer día entraron en el Arroyo Cantova, en donde la mayor parte de sus camaradas acababan de clavar sus tiendas de campaña. Joaquín, tranquilo por la muerte de Arkansaw, había decidido permanecer de nuevo en su antiguo cuartel general, más cómodo y más seguro que ningún otro.

Cuando todo fué restablecido en el campamento, los bandidos tomaron algún reposo durante quince días, después de lo cual Joaquín los mandó afuera por compañías más ó menos numerosas y a cada cual con distinta misión.

Era preciso que se hiciesen de caballos y de dinero; también era necesario que se preparase alguna expedición que rindiese a la compañía algún beneficio razonable, y para esto era preciso ponerse en observación y obtener informes exactos.

Cuando todas las compañías hubieron salido para cumplir las órdenes del jefe, Joaquín se halló en su campamento con solo una docena de hombres, entre los que figuraban Antonio, Sevalio y Guerra.

Murrieta y sus compañeros pasaron un mes agradablemente comiendo, durmiendo, fumando, enamorando y cazando en las montañas. Así pasando la vida llegó la estación de las lluvias, que, desagradable en todas partes, tiene como es sabido particulares inconvenientes en las regiones elevadas. Así, pues, Joaquín decidió ponerse personalmente en campaña, a fin de hallar un lugar favorable para la ejecución de las empresas que meditaba.

Dos días después de haber tomado esta resolución, se dirigió hacia el Norte del Estado, acompañado de Sevalio, que deseaba encontrar el oro enterrado por él y sus dos camaradas en la orilla del río de Plumas. Después de algunas estancias muy cortas en Mariposa, Sonora, Murphy's, Mokelumne Hill, Jack, Brytown, Rangetown y Fiddletown, el jefe y su subteniente llegaron a Hangtown.

La primera cosa que hicieron al llegar, fué cenar alegre y confortablemente en uno de los restaurants del pueblo; después Sevalio montó ácaballo y se alejó, mientras que Joaquín entraba en una casa de baile, donde muy pronto se vió rodeado de lindas chilenitas, que eran muy amantes del fandango.

Joaquín bailó con una de ellas varias veces. Poco después se sintió algo cansado y se sentó en medio de dos bellezas del lugar, hablando con ellas con mucha gracia, de diversas cosas interesantes.

El ruido de la conversación y las risas de las jóvenes, llamaron pronto la atención general hacia aquel pequeño grupo, y nuestro héroe se apercibió que era examinado muy de cerca por varios americanos que parecían estar, con marcada intención, cerca de la puerta.

En medio de ellos reconoció en seguida al conductor de la diligencia que había parado cerca de White Rock House: en las facciones de aquel hombre se notaba que había reconocido perfectamente a Joaquín.

Sin que pareciese preocupado en lo más mínimo, ni menos inquieto, Joaquín se levantó con la mayor sangre fría, dijo amistosamente buenas noches a las señoritas, se embozó en su capa y salió.

—Dispense usted, señor, dijo a su lado una voz, apenas cuando él llegaba a la acera de enfrente de la casa, deseo verle la cara.

Antes de concluir estas palabras el extranjero, Murrieta se había lanzado sobre su caballo, que estaba atado en la puerta del restaurant vecino.

—Y bien, dijo el mexicano remedando la voz del que acababa de hablar; ahora sois libre de verme.

Y espoleó su caballo y en pocos minutos se perdió de vista, dando vuelta al camino.

Después de una rápida carrera, que duró cosa de quince millas, llegó a Juction House, en donde pasó la noche, suponiendo con razón que si se le perseguía, sus perseguidores no emprenderían la marcha antes de la mañana siguiente. Al despuntar el alba montó en su caballo y se dirigió a escape hacia el rancho Taylor, con intento de describir en su fuga un medio círculo y llegar a Fiddletown en tiempo oportuno para encontrar a Sevalio.

Una ligera capa de nieve había blanqueado el llano durante la noche; pero esto no inquietaba a Joaquín, quien continuaba su camino tranquilamente, contando con la consternación que se había apoderado de los habitantes de Hangtown a la primera noticia de su visita.

Acababa de pasar el rancho, cuando oyó detrás de él el galope de varios caballos, y al mismo tiempo vió que corrían a escape hacia él un cierto número de ginetes bien armados. Con una mirada supo a qué atenerse; entonces abandonó las riendas de su caballo, que rápido como el viento, echó a correr a todo escape Los americanos clavaron las espuelas en el vientre de los suyos, gritando y jurando cual una legión de salvajes, y al ver que se les escapaba su presa, su desesperación no conoció limites.

Abandonando su idea primitiva, Joaquín se dirigió de repente al Sud Este y se lanzó en medio de las montañas, al trote, esperanzado de que al menos allí los americanos no se apoderarían de él. Lo resbaladizo del terreno hacía más difícil la fuga de lo que él había creído al principio: varias veces, al trepar colinas muy pendientes, su caballo se había sentado; y varias veces, al bajarlas, el noble bruto había dado pasos en falso.

Al pie de una de estas colinas se hallaba, entre las rocas, un vacío en medio del cual corría una especie de torrente que iba a engrosar el río Americano. Aquel paraje era muy difícil de atravesar, aún para un buen ginete, y hasta Murrieta dudó antes de atravesarlo; pero viendo a los yankees en la cima de la colina, a la distancia de algunos centenares de varas, se lanzó hacia adelante. Pocos instantes después se hallaba al otro lado del torrente.

El jefe de los americanos quiso pasar al principio, pero cayó en el agua con su caballo.

En seguida hicieron alto sus hombres; después dispararon sobre el fugitivo veinte ó treinta balazos, ninguno de los cuales lo tocó; y viendo lo aventurado de su empresa, la abandonaron.

XX

Joaquín continúa su viaje.—Cómo encontró a Valenzuela y a Jack Tres-Dedos.
—Lo que hizo García en Weaverville.—Corta estancia en Rattlesnake Bar.
—Nueva explotación de Jack Tres-Dedos.—Joaquín resuelve seguir viajando
solo.—Traición.—De qué manera supo Murrieta substraerse a un peligro mayor.

Joaquín siguió viajando entre montes y vallados hasta que se halló completamente fuera de peligro; después franqueó el paso de Carson, y a los cuatro días llegó cerca de un campo de mineros establecidos a orillas del río Walker. Pasó allí la noche, pero temiendo ser reconocido, partió al rayar el alba, y el día siguiente, a la misma hora, se encontró a la vista de un segundo campo, que supuso pertenecía a algunos indios. Después de haberse aproximado algo, no fué poca su sorpresa al encontrarse frente a frente con Valenzuela y Jack Tres-Dedos, quienes no quedaron menos sorprendidos que su jefe del encuentro.

Mientras estaban almorzando, el jefe oyó de boca de sus subtenientes el resultado de sus viajes, y por qué casualidad se encontraban en aquel momento en el cuartel general.

Al salir de Arroyo, Valenzuela había dirigido su compañía hacia Weaverville, conforme a las órdenes de Joaquín. Antes de llegar se había apoderado de un cierto número de caballos, los cuales habían sido conducidos al cuartel general por quince de sus hombres.

Valenzuela había quedado solo con López, Pedro Castillo, Rafael y García. Perseguidos por varios rancheros, a los cuales acababan de robar varios caballos, los seis bandidos lograron escapar, atravesando a nado un torrente muy rápido. Heridos por las balas enemigas López, Pedro y Rafael, se habían ahogado. Castillo consiguió salvar el torrente, pero se encontró de repente frente a frente con un missuriano, que lo dejó tendido de un riflazo. En fin, Valenzuela y Jack Tres-Dedos eran los únicos que habían conseguido salvarse.

Al llegar a Weaverville, Jack había querido entrar en una casa de baile, a pesar de las objeciones del prudente Valenzuela. Cuatro americanos, apoyados en el mostrador de la cantina, estaban bebiendo y hablando de los ladrones de caballos.

Uno de ellos expresó su opinión de que Joaquín no debía ser extraño a los robos que últimamente se habían cometido, y habiendo añadido que por ver colgados a sus autores, cambiaría con el mayor placer su cabeza por un globo. García se colocó delante del yankee, y con un tono brutal le dijo:

—¡Puede que cambiáseis vuestra cabeza por una bala de pistola!

—¿Quién sois vos? le preguntó el minero.

—Si sabéis contar, respondió Jack Tres-Dedos mostrando su mano mutilada, esto debe bastaros.

—¿Sois Jack Tres-Dedos?

—El mismo.

Y, sin más preámbulos, Jack Tres-Dedos había sacado su puñal y sepul-tádolo en el pecho del yankee. Se siguió una lucha: varios americanos se unieron a los primeros, y a no ser por los excelentes caballos que tenían los bandidos, no se escapan de las garras de sus perseguidores. Por fin pudie-ron llegar hasta el lugar en que los encontró Joaquín.

Al día siguiente de este encuentro inesperado, los tres mexicanos siguieron su marcha en dirección a Arroyo Cantova. Franquearon las gar-gantas de Sonora y de Tuolumne en la orilla del Sud; después apeándose de sus caballos en Rattlesnake Bar, entraron en una casa y pidieron de cenar.

La habitación estaba ocupada por un anciano, su hijo y su hija. El aspecto de nuestros tres mexicanos, bien vestidos y armados, les sorpren-dió y con razón; pero no dijeron nada, y muy pronto fué servida la cena por la niña, hermosa y tierna criatura como la que más.

Murrieta, que bajo su hábito de bandido abrigaba una alma de caballe-ro, habló afablemente con la linda niña, mientras que ella servía muy graciosamente a él y a sus compañeros.

El anciano observaba con un aire sospechoso la voracidad de sus hués-pedes, pero guardaba para sí sus impresiones.

Cuando concluyó la cena, Valenzuela se levantó de su silla, avanzó hacia el joven que se hallaba sentado al lado de la chimenea, y amenazándolo con su revólver, le preguntó si se opondría a que su casa fuese entregada al pilla-je.

—Si teneis algo que objetar, dijo el bandido, hablad pronto.

—¡Señor! exclamó el anciano, ya sospechaba yo que estos hombres no eran otra cosa que bandidos.

Y comenzó a dar tales gritos, que Jack Tres-Dedos se vió precisado a taparle la boca con una mordaza.

El joven consintió en que se saquease la casa, la cual fué puesta muy pronto en completo desorden.

Al fin, los bandidos se retiraron, llevándose consigo algunos centenares de pesos.

Cerca ya de Mariposa, Joaquín reflexionó que la falta de prudencia de Jack Tres-Dedos podría ocasionarle algunas dificultades, como le sucedió a Valenzuela cuando estuvieron en Weaverville, por lo cual resolvió entrar solo en el pueblo. De consiguiente, ordenó a sus dos compañeros que se dirigiesen juntos al cuartel general, mientras que él permanecía uno ó dos días en casa de uno de los socios de la pandilla, llamado Juan Berreyesa.

Este sujeto había suministrado a veces excelentes informes a algunos miembros de la compañía, y de tiempo en tiempo les prestaba dinero, y consideraban a Berreyesa como un sincero y fiel amigo.

Sin embargo, no era así; sin que pareciese, Berreyesa tenía un odio mortal a Joaquín, y en todos tiempos había buscado una ocasión favorable de desembarazarse de él, entregándolo a los americanos. En aquellos momentos, persuadido de que la ocasión que se le ofrecía era excelente, empleaba toda su actividad para llevar a cabo su traición.

Hacía tres ó cuatro días que habían dejado al jefe Valenzuela y Jack Tres-Dedos. Una noche, Joaquín se hallaba visitando los fandangos, con la esperanza de encontrar a alguno de sus amigos, cuando por una casualidad se apercibió que su porta revólver estaba vacío. Creyó en el acto que el arma habría quedado encima de su cama y se fué a buscarla.

En primer lugar se entretuvo en la caballeriza situada al lado de la casa para saber si su caballo tenía suficiente pasto; después entró por la puerta de atrás en un pequeño cuarto contiguo a la cocina, que Berreyesa había cedido a su huésped. Mientras que avanzaba en la obscuridad, buscando una vela y los fósforos, oyó las voces de dos personas que estaban hablando en la pieza vecina: una de estas personas, según dejaba traslucir su acento, era americano.

En cualquiera otra circunstancia, Joaquín no se hubiera fijado en eso; pero su nombre, pronunciado distintamente por los dos interlocutores, y de una manera nada cordial, le hizo entrar en sospechas.

A pesar de que consideraba absurda la idea de que su amigo conspirase contra él, tuvo la curiosidad de saber por qué había sido pronunciado su nombre, y este motivo le pareció suficiente para tomarse la libertad de escuchar la conversación.

Cruzó la cocina andando de puntillas, y fué a colocar su oído contra el muro de madera que separaba ambas piezas.

—Sí, decía Berreyesa, de este modo mi venganza será completa: me ha ofendido mortalmente varias veces tanto aquí como en México, y me la ha de pagar. Además, necesito dinero. Mis pérdidas en el juego me han obligado a vender mi rancho por la mitad de su valor y . . . ¿Pero cuál es la cantidad que se ofrece como recompensa?

—Eso sí que no lo sé, dijo el otro. Esperad, creo que son cinco ó diez mil pesos.

—Dadme mil y mañana lo tendréis.

—¿Pero estáis seguro de que sea él? Si me lo afirmais, puedo reunir la suma tan pronto como la pidáis, y por cierto que será un buen negocio. ¿Pero estáis seguro de que no os engañáis?

—¿Cómo no he de estarlo? Hace demasiado tiempo que lo conozco para que pueda engañarme.

—¿En dónde está ahora? Me habéis dicho que se halla a algunas millas de aquí; pero ¿en dónde?

—¡Caramba! ¿acaso me tomáis por un imbécil?

—Mas bien pudiera tomaros por un cómplice, por un miembro de la pandilla, y como tal haceros linchar.

—¿En verdad? Pero ni siquiera tenéis la prueba de que yo le haya hablado alguna vez.

—¡Bien, bien! No tengo ganas de disgustarme con vos. Si esta noche misma queréis entregárnoslo . . .

—¡Dispensad! ¿qué entendéis vos por *entregárnoslo?*

—¡Oh! ¡con mil diablos! ¿acaso suponéis que voy a aprehenderlo yo solo? No, no: he oído contar demasiadas hazañas suyas para aventurarme a ello. Seremos tres; y uno de mis compañeros es precisamente el que debe proporcionarme la suma que vos habeis estipulado.

—¡Oh! entonces, está muy bien. ¡Comprendo! El negocio está arreglado y concluido: ¿me pagaréis la suma estipulada cuando lo tengáis eu vuestro poder, muerto ó vivo?

—Perfectamente, si es que sois formal en vuestras promesas.

—Hablo seriamente por la primera vez de mi vida; pero sin mi mala suerte en el monte, os habría pedido por su cabeza tres veces más de lo estipulado. A este mezquino precio, es una tarea bien ruda la que voy a emprender.

—¿En dónde y cuándo podremos aprehenderlo?

—En esta misma casa, antes de dos horas, con tal de que tengáis el dinero pronto.

—Muy bien. Lo tendré antes de diez minutos, y mañana la carrera de Joaquín habrá terminado. Aguardadme.

En seguida el americano salió, cerrando la puerta detrás de él.

Un segundo después, Murrieta se lanzó dentro del cuarto en que había tenido lugar la conversación anterior, semejante a una bestia feroz, y sacando su puñal cogió por la garganta al miserable Berreyesa, que había quedado como petrificado con aquella aparición.

—¡Silencio! dijo Joaquín al primer esfuerzo que hizo el otro para hablar. ¡Ya habéis dicho sobre la tierra vuestra última palabra!

—¿Con que queríais traicionarme? añadió Joaquín después de algunos segundos de pausa y apretando con más fuerza la garganta de su antiguo cómplice; ¡traicionarme por dinero y para vengaros! ¿para vengaros de qué? ¿No he sido siempre vuestro mejor amigo? ¡Necesitábais dinero y me vendíais por algunas onzas de oro, haciendo creer al comprador que vuestro principal móvil era la venganza! ¿De quiénes de los de mi compáñia podré fiarme ahora? Los que como vos, se me han mostrado siempre adictos, pueden, en un momento dado, entregarme a mis enemigos y hacerme ahorcar en el primer árbol que se presente. ¡Y sois vos, Berreyesa, quien así obráis, vos a quien yo había supuesto incapaz más que ningún otro de semejante bajeza y cobardía! ¡Berreyesa, vais a morir!

Y sepultó su puñal en el corazón del cobarde mexicano; cuando, abriéndose la puerta, se encontró frente a frente con el yankee, cómplice del contrato de que había sido testigo oculto.

El americano, al ver la terrible escena que acababa de tener lugar, dejó caer de sus manos el saco de oro que traía a Berreyesa y sacó su revólver.

—¿Quién sois vos? dijo a Joaquín.

—Yo soy el hombre que habeis comprado por esta suma, dijo Murrieta señalando el saco.

—¿Entonces, sois Joaquín? ¡Rendíos, pues, ó sois hombre muerto!

—Muy bien; pero en ese caso, ¡cabeza por cabeza! ¡Y tened cuidado, que cuando hayáis disparado un tiro, haré uso de mi puñal!

—Preferiría ahorcaros en vida y más vale que os rindáis en seguida, pues no podéis escaparos. Mis dos compañeros estarán aquí antes de cinco minutos; he querido que estuvieran presentes en el acto de que entregara este dinero al hombre que acabáis de asesinar.

—¡Que acabo de castigar, queréis decir!

—Bien, bien, las palabras no tienen ningún peso en este asunto. Bajad

Joaquín da muerte a Berreyesa que pretendió traicionarlo.

vuestro puñal ó hago fuego.

—El destino me es adverso, dijo Joaquín, y estoy viendo que mi carrera ha concluído.

—¡Aprontad vuestra arma!

—Lo único que os pido es que si tengo que ser colgado, me entreguéis a la justicia y no al populacho.

—Por vos lo haré con mucho gusto, respondió el otro, extendiendo el brazo para tomar el puñal.

Aprovechando el momento en que su enemigo tendía el brazo, nuestro intrépido bandido se lanzó sobre él con la agilidad de la pantera, lo tiró al suelo, y le atravesó el pecho con su puñal. Luego, apoderándose del revólver que había caído al suelo, salió del cuarto cuando llegaban los compañeros del americano. Joaquín tomó su caballo, y sin ensillarlo siquiera, se alejó de aquel lugar a todo escape.

Hallábase apenas a una milla de distancia de Mariposa, y ya toda la población se había reunido; varios ginetes salieron a perseguir al bandido en distintas direcciones, pero todos sus esfuerzos se estrellaron ante la velocidad del caballo de Joaquín, que se internó en las montañas.

Dos semanas después de esta peligrosa aventura, Murrieta llegó al cuartel general, donde encontró reunidos a casi todos sus hombres y además cosa de cuatrocientos caballos que habían robado en diferentes lugares del Estado.

El joven bandido explicó a sus hombres la causa de su larga ausencia; después se retiró a su cabaña con Clarita, la que le contó todo lo que había ocurrido en el campamento desde su partida.

Entre otras noticias, Joaquín supo que uno de sus afiliados de San Luis Obispo, llamado Jack Texas ó Texas Jack, se había presentado en compañía de otros dos individuos que, si bien eran completamente extraños a la cuadrilla, habían sido presentados por Jack como excelentes y simpáticos conocidos. Habíanse puesto en campaña para procurarse algunos caballos, y casualmente se encontraron a inmediaciones del cuartel general.

Una gran parte de los miembros de la pandilla estaban casi a punto de echar fuera a los intrusos, y hasta había quienes tratasen de matarlos, persuadidos de que no eran otra cosa que espías; pero otros, que varias veces se hallaron con Texas en Baja California, tuvieron fe en sus palabras y defendieron su causa con tal calor, que sus camaradas consintieron en conservar la vida de los tres recien venidos, hasta el regreso de Joaquín.

En seguida que supo lo que había pasado, Murrieta ordenó a Antonio que le fuesen presentados los prisioneros. Estos habían sido puestos en un lugar seguro y apartado, para que no pudiesen mezclarse en los secretos de la pandilla y no pudiesen perjudicarla dado caso que se les devolviese la libertad.

XXI

Texas Jack.—Murrieta lo pone en libertad.—Asesinato de sus dos compañeros por Jack Tres-Dedos.—Saqueo en los condados de Calavera.—El Dorado y Tuolumne.—Generosidad de Joaquín con un barquero.—Se pone precio a su cabeza.—El mismo ofrece diez mil pesos de recompensa a quien lo aprehenda muerto ó vivo.

Jack Texas ó Texas Jack era un pillo de marca mayor en toda la extensión de la palabra, y añádase a esto que era yankee.

En la época de la batalla de San Jacinto (1836), tenía doce años.

Cuando su padre, hombre muy atrevido, se alistó en el ejército, Jack quiso seguirlo, pero no le fué permitido.

Deseoso de probar que podía batirse tan bien como cualquiera otro, espió a un indio partidario suyo, hízole caer en una celada y después de darle muerte le cortó la cabeza, la cual presentó a su padre cuando regresó victorioso de la campaña.

Texas Jack se hallaba en San Francisco en el mes de Junio del año de 1851, en compañía de un luisianés nombrado Fred el indio (Indian Fred), de Bill Flanders, un tunante de siete suelas que se había visto obligado a salir apresuradamente de Maryland, en compañía de un mexicano conocido con el nombre de Montecito, diminutivo de Moctezuma.

Los cuatro bandidos tenían consigo un cierto número de caballos y de mulas, que habían robado en los valles de San Joaquín y San José; los pusieron en un corral de la calle Mission, cerca de la calle Primera, y luego se encaminaron juntos hacia una cantina situada al lado de la antigua casa de policía correccional. En esta casa habitaban varios polizontes, entre otros uno que se hallaba postrado en cama por una enfermedad, llamado McCarty.

Desde su cuarto, el oficial de policía oyó y reconoció la voz de Fred el indio: mandólo llamar y le aconsejó que saliese inmediatamente de la ciudad, pues pesaban sobre él tres graves acusaciones de robo; y que además, se sospechaba que él mismo fuese el autor de un asesinato que acababa de perpetrarse en un condado inmediato.

Fred informó a Texas de lo que pasaba y partió para Stockton, con sus dos compañeros. Apenas se habían alejado los tres bandidos, cuando el mejor de los caballos que habían robado fué vendido al dueño de la cantina; luego Texas condujo los demás a la plaza pública y los vendió en remate.

Después se dirigió a quince millas de San Francisco, en el camino de Santa Clara, penetró en un rancho en el cual el cantinero había enviado el caballo que acababa de comprar; apoderóse de él por segunda vez y se encaminó hacia la misión de San Luis Obispo. Allí fué donde trabó conocimiento con Murrieta y con algunos de sus hombres, en una casa de mala fama, propiedad de un tal Víctor (a) Narigón, situada entre la misión y el lugar en que desembarcaban los marineros que andaban en los buques de cabotaje.

Texas, tuvo la suerte, en cierta ocasión, de prestar un servicio a Joaquín dándole informes de ciertos individuos que perseguían a nuestro héroe: en recompensa éste le hizo el presente de un magnífico caballo, digno, bajo todos conceptos, de rivalizar con el famoso Black Bees de Dick Turpin.

En el curso de sus excursiones, Jack tenía la costumbre de acampar durante la noche y dormir con la cabeza colocada entre las patas delanteras de su caballo.

Una noche, mientras reposaba de esta suerte a inmediaciones de la cañada de San Antonio, fué despertado repentinamente por su caballo, que le tiraba de los cabellos con la ayuda de sus dientes. Apenas se hubo puesto en pie, cuando percibió a tres ó cuatro individuos, indios ó mexicanos, que avanzaban cautelosamente hacia donde él estaba, con intento, a no dudarlo, de despojarlo y asesinarlo.

Montó en su caballo y echó a correr a todo escape; al mismo tiempo oyó silbar algunas balas que pasaron junto a él, perdiéndose en el espacio. Llegó a San Benito y luego se acostó sobre la yerba, al lado de una casa de adobe: el caballo imitó a su amo, y relinchó dulcemente como para felicitarlo por haber escapado tan dichosamente de aquel peligro.

Por último, Texas fué arrestado por robo y enviado a San Quintín, donde permaneció hasta el año de 1857.

Cuando Texas Jack y sus compañeros fueron presentados delante de Joaquín, el jefe justificó su detención y permitió que partiesen inmediatamente. Algunos miembros de la compañía, manifestaron no ser de la misma opinión que su jefe, al extremo que Murrieta, temiendo que aquellos tres hombres fuesen asesinados, juzgó prudente que los escoltasen

Valenzuela, Jack Tres-Dedos y otros dos mexicanos, hasta la mitad del río de San Joaquín.

Hallábanse apenas a diez y seis millas del campamento, cuando Jack Tres-Dedos se lanzó sobre uno de los americanos y le descargó su revólver a boca de jarro. Al ver esto, Texas y el otro compañero espolearon sus caballos, corriendo lo más que podían para escaparse de las garras del feroz Jack.

Sólo Texas logró salvarse; su compañero fué alcanzado por el sanguinario Tres-Dedos, y a pesar de toda su resistencia, pereció bajo el puñal de nuestro hombre. Viendo luego Jack que era imposible alcanzar a Texas, se contentó con dispararle tres tiros, diciendo al mismo tiempo al yankee:

—¡Buena fortuna, camarada! ¡Puedes vanagloriarte de haberte escapado de un gran peligro! . . .

Y después de estas palabras el bandido fué a reunirse con sus camaradas, quienes al primer tiro se habían quedado estupefactos en medio del camino, sin saber qué partido tomar é incapaces de auxiliar a los prisioneros.

—Acabáis de cometer una tontería, dijo Valenzuela; pero supongo que habréis recibido órdenes de nuestro jefe para ello.

—¡Ordenes! exclamó García, ¡no por cierto! Yo no he recibido más órdenes que las que os han dado a vosotros.

—¡Cómo! ¿habéis tomado bajo vuestra responsabilidad la muerte de esos hombres?

—¡Sí, caramba! Y habría corrido la misma suerte el tercero, si le hubiese podido agarrar; pero el maldito yankee ha huído cual si lo hubiesen estado pinchando por detrás.

—¿Cuál era vuestro objeto, al fin, añadió Valenzuela, al entregaros a tan inútil carnicería?

—¡Inútil! ¿Qué es lo que es inútil? ¿Matar a dos americanos? ¡Vaya, vaya! Os aconsejo que regreséis a México y os metáis a ermitaño. Parece que os vais a desmayar porque se ha derramado una poca de sangre. Supongamos que esos hombres se hubiesen escapado, ¿qué hubiera sucedido?

—En efecto, ¿qué hubiera sucedido?

—Que nos habrían traicionado.

—Si, pero vos olvidáis que uno de ellos se ha escapado, y que tal vez con vuestra acción habéis convertido en enemigo nuestro a un hombre que, estoy persuadido de ello, habría sido siempre uno de nuestros mejores amigos. Texas creerá que habéis obrado conforme con las órdenes de Joaquín.

—¡Que crea lo que le dé la gana! murmuró el brutal Jack. ¡Yo me rio de él y de vos también!

Nuestros hombres regresaron al campamento, pero tuvieron buen cuidado de no contar lo que había ocurrido en el camino: cada uno de los bandidos tenía idénticos motivos para temer la cólera del jefe, pues los compañeros de Jack se habían constituido en cómplices suyos, no impidiendo el crimen.

Una semana después, esto es, en los primeros días del mes de Marzo de 1853, los hombree de Joaquín comenzaron una serie de depredaciones que llenaron de espanto a todo el país.

Los bandidos habían escogido para teatro de sus operaciones, los tres condados más ricos del Estado de California. El Dorado, Calaveras y Tuolumne, y jamás se había visto una devastación parecida ni tan rápida. Compañías de cuatro ó cinco hombres, y algunas hasta de doce, habían sido diseminadas en aquellos condados por todos lados; y tal fué la variedad, el número y la rapidez de sus operaciones, que sería casi imposible intentarlas reseñar.

El robo, el asesinato, el incendio, el pillaje, eran el tema de todas las conversaciones y lo que todos temían. Algunas de estas abominaciones eran cometidas a la luz del día, y otras quedaban envueltas en el más profundo misterio; pero siempre se reconocía en ellas la mano de Joaquín: veíase que todas aquellas calamidades eran el fruto de sus propias combinaciones que habían germinado y madurádose en su mente, sabiéndose además que este gran dramaturgo era siempre el principal actor de esas tragedias. Si bien las numerosas ramificaciones de esta acción tan vasta y tan complicada, divergían completamente entre sí, venían siempre a unirse a un hilo común, salían del mismo punto y tenían las mismas tendencias; tendencias que conservaban su secreto en el corazón de Joaquín.

En todo el Estado no había un sólo pueblo de alguna importancia que no tuviese uno ó más espías, según las necesidades de su causa. Jamás faltaban a Joaquín lugares de refugio para ocultar sus heridas y los caballos robados, y aún pudieran citarse muchos ranchos, habitados por hombres honrados y muy respetables a los ojos de todo el mundo, donde el jefe mexicano encontraba cuanto necesitaba.

Robando y pillando en todo el camino, Murrieta y ocho de sus hombres llegaron una noche del mes de Marzo, a uno de los bancos del río Tuolumne. La embarcación para pasar el río estaba amarrada en la rivera de tal modo, que no pudieron transladarse al otro lado ellos mismos, según acostumbraban hacerlo. En virtud de esto se encaminaron hacia la choza del barquero, el cual estaba tan profundamente dormido, que los bandidos tuvieron que echar la puerta abajo para despertarle. El pobre hombre salió todo atemorizado y preguntó a Joaquín qué era lo que querían.

—Queremos pasar el río, dijo éste, pero antes de alejarnos de este lugar, queremos que nos prestéis toda la plata acuñada que tengáis disponible. Esto va a demostraros la urgencia de una respuesta violenta.

Y al mismo tiempo el mexicano sacó su revólver y apuntó con él en la frente al pobre diablo.

—Sí, señor, dijo el barquero: la demostración no era necesaria. Voy a prestaros todo lo que poseo.

Al mismo tiempo encendió la luz y sacó de debajo de su almohada una bolsa que contenía cerca de cien pesos.

—Vamos, vamos, dijo Jack Tres-Dedos que formaba parte de la compañía de Joaquín y que no perdió la ocasión de quemar un fulminante en las mismas narices del barquero, para darle miedo; vos tenéis más dinero que éste, mostrádnoslo.

Y se preparaba para tirar de veras, pero Joaquín le ordenó en un tono severo que permaneciese tranquilo. El barquero respondió temblando:

—Es todo lo que tengo, señor, pero os lo ofrezco de buena voluntad.

—No lo quiero, dijo el jefe, movido de un rasgo de generosidad; vos sois pobre y no me habéis hecho ningún daño. Pasadnos al otro lado del río y os pagaré por el trabajo y molestias que os hemos causado.

Hemos narrado este episodio, para demostrar que Murrieta no había perdido del todo los nobles sentimientos que poseía antes de entregarse a la vida del bandalismo. También hemos querido contestar a aquellos que creen que había perdido toda idea generosa, todo pensamiento humanitario.

La pequeña compañía llegó sin ninguna otra aventura a inmediaciones de Stockton, después de haber andado dos días, y acampó a tres millas de la ciudad, en medio de un sinnúmero de robles, como sólo los hay en California.

Un domingo por la mañana, mientras las campanas llamaban a los fieles a la iglesia, y los hombres bien afeitados y acicalados permanecían en las esquinas de las calles viendo pasar las lindas muchachas, apareció de repente en la ciudad un extranjero nuevo en ella.

Era un buen mozo, con unos ojos negros y expresivos; su cabellera era también negra y muy poblada y le caía sobre las espaldas. Paséabase tranquilamente mirando con aire indiferente lo que llamaba su atención.

Nuestro hombre vestía con mucha elegancia; iba montado en un caballo tan hermoso y bien guarnecido, que a pesar de que nadie lo conocía, era el objeto de todas las miradas y de todas las conversaciones.

—¡Qué buen mozo! decían las mujeres. ¡Míralo bien, amiga!

—Cuando menos es algún noble mexicano que viaja por recreo, dijo uno.

—Yo, añadió otro, creo simplemente que es el hijo del general Vallejo.

—No creo que el general Vallejo tenga hijos, objetó un tercero.

Y las señoritas estaban tan absortas en la contemplación del arrogante ginete, que suponemos que aquel día el cura recitó su sermón para que lo oyesen las paredes é hizo el gasto de velas para alumbrarse a sí mismo.

Este joven, que tanto había llamado la atención de los habitantes de la ciudad de Stockton, al pasar por delante de una esquina en que había pegados varios carteles muy vistosos, se paró de repente. Era que le había sorprendido uno de ellos, en que se leía:

¡Cinco mil pesos de recompensa al que entregare a Joaquín muerto ó vivo!

Apenas hubo leído estas líneas el mexicano, saltó de su caballo, sacó un lápiz y escribió algunas palabras debajo del cartel, luego volvió a montar en su caballo y salió de la ciudad tan tranquilo como si nada hubiese sucedido.

Una docena de personas, cuando menos, instadas por la curiosidad, se adelantaron para ver lo que había escrito con lápiz.

He aquí lo que leyeron:

Yo doy diez mil pesos.—JOAQUIN.

Ya pueden figurarse nuestros lectores las numerosas exclamaciones de admiración con que fué acogida la lectura de estas palabras.

En toda la semana no se habló de otra cosa más que de este suceso, a lo menos entre las mujeres.

Todas habían querido adivinar en su semblante, en su mirada, en su porte, que aquel jinete no era otra cosa que el famoso Joaquín Murrieta, a pesar de que ninguna de ellas lo había visto en su vida.

XXII

Atrevimiento de Joaquín.—Ataque y captura de una goleta a inmediaciones de Stockton.—Murrieta se dirige sólo a San Francisco por Sacramento.—La casa del amigo Blanco—Cómo empleaba su tiempo Jack Tres-Dedos, y de que manera comprendía los negocios de interés.

El hecho extraño que acabamos de contar, no impidió a Joaquín venir de vez en cuando a la ciudad bajo diferentes disfraces, a fin de saber por sí mismo lo que le interesaba saber.

Joaquín fué informado una noche, que a la hora de la marea una pequeña goleta debía salir de Stockton para San Francisco. A bordo se hallaban dos mineros de Campo Seco, condado de Calaveras, que iban a embarcarse para los Estados Unidos, bien provistos de monedas, ó su equivalente de oro en polvo.

Joaquín tomó tres de sus hombres que inspeccionaban la ciudad, y con el auxilio de una pequeña embarcación, fueron a esconderse en uno de los bancos del río, cubierto de maleza.

Los mosquitos les incomodaban de tal suerte, que estuvieron tentados de abandonar la operación; pero la perspectiva de un buen negocio les hizo reflexionar y perseverar en su primera idea.

Murrieta sentía no haber llevado consigo algunos fósforos, pues con ellos hubiera podido encender una hoguera y con el humo dispersar los impertinentes y molestos mosquitos; pero la idea de que la perseverancia encuentra siempre su recompensa, le consoló, y aguardó durante tres horas mortales, que apareciese el deseado buque.

La goleta se dejó ver por fin; cuando estuvo enfrente del banco, Joaquín y sus compañeros dirigieron su embarcación hacia ella, y agarrándose de sus costados, saltaron sobre cubierta é hicieron una descarga sobre la tripulación, que sólo se componía de dos hombres, sin decir una palabra.

Los desdichados ni siquiera tuvieron tiempo de agarrar sus rifles; a la primera descarga cayeron muertos. Los dos mineros, al oir el tiroteo, salieron apresuradamente de sus camarotes, arma en mano, y dispuestos a defenderse; pero ya el partido no era igual. Bandidos y mineros dispararon a un mismo tiempo.

Dos hombres de la banda de Joaquín cayeron muertos sobre cubierta; los dos mineros tuvieron la misma suerte. Joaquín y el compañero que le quedaba, se apoderaron de los cintos que contenían toda la fortuna de los mineros; después, mediante algunos fósforos que hallaron en un camarote, pegaron fuego al buque, que fué devorado por las llamas.

Al amanecer, ya no quedaban trazas del crimen; apenas se divisaba en el horizonte un punto negro que se destacaba en la superficie del mar. Mediante esta audaz operación, Joaquín había realizado doce mil duros de oro en polvo.

Al día siguiente, después de haber enviado a Jack Tres-Dedos y a cuatro de sus bandidos al cuartel general, Joaquín partió con Valenzuela para Sacramento.

Allí permanecieron cosa de una semana, y luego se embarcaron para San Francisco, donde llegaron a eso de las once de la noche. Inmediatamente que saltaron en tierra, se encaminaron a una casa situada en la calle del Pacifico, cerca de la de Dupont.

Nuestros hombres llamaron a la puerta varias veces, y sólo después de un cuarto de hora largo, obtuvieron contestación.

—¿Quién llama? preguntó en tono muy bajo una voz..

—Somos amigos, señor Blanco, dijo Murrieeta, y muy buenos amigos.

—¡Ah! ya os conozco, paisanos, respondió la voz; ¡entrad, entrad! Hace ya muchos días que os estaba aguardando..

—¿En verdad? dijo Valenzuela entrando deetrás de Joaquín, mientras que el señor Blanco cerraba herméticamente la puerta de la calle. ¿Cómo podíais aguardarnos? ¿Sois acaso mágico para prever así nada más, quién es el que debe llegar a vuestra casa?

—A no ser, añadió Joaquín, que hayáis sido visitado por algún espíritu del Monte del Diablo.

—¡No, no, nada de eso! Mis informes provienen de un individuo de la compañía. Venid por acá; voy a enseñaros el individuo en persona, a pesar de que supongo que no os va a reconocer, pues hace cuarenta y ocho horas que está borracho como una uva. ¡Vaya, vaya! es un rudo guardián. Cuando oí llamar la primera vez, supuse que erais enemigos y traté de despertar al camarada: esta fué la causa de que tardase tanto en abrir la puerta.

—Muy bien, dijo Joaquín; pero, ¿cuál de nuestros compañeros puede encontrarse en este lugar?

—Venid a verlo vos mismo, contestó Blanco. Por acá . . . en seguida llegaremos. ¡Cuidado con estos dos escalones! Hé aquí la puerta. Hacía tanto tiempo que no habíais venido a mi casa, que no es extraño que hayáis olvidado sus rincones. Después que vinisteis la última vez, esta casa se quemó; pero la he reconstruido tal como estaba antes. Y ahora, hé aquí el hombre en cuestión.

Joaquín y Valenzuela acababan de entrar en una pieza bastante grande.

—¿Dónde está? preguntaron a Blanco.

Joaquín se dirigió hacia una mesa que allí había, tomó la lámpara que alumbraba el cuarto y se aproximó al hombre que dormía..

—¡Cómo es eso! exclamó retrocediendo alguunos pasos. ¿García aquí?

—Sí, respondió el señor Blanco. El me ha dicho que vos le habías ordenado que volviese al cuartel general; pero ha tenido la buena suerte de encontrarse en su bolsillo algún dinero más del acostumbrado, y quiso venir a San Francisco a procurarse algunas distracciones.

—Está muy bien, objetó Valenzuela. Vamos a ver si logramos despertarlo.

Y, aproximándose a la cama, administró a su camarada algunos puñetazos bien dados, que lejos de producir el efecto deseado, arrancaron solamente a Jack Tres-Dedos una sorda exclamación y juramentos entrecortados, tales como de *caramba.*

Sabiendo Joaquín que no podía vigilar a García todo el tiempo que permaneciesen en San Francisco, trató de evitar su presencia cuanto fuese posible.

Con este fin compró una tienda de campaña que mandó clavar en una de las alturas de la ciudad, no lejos del hotel Frémont, es decir, cerca de la esquina de las calles Battery y Vallejo.

Todas las noches Joaquín y Valenzuela salían de su cabaña para visitar la Bella Unión, Diana, El Dorado y otras casas de juego. Perdían y ganaban cantidades de oro con una facilidad, una calma y tal gracia, que excitaban la admiración de los asistentes y hasta de los mismos banqueros, que son, como es sabido, los hombres más impasibles del mundo.

Una noche, los dos bandidos entraron en la Bella Unión, y ya se preparaban para sentarse en una mesa, donde se jugaba *faro,* cuando les llamó la atención un gran número de curiosos que rodeaban una mesa en la cual se acababa de iniciar una interesante partida de monte. Nuestros hombres se acercaron y vieron a Jack Tres-Dedos, sentado casi frente de ellos, teniendo delante de sí, de cinco a seis mil pesos. Acababa de perder una suma casi igual, y el banquero arreglaba tranquilamente los naipes, para comenzar una nueva partida. Por fin, éste dejó caer sobre la mesa un rey y una sota: Jack, sin titubear, colocó todo su haber sobre el rey. El banquero siguió sacando naipes, y por fin llegó la sota: en pocos minutos hizo pasar las filas de Jack a su lado, sin que en su fisonomía se notase el menor destello de satisfacción. García pidió al sirviente un vaso de brandy, que apuró filosóficamente; luego salió del salón del juego, sin articular una palabra.

Joaquín y Valenzuela, no habían sido vistos por su camarada. Todavía permanecieron una hora larga en la Bella Unión, yendo de una mesa a otra, ganando aquí, perdiendo más allá: después se retiraron, sin haber tenido ninguna aventura desagradable. Al salir de la casa de juego, se encaminaron a un fandango mexicano, que había en la calle Jackson, donde hallaron algunos de sus compatriotas, hombres y mujeres que bailaban en una atmósfera de polvo y humo, al sonido de un tamboril, y un mal violín y una flauta chillona, como un silbido. Los bandidos se mezclaron con la concurrencia, y pasaron allí parte de la noche.

Eran más de las dos de la madrugada, cuando salieron de la casa de baile, para volver a su cabaña. Joaquín había perdido en el juego, una suma bastante considerable, al extremo que, después de registrados todos los rincones de su equipaje, sólo se hallaron en posesión de cien pesos, entre él y Valenzuela. Esta suma era bien mezquina, para hombres que, en el espacio de una semana, habían gastado más de doce mil pesos. Valenzuela, propuso a su jefe que fuesen hasta la Misión de San José: donde vivía uno de sus socios que no tendría reparo en prestarles algunos miles de pesos, mediante un interés suficiente.

Joaquín rechazó la propuesta, por razones que no juzgó prudente dar a conocer a su subteniente, prefiriendo volver a Sacramento, donde habían quedado los caballos, bajo la custodia de un tal Pradillo.

Al pasar por enfrente de una casucha de madera que estaba en el camino, que conducía a la casa de Joaquín, los dos mexicanos, oyeron ruido de voces, en medio de las cuales, se distinguía una que juraba violentamente, cuyos juramentos eran contestados con estrepitosas carcajadas. Nuestros hombres, se pararon delante de la casucha mencionada.

—Es la voz de García, dijo Joaquín, que acababa de oír uno de sus habituales juramentos.

El jefe se inclinó y miró al través de dos de las tablas mal clavadas de la choza: su compañero lo imitó. Entonces asistieron, sin ser vistos, a una escena muy interesante, y bien difícil de describir.

Al través de la atmósfera del cuarto, se destacaban los vapores del ron y del whiskey, unidos al olor ácre de la humareda de las pipas. Varios grupos de hombres estaban sentados alrededor de media docena de mesas; su solo aspecto indicaba los más depravados y viciosos caracteres; en una palabra, individuos capaces de todo. Encima de cada mesa, había un juego de barajas, y en frente de cada hombre, un vaso de estaño que llenaban de cuando en cuando con el licor, ó más bien dicho, con el veneno que contenía un barril, colocado en un extremo de aquella habitación. Una hoguera medio apagada, reflejaba en los semblantes de aquellos hombres de tan mala catadura, formando un contraste singular, con la única vela que alumbraba aquella escena.

En la mesa más cercana a la hoguera, estaban sentados cuatro pillos de la peor ralea; uno de ellos, no era otro que Jack Tres-Dedos, y los otros que lo acompañaban, se llamaban Pedro Sánchez, Juan Borilda y Joaquín Blanco. Los tres pertenecían a la pandilla de Murrieta, y tenían la ocupación de espias; Sánchez, en el territorio de Sonora y Columbia; Borilda en Stockton y el tercero, en la Misión de San Luis Obispo. Los otros grupos, se componían de ingleses, irlandeses y americanos, y todos parecía que habían bebido más de lo regular, lo que no era un obstáculo para que volviesen a empinar el codo.

A despecho del tumulto que reinaba en aquella sociedad tan poco disciplinada, Joaquín y Valenzuela pudieron oír distamente ciertas frases lanzadas acaloradamente por Jack Tres-Dedos, y cuyo sentido en nada sorprendió al jefe de bandoleros.

—Ya habéis recibido vuestra parte, vociferó de repente García, y no se os dará ni un solo peso más. En todo no había más que seis mil pesos, y cada uno de vosotros ha recibido mil. ¡Carammba! ¿creéis acaso que voy a daros la misma parte que a mí, cuando sólo habéis tenido el trabajo de sacar al hombre, habiendo sido yo quien le mató? No, no, este es negocio concluido: en lo sucesivo trabajaré por mi cuenta.

Después, para afirmar mejor su aserción, el bandido dió un violento puñetazo sobre la mesa, que más bien parecía un golpe dado con una maza, tal fué el estruendo que hizo.

Esto indicaba al mismo tiempo que no era conveniente jugar con aquellos puños.

XXIII

Bandidos contra bandidos.—Lo que oyeron después Joaquín y Valenzuela.
—De qué manera se libraron de dos enemigos.—Dos buenos policías.—Joaquín
despierta a Jack Tres-Dedos.—Partida.—Arresto de un falso Joaquín.—Asesinato
cerca de San José.—Rafael Quintana en Santiago.

Mientras que Jack arreglaba con tanta energía la cuestión del reparto, otra escena no menos curiosa tenía lugar en el extremo opuesto de la mesa donde estaban sentados los bandidos.

Uno de los individuos que había en aquel lado se levantó, en el momento que Jack acababa de hacer sus cuentas de una manera tan formidable, y dirigiéndose hacia la hoguera, miró a Tres-Dedos de una manera estúpida y hasta con admiración; luego se volvió hacia su mesa y dijo al oído de sus compañeros algunas palabras.

Sin duda que estas palabras eran de alguna importancia, pues tuvieron el privilegio de hacer salir de la cabaña a seis de los ocho individuos que acompañaban al del informe.

Murrieta y su subteniente les siguieron en medio de la oscuridad, y vieron que se dirigían a una cabaña situada a cincuenta pies de la suya.

Creyendo que Jack Tres-Dedos debía haber sido la causa de la brusca partida de aquellos individuos, nuestros mexicanos los dejaron entrar en casa, luego se aproximaron sin hacer ruido a la cabaña, y escucharon lo que adentro se hablaba. Joaquín y Valenzuela habían sacado sus revólvers, a fin de estar preparados para defenderse, en caso de ataque.

—¿Lo habéis visto? ¿lo habéis mirado bien? dijo uno de los hombres que se hallaba en el interior de la cabaña.

—Perfectamente, dijo otro, lo conoceré toda mi vida. ¿Pero estáis seguro de que es el mismo individuo?

—No lo sé; lo que puedo afirmaros es que le conozco. Lo he visto varias veces en las montañas y puedo aseguraros que es Jack Tres-Dedos, uno de los principales de la banda de Joaquín. También apostaría que el mismo Joaquín está en San Francisco, pues quien ve al uno ve al otro: siempre se les encuentra en los mismos lugares y muy pocas veces se separan.

En tal caso, los tres individuos que estaban sentados con Jack, deben pertenecer a la cuadrilla.

—Entonces, muchachos, dijo un tercer interlocutor, cuyo acento manifestaba que era hijo de Irlanda, todo se explica: hé aquí por qué ha desaparecido la noche pasada la caza que habíamos ojeado.

—¿Qué queréis decir, Dumps? Explicaos.

—Bien lo sabéis vos . . . el nido de mineros que habíamos encontrado, uno de los cuales tenía los bolsillos repletos de oro. Hé aquí todo el misterio.

—En efecto, así debe ser; y como tocaron retirada, no creo que hayan hecho un buen negocio, pues he visto a nuestros hombres jugar y perder sus pesos a centenares en las mesas de monte de la Arcada.

—¡Mexicanos del infierno! Como si necesitasen salir de las montañas para impedir que los blancos se ganen pobremente la vida . . .

—Es lo que yo digo, murmuró otro. ¡Qué el diablo se los lleve! ¿Qué vienen a hacer aquí? Ya hace cinco días y cinco noches que estamos rondando, y apenas hemos encontrado un poco de moneda menuda.

—En efecto, añadió Dumps.

—Voy a deciros lo que pienso, dijo aquel a quien Dumps acababa de interrumpir. Es preciso desembarazarnos de ellos completamente. Los mandaremos al diablo, y cuando el negocio esté concluido, entonces seremos los amos.

—¿Creéis que una sorpresa . . . ?

—¡Oh! No, Grippy, nada de eso. ¿Estáis loco? ¡Una sorpresa! ¿Quiero saber qué haríais con vuestro puñal solamente? Además, bien sabéis que jamás habéis salido feliz en una pelea con ellos: saben manejar el arma blanca algo mejor que nosotros. He aquí lo que propongo: pondremos la policía sobre sus huellas, y si no se van, nos dividiremos por distintos lados y daremos caza a Joaquín. Ya sabéis que se ha ofrecido una buena recompensa al que lo prenda, y cuando lo tengamos . . .

—¡Oh! cuando lo tengamos . . . cuando lo tengamos . . . pero todavía no lo tenemos.

—No se hable más, Dodge. Estáis en extremo borracho y no sabéis lo que habláis. Como iba diciendo, cuando tengamos a Joaquín . . .

—Puede que lo tenga una vez en mi poder y llegado este caso, yo sé manejar bien un puñal: ¡oh, sí!

—Y yo, Dodge, sabré manejaros muy pronto si no estais tranquilo. Decís . . . ¡Ah! ¡yo muero!

Dodge acababa de sepultar su puñal en el corazón de su compañero.

En seguida todos los individuos se lanzaron hacia el asesino, Joaquín y Valenzuela no tenían ningún interés en ver el fin de esta querella; así pues, abandonaron el lugar en que estaban apostados y se encaminaron hacia su cabaña.

A algunos pasos abajo del hotel Frémont, encontraron dos convictos escapados de Botany Bay, que acababan de salir de la taberna para unirse a sus camaradas. Los dos parecían estar muy borrachos.

—¿Quién es este pájaro que revolotea por acá? dijo uno de los dos ébrios poniéndose casi enfrente de las narices de Joaquín.

—Lo ignoro, dijo éste.

—¡Mentís! Lo sabéis bien pues . . .

Antes que hubiese acabado la frase, el borracho estaba tendido en el suelo, medio muerto y en la agonía. El puñal de Murrieta le había atravesado el corazón. Su compañero corrió hacia la cima de la colina, seguido de una bala de revólver que le había enviado Valenzuela, pero no le hizo mella: en seguida desapareció.

Los dos mexicanos continuaron tranquilamente su camino, como si nada de extraordinario hubiese ocurrido, cuando de repente se encontraron enfrente de un polizonte que les preguntó qué significaba el tiro que acababa de oírse. Joaquín trató de ocultar su rostro con las alas de su sombrero y negligentemente empuñó su revólver. Luego, viendo que avanzaba rápidamente hacia ellos otro individuo, que supuso sería un nuevo polizonte, respondió con un tono cortés:

—Ese tiro, señor, es el resultado de un accidente. Mi amigo iba a colocar su revólver en la bolsa, cuando el gatillo se agarró con su cinturón.

—¿Qué es lo que os hacía correr tanto? preguntó el segundo polizonte al primero cuando estuvo cerca del grupo.

—¡Oh! nada, dijo el otro, es que oí un pistoletazo y creí que asesinaban a alguno.

Después volviéndose hacia Joaquín añadió:

—Decíais que vuestro amigo estaba poniendo su revólver en la bolsa cuando se le escapó el tiro. ¿Y por qué lo llevaba en la mano?

—Porque a tales horas de la noche, señor, hay peligro en andar por las calles. ¡Se encuentran tantos pícaros! Mi amigo quería estar preparado para un caso dado.

—¿Por qué entonces no continuó llevando su revólver en la mano?

—En razón de que me reí de sus temores y le afirmé que no teníamos nada qué temer.

—Pero ahora mismo me acabáis de decir que hay peligro en recorrer las calles de noche. Me parece que vuestras respuestas son evasivas y no sé si debo creer lo que me decís.

—Dispense, señor, quise decir que mi amigo debía esperar que se presentase el peligro.

—¿Qué os parece, Charley? ¿No haríamos bien en arrestarlos? Hay en efecto muchos pillos afuera. Añádese a esto que el viento de esta noche es muy a propósito para que arda un buen fuego, y que este lado de la ciudad está admirablemente situado para servir de base al incendió. Creo que sería prudente que los arrestásemos.

—No, no es esta mi opinión. Déjalos en paz: no hay nada que decir. ¡Idos, muchachos! no aguardéis ni un minuto. Ned, tú no debes cuestionarlos más. ¿Sabes que hablas y razonas como un abogado de las tumbas de Nueva York, a quien untan los dedos?

—Está bien; yo sé lo que digo.

—Sin duda alguna: en las próximas elecciones vas a ser nombrado candidato para juez.

—¡Cállate! Eres peor que Billy y Mulligan. Y vosotros, que disparáis vuestros revólvers sin poner cuidado, idos a dormir. Ven conmigo, Charley. Tengo ganas de volver a casa de Nile a tomar un *whísky grog*.

Joaquín dió cortesamente las buenas noches a los dos polizontes, y se alejó con su camarada en dirección a la taberna donde habían dejado a Jack Tres-Dedos.

—Si ese hombre hubiese insistido en querer llevarnos a la cárcel, dijo Joaquín, su suerte estaba decretada. Lo hubiera matado como se mata a un perro.

—Y yo hubiera hecho otro tanto con el otro, dijo Valenzuela.

El ruido que oyeron los dos mexicanos al llegar a la puerta de la taberna, era una buena prueba de que la fiesta continuaba: Joaquín miró por el ojo de la llave y apercibió a Jack Tres-Dedos sentado en el mismo lugar, pero tan cargado a consecuencia de las numerosas libaciones, que apenas podía sostener la cabeza sobre sus hombros.

Murrieta encargó a Valenzuela que vigilase afuera, y entrando él en la taberna, se dirigió hacia la mesa donde dormía su insubordinado subteniente, sacudiéndolo rudamente por la espalda.

García se irguió furioso y sacó a medias su revólver.

—¡Ah! exclamó. ¡Murrieta!

—El mismo: venid. Quiero que salgáis de la ciudad al despuntar el alba.

—¿Por qué? ¿qué hay de nuevo?

—Porque la policía nos sigue la pista, y tal vez dentro de algunos minutos vendrá aquí para prendernos.

—¡Caramba! Hé aquí una noticia que me viene de molde. ¿Cuántos son? preguntó García sacando su puñal.

—Demasiados para que podamos luchar contra ellos, en virtud de que centenares de ciudadanos se pondrían de su lado para prendernos. ¡Vamos, venid conmigo!

—¡En fin, sea como vos queráis!

Y García salió de la taberna, seguido de sus tres compañeros.

Joaquín condujo a todos estos hombres a la casa del señor Blanco, donde permanecieron hasta que despuntó el día.

Después mandó a Blanco (no el dueño de la casa, sino el compañero de Jack), a San Luis Obispo; Borilda y Sánchez se fueron para Stockton y Sonora, que eran sus respectivos distritos. Jack Tres-Dedos recibió la orden de encaminarse hacia San José y ganar sin pérdida de tiempo el cuartel general.

El mismo día salieron para Sacramento, Joaquín y Valenzuela a bordo del vapor: allí encontraron sus caballos. Después se fueron para Stockton, con objeto de dar a Borilda las órdenes necesarias, relativamente a los otros miembros de la cuadrilla, que debían pasar por Stockton y dirigirse hacia Arroyo Cantova.

Tres ó cuatro días después de la salida de Joaquín, se exparció el rumor por todo San Francisco, de que el célebre bandido acababa de ser preso y encerrado en la cárcel de la ciudad.

En efecto, la policía se había apoderado de un pobre mexicano, que tuvo la locura de hacerse pasar por Murrieta, y que especulaba con el terror que éste último inspiraba.

Un gran número de curiosos iba hasta la carcel, a fin de ver el aspecto del bandido audaz que sólo era reconocido por sus acertados golpes de mano. Todos regresaban persuadidos de que era el verdadero Joaquín.

Durante este tiempo Joaquín viajaba tranquilamente; Jack Tres-Dedos robaba un magnífico caballo ensillado y las espuelas de plata de un rico mexicano de la Misión de Dolores; después degollaba a un chino cerca de Alviso, para robarle sus frazadas, y luego asesinó y despojó a un hombre llamado James Walsh, a inmediaciones de la Misión de San José. Este asesinato le valió trescientos cincuenta pesos, además de un reloj de oro y un revólver. Dos rancheros mexicanos, por sospechas de haber tomado participación en este crimen, fueron arrestados y conducidos a San Francisco; pero luego se les puso en libertad por falta de pruebas.

Una semana después, otro miembro de la cuadrilla, llamado Rafael Quintana, apuñaleó en Santiago, cerca de Columbia, a un hombre que nada le había hecho, un ciudadano respetable y verdaderamente inofensivo.

Este asesinato inexplicable causó una viva indignación en todo el condado. El enérgico condestable John Leary, emprendió la persecución del asesino, pero lo perdió de vista en los desfiladeros de las montañas.

El día siguiente, ó dos días después, Quintana salió de su escondite y mató a un tal Samuel Slater, robándole algunas pepitas de oro, dos revólvers y algunas provisiones de boca.

El cadáver de este infeliz no fué descubierto sino después de algunos días, medio devorado por los coyotes.

XXIV

Joaquín prosigue sus operaciones —Se dirige al tribunal de Stockton para ver juzgar a Texas Jack.—Dos de sus hombres son ahorcados en San Juan.—Regreso a Arroyo Cantova.—Grandes preparativos. —Entrevista secreta en San Luis Obispo.—Quién era la dama de Hangtown.—Salida de las señoritas para Sonora.—Robo cerca de Jackson.—A orillas del río Stanislaus.

Después de haber saqueado el país durante algunas semanas y llevado la desolación entre los desdichados habitantes de California, después de haber perdido con este oficio algunos de los hombres más intrépidos y útiles de la cuadrilla, después de haber obligado a sus enemigos a reunirse por todos lados para perseguirle, y después de haber juntado por medio de sus empresas, una suma considerable, Joaquín resolvió salir del condado de Calaveras, que había invadido desde que regresó del cuartel general, para transladar el teatro de sus operaciones al condado de Mariposa.

Este condado sufrió a su vez lo que había sufrido el vecino. No narraremos la larga serie de crímenes de que fué testigo y víctima a la vez; esto sería la repetición eterna de las sangrientas escenas que ya hemos relatado a nuestros lectores. El genio que dirigía y protegía a Murrieta, parecía que no quería abandonarle todavía; y en vista de los numerosos incidentes que se cambiaban para él en empresas de un éxito extraordinario, tentados estamos de dar crédito a la antigua superstición de los Cherokees, según la cual ciertos hombres tienen una existencia encantada y no pueden morir sino cuando son heridos con una bala de plata.

Los bandidos no cesaban de dedicarse al asesinato y al pillaje. Destrás de ellos dejaban siempre alguna señal sangrienta que indicaba su paso, y los más atrevidos crímenes eran ejecutados casi a la vista de los mismos que los perseguían. A cada momento sus perseguidores oían a corta distancia de ellos, gritos desesperados; apresuraban su marcha, pero sólo llegaban a tiempo para ver las víctimas bañadas en su propia sangre y apercibir a los bandidos que, más audaces que nunca, se alejaban a caballo sin que en apariencia tuviesen miedo de que los alcanzasen. Las hordas de Joaquín estaban divididas la mayor parte del tiempo en pequeñas compañías de cinco a seis hombres. A Murrieta rara vez se le encontraba con más hombres que cuatro de sus subtenientes: Valenzuela y Jack Tres-Dedos no lo abandonaban jamás.

Guerra tenía a su cargo la custodia del campamento; Sevalio también estaba en activo servicio, y sólo le igualaba en valor y tino para llevar a cabo con buen éxito las más arriesgadas empresas, el altivo Antonio. Este tenía cierta predilección por el territorio que está comprendido entre Putah y Chache Creek; todos los habitantes que poseían caballos, eran despojados de ellos con el mayor descaro. Todos los días se le perseguía sin descanso, pero merced al noble bruto que montaba, siempre lograba escaparse.

Ese caballo era precisamente el mismo que Texas Jack había recibido de manos de Joaquín en recompensa de sus buenos servicios.

Algunos días antes de salir Murrieta de Stockton, mientras estaba descansando en una casa de la calle Hunter, supo por boca de Valenzuela que Texas Jack acababa de ser conducido ante el juez del condado, acusado de un robo importante.

Deseoso de ver a su antiguo amigo, Joaquin se fué al tribunal, sentándose tranquilamente en medio de los espectadores. Mientras que el juez pronunciaba contra el bandido una sentencia que le condenaba a cinco años de presidio, Jack recorrió con la vista la sala de la audiencia y vió al jefe mexicano.

Una señal imperceptible fué cambiada rápidamente entre ellos, y el condenado sintió palpitar su corazón con la esperanza de una pronta evasión. Desgraciadamente Joaquín sólo tenía en la ciudad a tres de sus compañeros, cuya fuerza no era suficiente para un caso tal. Más tarde confesó a un americano de French Camp, que si hubiese podido disponer solamente de una docena de sus hombres, habría arrancado al prisionero de manos de los oficiales de la policía, entre el espacio que mediaba entre el juzgado y el muelle, donde atracaba el vapor que debía llevarlo a la prisión de Benicia.

Cinco meses después se esparció el rumor de un extraño hallazgo. Acababa de ser descubierto en un hoyo, en el terreno de un rancho que había pertenecido a Texas Jack, un hombre a caballo.

El ginete estaba montado todavía, y las espuelas estaban aún sujetas en sus botas. Todo indicaba que este hombre debió ser herido en el craneo en la misma posición en que se hallaba, y que su muerte no era muy reciente.

A su lado fueron encontrados algunos cráneos y osamentas humanas, últimos restos de otras víctimas del mismo Texas Jack. Su rancho estaba situado en el fondo de un valle, a orillas del río Stanislaus.

Una noche Joaquín se hallaba acostado en una cabaña de uno de los allegados de su cuadrilla, a unas tres millas del pueblo de Mariposa, cuando fué informado que dos de sus hombres acababan de ser ahorcados en San Juan, por robo de caballos.

Habían sido perseguidos y arrestados entre Gilroy y el Pájaro; después fueron atados con fuertes cordeles y transladados al pueblo, donde fueron presentados al juez Mac Mahon, y finalmente puestos en la cárcel.

Los habitantes, que tanto habían sufrido a consecuencia de sus numerosas depredaciones, se juntaron en masa y arrebataron a los prisioneros de las manos de la policía; en seguida, conforme a la ley del juez Lynch, fueron colgados de dos postes levantados al efecto.

Al recibir esa noticia, Joaquín montó a caballo y se dirigió, siempre acompañado de sus cuatro camaradas, hacia el condado de Monterrey, estableciendo su campo a orillas de San Benito, a corta distancia de San Juan. Allí permanecieron los bandidos cosa de media semana, ocultos durante el día, pero empleando la noche en robar los mejores caballos que encontraban en los ranchos de aquellos contornos.

Cuando opinaron que habían vengado suficientemente a sus dos camaradas, levantaron el campo y se fueron con los animales robados a Arroyo Cantova. Cuando llegaron a aquel lugar, hallaron en él a la mayor parte de la cuadrilla. Casi todas las compañías habían dado fin con buen éxito a sus expediciones, y aguardaban las nuevas órdenes del jefe.

Entonces fué cuando comenzaron los preparativos de Murrieta para la grande é importante operación que debía concluir con su carrera de bandido en California.

Joaquín tenía relaciones con los mexicanos más ricos é influentes de todo el Estado, y estaba seguro de su cooperación en el movimiento que proyectaba. Los habitantes no podían sospechar sus intenciones, no viendo en él más que un vulgar jefe de bandidos ignorantes y cobardes perdonavidas.

Murrieta mandó a México al inteligente Antonio, que recibió el dinero y las instrucciones necesarias para el armamento y equipo de voluntarios y partidarios que sólo aguardaban la ocasión para reunirse a la cuadrilla.

Guerra fué despachado a los diversos ranchos de California, donde habían sido establecidos depósitos de caballos; debía juntar todas las bestias que hallase en ellos, y traer al cuartel general a todos los miembros de la compañía que encontrase en el camino.

De su lado, Joaquín tenía un negocio importante que terminar en San Luis, y aquel mismo día salió para allá, acompañado de un solo hombre. El negocio importante no era otra cosa que una entrevista que debía tener con la señora mexicana que por casualidad había encontrado algunos meses antes en la diligencia de Hangtown, cuando fué asaltada por Joaquín. Esta señora, hermana de la primera querida de Murrieta, de la desdichada Carmelita, se había casado con un rico ranchero de Guadalajara, en México.

Cuando murió su marido, confió su rancho a un cura anciano, estimado en todo el país, y se dirigió a California para avivar el sentimiento de venganza en el corazón de Murrieta y apurarlo en el sentimiento de sus siniestros proyectos contra los americanos. Esta mujer supo con pesar que Joaquín pensaba salir de California dentro de un corto plazo, pero viendo que nada hubiera podido hacerle cambiar de opinión, después de haber consultado a Murrieta, volvió a México el día siguiente.

Una semana después de esta entrevista, Joaquín trató de poner a las mujeres a cubierto de cualquier peligro, sucediese lo que sucediese. Así pues, puso a disposición del valiente Sevalio veinte de sus hombres más resueltos, armados hasta los dientes, siendo confiada a esta compañía la misión de escoltar las señoritas hasta el vecino Estado de Sonora. Joaquín mismo les trazó el camino que debían tomar: tenían que seguir la costa del golfo de California, dirigiéndose hacia las misiones de Santa Catalina y San Pedro; después se encaminaron a San Francisco Borgia y a la Misión de Santa Gertrudis, cortando por medio de un país montañoso y poblado de bosques, muy conocido de Sevalio y de los demás hombres de la escolta.

Joaquín mismo acompañó a las señoras hasta cierta distancia del campamento, abrazó a Clarita y a las otras jóvenes, y desandando lo andado, entró a Arroyo Cantova poco después.

Reflexionando el jefe mexicano que lo mejor era aguardar la llegada de los nuevos partidarios de la Baja California y de Sonora, antes de reuinir todo el contingente de que podía disponer, dió contraorden a Guerra, mandó a algunos de sus bandidos, que se hallaban a mano, a las regiones circunvecinas.

El, con una compañía de seis hombres, se dirigió hacia el condado de Calaveras, pillando cuanto hallaban a su paso; así llegaron a inmediaciones de Jackson, y penetrando en la choza de un minero llamado Jewel, mientras éste estaba en el trabajo, le fueron robados trescientos pesos en oro, un revólver de Colt y varios otros objetos.

Sus compañeros inseparables, Valenzuela y Jack Tres-Dedos, formaban parte de esta expedición: jamás el sanguinario García estuvo más a gusto que durante la permanencia de la compañía en Calaveras y los condados vecinos.

El mejor éxito había coronado todas las empresas de los bandidos en el territorio septentrional de Calaveras, durante tres semanas. Los habitantes habían sido despojados de inmensas cantidades de oro, al extremo que Joaquín juzgó prudente mudar de terreno.

Antes de partir, se le juntaron quince de sus hombres, que venían de una excursión cerca de Thom's Creek, en el condado de Colusa: allí robaron cierto número de hermosos caballos, y cuatro de los bandidos se habían separado para conducirlos al cuartel general.

Joaquín guardó consigo este refuerzo inesperado, siguió el Stanislaus, y en los ricos valles que fertiliza ese río, fueron continuadas las escenas de desolación y sangre que tantas veces hemos narrado.

XXV

Nuevas escenas de asesinato. —Prudencia de Joaquín—El capitán Harry Love
es autorizado por el Estado para organizar uua compañía a caballo.
—La caza.—Muerte de Pedro Sánchez, Juan Borilda y Joaquín Blanco.
—Joaquín es sorprendido por el capitan Love. —Muerte de Joaquín y de Jack
Tres-Dedos. —Ultimas palabras del jefe mexicano.
—Dos bandidos son hechos prisioneros.

Después de una estancia de dos semanas en los valles que cruzan el Stanislaus, Joaquín se dirigió hacia los ríos de Mariposa y de la Merced. Su paso por aquel lado fué señalado por medio de colosales depredaciones, después de lo cual mandó al cuartel general de Arroyo Cantova a los hombres que lo acompañaban, a excepción de los seis que había traído consigo. Con estos se retiró al rancho de un mexicano, cerca de San José, mató en el camino a un francés dueño de un jardín público, y permaneció escondido algún tiempo en casa de su compatriota. Este, llamado Francisco Sicarro, estaba afiliado secretamente a la cuadrilla, lo que explica la protección que dió a Murrieta.

La prudencia extremada del jefe en el modo de conducir su plan de operaciones, descuella por todos lados, hasta en el caso relativamente insignificante que vamos a contar.

Una noche, hallándose Joaquín con pocas ganas de salir a beber, envió a un indio del rancho a San José, para que le comprase una botella de licor.

Apenas salió el indio, le vino como presentimiento el temor de que pudiese ser traicionado por aquel hombre; y montando a caballo, alcanzó al indio en el camino que pasa cerca de Coyote Creek, y le mató.

Eran tales los tributos que imponían los bandidos a los ciudadanos de todo el Estado, tales sus violencias, sus actos de pillaje, sus crímenes en fin, que la justicia se conmovió seriamente.

Una petición cubierta de firmas fué presentada a las Cámaras Legislativas, con objeto de obtener la autorización para el capitán Harry Love, de formar una compañía de a caballo, con la cual pudiese arrestar, ehar fuera del país ó exterminar las numerosas pandillas que continuamente tenían en peligro la vida y la propiedad de todos los ciudadanos. Con este fin fué aprobado un decreto y firmado por el Gobernador del Estado, el 17 de Mayo de 1853.

El 28 del mismo mes, ya había una compañía organizada por Harry Love. La paga de cada hombre habla sido fijada en ciento cincuenta pesos mensuales; la existencia legal de la compañía estaba limitada por tres meses: el número de hombres que la componían no podía pasar de veinte.

A pesar de que la paga no era mucha, cada ginete debía proveerse de un caballo, provisiones, efectos de equipo, etc., sin tener derecho por ello a ninguna indemnización.

Love no titubeó ni un momento: tomó inmediatamente el mando de veinte hombres escogidos entre sus valientes camaradas, todos los cuales habían servido con él durante la guerra de Texas. Cuando estuvieron reunidos, Love se puso a la cabeza y marchó en seguida, bien decidido a no volver a San Francisco, hasta haber encontrado al más formidable bandido que jamás haya figurado en los anales del crimen.

La historia debe conservar los nombres de los veinte valientes que lo acompañaban en su expedición.

Hélos aquí: El capitán P. E. Conner; C. E. Bloodworth. G. W. Ewans; Capitán W. Burns; John Nuttall, comisario; W. S. Henderson; C. W. McGowan; Robert Masters; Mayor W. H. Harvey; Coronel McLane; Subteniente George A. Nuital; Lafayette Black; Dr. D. S. Hollister; Hon. P. T. Herbert; John S; Whitd Pevetser; James M. Norton; Chas. Young; E. B. Van Dorn; D. S. K. Piggott.

A medida que esta intrépida, aunque reducida compañía, pasaba a caballo por las ciudades y pueblos del interior, los habitantes los seguían con la vista inquieta, cual si fuesen víctimas destinadas al matadero.

Pero se olvidaban de que había a la cabeza un jefe con autorización del Estado, cuya experiencia era el fruto de las atrevidas luchas que había tenido en México y en Texas; un jefe, en fin, cuya alma era tan severa, tan inflexible como la disciplina por la cual había tenido que pasar, y cuya fuerza de voluntad era tan firme, tan viva en el peligro, como la del atrevido bandido contra quien iba a luchar.

El día 3 de Junio, Pedro Sánchez, que se hallaba en San Francisco tres meses antes en compañía de Jack Tres-Dedos, fué matado en Martínez, no lejos de Columbia, por un español llamado Albino Teba. Ambos disputaban a propósito del reparto de una suma de dinero que habían robado juntos, cuando Sánchez, irritado por la obstinación de su cómplice, se lanzó sobre él, puñal en mano. Teba dió algunos pasos hacia atrás, y sacando su revólver, dió cuatro balazos a su adversario: una sola bala tocó a Sánchez, pero fué lo bastante para que cayese muerto a los pies del español.

Por una extraña coincidencia, Borilda fué ejecutado el mismo día en Stockton, por haber asesinado a un minero llamado James. El bandido había recibido orden de Joaquín de matar a un mexicano que le había ofendido; y al tratar de desempeñar la comisión, había herido mortalmente a James, que se hallaba en el mismo cuarto, al lado del mexicano condenado por Murrieta.

Borilda se declaró culpable del asesinato de tres hombres, y de otros crímenes más ó menos importantes. Un día ó dos antes de su ejecución, vió un revólver encima de una mesa; lo tomó é iba a suicidarse, pero el tiro no salió.

Joaquín Blanco, el tercer compañero de Jack Tres-Dedos en San Francisco, fué matado cerca de Stockton, el año siguiente, por un mexicano llamado Eugenio Corral.

En la noche del 9 de Junio, cuatro bandidos trayendo consigo cuarenta caballos, llegaron al rancho de Andrés Ibarra, situado a unas veinte millas de San Luis Rey; y sin la menor provocacion, hicieron fuego sobre la familia del ranchero, hiriendo a una persona. Después amarraron a tres hombres que habitaban la casa y se apoderaron de todo lo que encontraron en oro ú objetos de valor. Luego se encaminaron hacia San Marcos y mataron dos novillos.

El día siguiente, una pequeña compañía salió de San Diego para perseguir a los bandidos; pero viéndose incapaces de seguir sus huellas después de puesto el sol, no pasó más adelante.

Se enviaron mensajes a varias tribus de indios, a fin de comprometerlos para perseguir a los merodeadores; pero éstos ya habían tenido tiempo de retirarse a las montañas.

Algunos días después, se supo que en Santa Margarita habían sido robados ocho caballos, uno de los cuales fué encontrado entre el rancho de Ibarra y San Marcos.

Perseguido Joaquín por todos lados y por hombres resueltos, con los cuales temía llegar a las manos para no sufrir una derrota que hubiera podido comprometer sus grandes proyectos y destruir sus esperanzas por tanto tiempo acariciadas, resolvió retirarse a un lugar solitario, desierto, y permanecer allí escondido hasta la llegada de los refuerzos que esperaba de Sonora.

A principios del mes de Julio, Murrieta se introdujo en el rancho de don Andrés Pico, situado en San Fernando, condado de Los Angeles, y robó cincuenta caballos. Marchó después hasta el rancho de San Francisco, que está en el mismo condado: allí encontró un ranchero que le acusó de haber robado los caballos de don Andrés y le advirtió que sería perseguido.

Murrieta entonces entregó al ranchero cuarenta y tres bestias, encargándole que las llevase al rancho de San Fernando, añadió que necesitaba las otras siete. Después pasó al condado de Santa Bárbara y franqueó la parte elevada del litoral de Santa Inés, desde donde pudo dirigirse sin dificultad al valle del Tular.

El capitán Love había recibido informes secretos en que se daba como cierta la presencia de Joaquín en aquella parte del país; así, pues, se dirigió de aquel lado con doce de sus hombres. El resto de la compañía se entregó a nuevas pesquisas en otra dirección.

Al llegar al llano del Tular, al amanecer, el capitán vió a alguna distancia, por el lado izquierdo, un poco de humo: este detalle, vulgar en la apariencia, y poco importante en sí, creyó nuestro hombre que no debía ser despreciado.

En tal virtud, se avanzó hacia el lugar donde partía el humo. Primeramente, sólo vió algunos caballos que pacían pacíficamente a algunos centenares de yardas de aquel lugar; pero después, aproximándose más y trepando una pequeña colina, descubrió en un montecito al jefe mexicano y seis de sus camaradas, todos sentados alrededor de una hoguera.

Uno de ellos, ocupado en preparar la comida para los demás, vió la visita que se les hacía y dió la alarma, cuando los americanos se hallaban todavía a cosa de cien yardas del campamento. Los bandidos montaron a caballo, Detrás de ellos se lanzaron a todo escape los cazadores de Love, y no cesaron de perseguirlos y dispararles balazos hasta que Joaquín y Jack Tres-Dedos cayeron heridos, mientras dos de sus compañeros eran hechos prisioneros.

El atrevido mexicano huía con tal rapidez que ya casi estaba a punto de escaparse; algunos pasos más y se encontraba fuera del alcance de los revólvers; pero el capitán Love, viendo que no podía acabar con el ginete, trató de parar su caballo, lo que consiguió disparándole un balazo en la cadera.

El noble bruto se sintió debilitado por un instante; luego, recobrando de nuevo su vigor, a pesar de la herida que acababa de recibir, avanzó más impetuoso que nunca y franqueó el espacio de cerca de cincuenta yardas.

Joaquín Murrieta

De repente Joaquín vió que arrojaba sangre por boca y narices, y el pobre animal cayó al suelo para no levantarse más.

Murrieta corrió algunos instantes a pie: después, viendo que el capitán y uno de sus hombres se acercaban cada vez más se volvió y disparó en dirección a ellos los dos últimos tiros que le quedaban en su revólver. En aquel instante varias balas fueron a herirlo: comprendió que su hora había llegado y suplicó a los americanos que no tirasen más.

—Os habéis apoderado de mí por sorpresa, dijo, pero ¡no importa! muero contento . . . ¡ya me he vengado bastante!

Y palideciendo a medida que la sangre brotaba de tres ó cuatro heridas que había recibido, puso la mano izquierda sobre su corazón, permaneció todavía algunos segundos apoyado sobre su brazo derecho, y después dió el último suspiro.

Jack Tres-Dedos, perseguido por dos ó tres yankees, huía a todo escape; y a pesar de haber recibido once balas, todavía corrió milla y media por la llanura.

Su caballo corría como el viento, de minuto en minuto iba ganando terreno sobre el enemigo, cuyos caballos, poco acostumbrados a tal ejercicio, luchaban frecuentemente contra las irregularidades del terreno.

En fin, viéndose próximo a ser aprehendido, el feroz Jack lanzó una mirada salvaje a los yankees y descargó sobre ellos su revólver de seis tiros: uno sólo salió. Todo conspiraba contra él. A pesar de esto no quiso caer vivo en las manos de los americanos y rehusó rendirse; siguió corriendo, jurando que rompería la cabeza con el mango de su revólver al primero que lo tocase.

En fin, una bala lo tendió al suelo y murió casi instantáneamente.

Entre tanto el combate estaba trabado en diferentes puntos. Los cazadores del capitán Love consiguieron reunirse a su jefe, trayendo consigo dos prisioneros: uno de los bandidos, cuyo nombre ignoramos, había sido matado; otros dos se habían escapado, pero uno solo salió sano y salvo: su compañero sucumbió en el camino de resultas de las heridas que había recibido.

Muerte de Joaquín y de Jack Tres-Dedos.

XXVI

Evasión de uno de los prisioneros del capitán Love.—Lo que fué del otro.—
Historia de la cabeza de Joaquín.—Su exposición pública—Documentos en su
apoyo.—La mano de Jack Tres-Dedos.—Recompensas acordadas a Harry
Love.—Venta en remate de la cabeza de un bandido.—Conclusión.

Después de este sangriento encuentro, el capitán Love juntó los despojos del enemigo: consistían éstos en algunos magníficos caballos, que más tarde fueron devueltos a sus dueños; seis admirables sillas mexicanas, seis revólvers de Colt, una espuela de plata, algunas capas de paño fino y un par de rifles.

Al regresar a San Francisco los cazadores de Love, uno de los prisioneros rompió sus grillos y fué a tirarse dentro de un depósito de agua, donde se ahogó.

Su camarada fué depositado en la prisión del condado de Mariposa: allí permaneció hasta que la compañía se disolvió, y luego fué trasladado a Martínez.

En aquel lugar hizo revelaciones que probaron haber tomado participio un gran número de sus compatriotas, en los crímenes cometidos por él: este hombre se preparaba a hacer revelaciones todavía más importantes, con objeto de escapar del último suplicio, cuando un incidente singular se lo impidió.

A media noche las puertas de la cárcel fueron echadas abajo por una banda de mexicanos que se llevaron consigo al prisionero y lo ahorcaron.

Estos mexicanos eran sin duda miembros activos de la cuadrilla de Joaquín; sus agentes secretos y algunos rancheros que quisieron impedir las revelaciones comprometedoras de su antiguo cómplice.

Los cazadores de Love, desde aquel momento, no tenían en perspectiva más que sólo un objeto. Obtener las recompensas prometidas en todo el país al que aprehendiera vivo ó muerto al célebre jéfe de bandidos.

Y por cierto que estas recompensas eran bien merecidas, a consecuencia del valor que habían demostrado y los peligros que habían corrido, junto con la intrepidez con que habían perseguido a Murrieta hasta las montañas, batiendo a toda su cuadrilla.

Primeramente era preciso demostrar al público la realidad de los hechos. Sin esto, nadie hubiera creído que Joaquín había sido matado; indignas sospechas hubieran empañado la reputación del capitán Love.

De consiguiente, hizo lo que no hubiera hecho jamás, a no mediar las circunstancias expresadas mandó cortar la cabeza a Joaquín, la cual fué inmediatamente traída al pueblo más cercano, situado a ciento cincuenta millas del lugar en que murió el famoso bandido, y allí puesta en alcohol para que se conservara.

El 14 de Agosto, los señores Black y Nuttall llegaron de Stockton a San Francisco con la cabeza del famoso bandido, cuyos numerosos crímenes le habían valido una reputación sin igual en la historia del crimen.

La sorprendente rapidez de sus movimientos, el número de sus cómplices, la extensión de sus operaciones en un territorio excesivamente vasto, había hecho célebre su nombre en distintos puntos a la vez, muy lejanos unos de otros, al grado que ciertas personas lo veían como un ser imaginario, un mito a quien equivocadamente eran atribuidos todos los actos diabólicos de los malhechores refugiados en el país.

Todavía después de su muerte, se esparció el rumor de que se hallaba en los condados del Sud, continuando su sistema habitual de sangrientas tragedias, y saqueando como anteriormente los ranchos y los campos mineros.

Los señores Black y Nuttall traían consigo, además de la cabeza de Joaquín, numerosos certificados y declaraciones emanadas de personas que habían conocido perfectamente al bandido; era, pues, imposible, poner en duda su identidad y no creer las aserciones del capitán Love y de sus hombres.

La cabeza fué expuesta al público, para que toda la población pudiese verla y juzgara ella misma. Se fijaron cartelones que indicaban el lugar en que podía ser visto ese terrible trofeo. Los mismos carteles estaban concebidos en estos términos:

«Joaquín's head is to be seen at King's Corner Halleck and Sansome streets, opposite to the American Theatre. Admission. One dollar.»

Lo que en español quiere decir:

«La cabeza de Joaquín puede ser vista en casa de King, esquina de las calles Halleck y Sansome, enfrente del teatro Americano.—Entrada, un peso.»

Joaquín Murrieta

Entre las numerosas declaraciones, los comprobantes y certificados destinados a probar la identidad de la cabeza, había los que siguen, que traducimos textualmente:

«Estado de California.—Estados Unidos.— Condado de San Francisco,—Ignacio Lizárraga, de Sonora, después de haber prestado juramento, declara: Que ha visto la pretendida cabeza de Joaquín, actualmente en poder de los Sres. Nuttall y Black, subtenientes del capitán Love, la cual está expuesta en el establecimiento de John King, calle Sansome: que el deponente conoció perfectamente a Joaquín Murrieta, y que la cabeza antes mencionada es justamente la del célebre bandido Joaquín Murrieta.—(Firmado). *Ignacio Lizárraga.*

Certificado delante de mí, hoy 17 de Agosto, del año de 1853.
—*Charles D. Carter,* escribano público.»

«Estado de California.—Estados Unidos.— El día de hoy, 11 del mes de Agosto del presente año de 1853, delante de mí, A. C. Baine, Juez de Paz de dicho condado, ha comparecido en persona el Reverendo Padre Dominic Blaive, el cual declara bajo juramento, conforme a las prescripciones de la ley, que ha conocido al famoso bandido Joaquín; además, que acaba de examinar la cabeza que ha sido tomada y posee en este momento entre sus manos el capitán Conner, uno de los subtenientes de Harry Love, y que cree verdaderamente que dicha cabeza es la del mismo Joaquín, que ha conocido hace dos años, como lo declara más arriba.
—(Firmado) *Dominic Blaive.*

Certificado y firmado ante mi, el día mencionado.
—*A. C. Baine,* Juez de Paz.»

Todos corrían en tropel para ver la cabeza de Joaquín: era verdaderamente una hermosa cabeza, que legitimaba bien el furor con que la gente se dirigía al establecimiento de King para examinarla.

Después de haber permanecido el tiempo necesario en San Francisco, la cabeza de Joaquín fué llevada a todos los pueblos del Estado para su exhibición. También fué exhibida la mano mutilada de Jack Tres-Dedos; y no fué poco el asombro de las personas supersticiosas, al notar que sus uñas habían crecido una pulgada lo menos, después de que la mano había sido cortada.

Después de una minuciosa averiguación, el Coronel Bigler, gobernador del Estado, hizo pagar al capitán Love la suma de mil pesos que había ofrecido personalmente al que entregara a Joaquín muerto ó vivo.

Poco tiempo después, el 15 de Mayo de 1864, las Cámaras Legislativas de California, considerando el importante servicio que el capit.án habla prestado al país, librándolo de tan audaz criminal, y que no había sido suficientemente recompensado, decretaron que le sería entregada una suma suplementaria de cinco mil pesos.

Si bien la muerte de Joaquín causó a su cuadrilla una pérdida irreparable, y aun la obligó a disolverse momentaneamente, sin embargo, los bandidos, formados en pequeñas compañías y mandados por jefes atrevidos, continuaron sus depredaciones y sus asesinatos, al grado que algunos llegaron a dudar que el verdadero Joaquín hubiese dejado de existir.

Hácia el fin de 1854, la cabeza de Joaquín fué vendida por el diputado sheriff Harrison en virtud de un embargo por deudas pronunciado contra la persona encargada de exhibirla al público.

La venta se efectuó en pública subasta. Mientras el martillero estaba haciéndola subir de precio, un irlandés exclamó con la mayor indignación:

—¡Oh! ¿es posible que oséis vender la cabeza de vuestro prójimo? Por cierto que jamás tendréis suerte; no volveréis a hacer un buen negocio en todos los días de vuestra vida.

Las ofertas habían llegado en ese momento a la cifra de 63 pesos. Conmovido por la observación del irlandés el vendedor no tuvo valor para ir más lejos y dejó caer el martillo de marfil. La cabeza fué pues adjudicada por 63 pesos.

Algún tiempo después, Harrison se suicidó. El que la había comprado, un armero, conocido con el hombre de Natchez, fué matado accidentalmente al colocar en el mostrador de su taller una pistola cargada.

Tal es la historia del más famoso jefe de bandidos que ha existido sobre la tierra. Al trazarla según datos auténticos y documentos casi oficiales, algunas veces, tal vez, hemos dado algún colorido a los hechos, pero no hemos relatado uno solo que no sea, en el fondo, de la más rigurosa exactitud. Este relato puede considerarse, pues, como una parte integrante de la historia verídica de los primeros tiempos de la California.